DER GROSSE GU KOMPASS

300 Fragen zur Schwangerschaft

Antworten aus der Beratungspraxis
Rat und Hilfe für den Alltag

DR. MED. BRIGITTE HOLZGREVE

DR. MED. BRIGITTE HOLZGREVE

ist Fachärztin für Humangenetik, seit mehr als 20 Jahren in der humangenetischen, pränataldiagnostischen und allgemeinen Schwangerenberatung tätig und derzeit Chefredakteurin des größten Schweizer Internet-Portals für werdende und junge Eltern www.swissmom.ch. Dr. Holzgreve ist mit einem Gynäkologen verheiratet und Mutter von zwei erwachsenen Töchtern – aber noch nicht Großmutter!

WICHTIGER HINWEIS

Alle Informationen und Ratschläge in diesem Buch wurden von Autorin und Verlag sorgfältig und nach bestem Wissen zusammengestellt und geprüft. Dennoch kann eine Garantie nicht übernommen werden. Eine Haftung der Autorin und des Verlages ist ausgeschlossen.

Jede Leserin muss sich bei vorbeugenden Maßnahmen und Selbstbehandlungen genau an die in diesem Buch gegebenen Anleitungen halten. Es ist jeweils vermerkt, wann ärztliche Hilfe nötig ist. Wenn Sie sich bei der Behandlung nicht sicher sind, fragen Sie unbedingt einen Arzt! Sie sind verpflichtet, in eigener Verantwortung zu entscheiden, ob und wie weit Sie die in diesem Buch dargestellten Methoden, Pflege- und Vorbeugemaßnahmen anwenden möchten.

Ein Wort zuvor

Glückwunsch! Sie sind schwanger. In Ihnen wächst ein Baby, das in einigen Monaten in Ihren Armen liegen und Sie zum glücklichsten Menschen der Welt machen wird. Was wollen Sie mehr?

Nun, Sie wollen wahrscheinlich Antworten auf die vielen Fragen, die jetzt jeden Tag auftauchen – neun Monate lang. Fragen, die fast alle beginnen mit »Darf ich noch …?«: Darf ich noch meine Haare färben, meine Nägel lackieren und ins Solarium gehen? Welchen Sport darf ich noch ausüben? Wie ist das mit Reisen, der Handybenutzung, der Sicherheit am Arbeitsplatz? Und bei welchem Essen muss ich jetzt aufpassen? Darf ich überhaupt noch Alkohol trinken?

Und bestimmt wollen Sie auch Antworten auf das, was jetzt mit Ihnen passiert: Warum funktioniert mein Körper nicht mehr so wie gewohnt? Von der seelischen Achterbahnfahrt ganz zu schweigen … Plötzlich tauchen tausend kleine und große Wehwehchen auf. Aber was tun? Medikamente sind doch jetzt tabu, oder?

Aus der Online-Sprechstunde des Internet-Portals www.swissmom.ch und meiner langjährigen Tätigkeit in einer humangenetischen Beratungsstelle bin ich mit den Fragen, Sorgen und Ängsten von Schwangeren vertraut. Die meiner Meinung nach wichtigsten sind in diesem Buch zusammengefasst und beantwortet. Ich wünsche Ihnen, dass Sie und Ihr Baby gut, gesund und munter durch die Schwangerschaft kommen!

Dr. med. Brigitte Holzgreve

PS: Der Einfachheit halber wird immer vom Frauenarzt gesprochen. Damit ist aber selbstverständlich auch die Frauenärztin gemeint.

Ernährung

Schwangere müssen nicht für zwei essen – aber doppelt gut! In der Schwangerschaft sollte der Schwerpunkt Ihrer Ernährung auf einer ballaststoffreichen Frischkost mit einem ausgewogenen Verhältnis von Eiweiß, Kohlenhydraten und Fetten liegen. Diäten sind tabu. Wenn Sie mit zu viel Gewicht in die Schwangerschaft gestartet sind, reicht es, wenn Sie versuchen, möglichst wenig zuzunehmen.
Essen Sie reichlich Obst und Gemüse, roh oder schonend verarbeitet – gedünstet oder kurz gebraten –, damit Vitamine und Mineralstoffe erhalten bleiben. Kohlenhydrate sind am wertvollsten in der vollwertigen Form. Eiweiß sollten Sie in Form von hellem Fleisch und Fisch, Eiern, Hülsenfrüchten und Nüssen zu sich nehmen. Milchprodukte sind wichtige Kalziumlieferanten.
Versuchen Sie, auf Konserven und Fastfood zu verzichten. Dem Heißhunger nach fett- und zuckerreichen Nahrungsmitteln wie Schokolade, Kuchen und Eiscreme oder auch nach salzigen Pommes dürfen Sie gelegentlich bewusst und mit Maß nachgeben – wenn Sie sich ansonsten gesund ernähren.
Achten Sie darauf, dass die Temperatur in Ihrem Kühlschrank niedrig genug ist (6 °C), und essen Sie grundsätzlich nichts, dessen Haltbarkeitsdatum überschritten ist. Waschen Sie Obst und Gemüse immer sehr gründlich. Rotes Fleisch muss immer gut durchgebraten sein. So können Sie Infektionen durch Keime vermeiden. Streichen Sie Rohmilchprodukte von Ihrem Speiseplan, insbesondere bestimmte Weichkäsesorten: Sie können zu einer für Schwangere gefährlichen Listeriose führen.
Trinken Sie möglichst viel – kohlensäurearmes Mineralwasser, fettarme Milch und Früchtetee sind besonders zu empfehlen. Den Kaffee- und Schwarzteekonsum sollten Sie reduzieren und auf Alkohol ganz verzichten.

Allgemeines

? Ist es gut, in der Schwangerschaft möglichst salzarm zu essen?

Nein, das ist ein altes Vorurteil. Kochsalzarme Kost kann für Schwangere sogar gefährlich werden, weil dadurch das Durstgefühl und die wichtige zusätzliche Flüssigkeitsaufnahme gebremst wird. Außerdem enthält Kochsalz auch wichtige Mineralstoffe. Nicht einmal bei Wassereinlagerungen (Ödemen, siehe Seite 175) oder bei einer Schwangerschaftsvergiftung (Präeklampsie, siehe Seite 192) wirkt sich salzarme Ernährung auf Dauer positiv aus. Inzwischen wird von vielen Fachleuten sogar salzreiche Kost zur Behandlung einer Präeklampsie gefordert. Ernähren Sie sich also ganz normal, das heißt fettarm, aber eiweiß- und ballaststoffreich und nicht übertrieben, aber schmackhaft gesalzen.

? Fisch soll ja sehr gesund sein in der Schwangerschaft. Aber was ist mit der Quecksilberbelastung?

Quecksilber ist einer der wenigen Stoffe, die zu Entwicklungsstörungen beim ungeborenen Kind führen können. Allerdings müssen dazu sehr große Mengen mit der Nahrung aufgenommen werden. Das Bundesamt für Verbraucherschutz und Lebensmittelsicherheit rät deshalb, in der Schwangerschaft die folgenden Fischsorten nicht zu oft auf den Speiseplan zu setzen: Aal, Haifisch, Heilbutt, Hecht, Rotbarsch, Seeteufel, Steinbeißer und Thunfisch. Es ist jedoch absolut nichts dagegen einzuwenden, diese Fischsorten gelegentlich zu essen. Fisch liefert neben Jod und Selen auch wertvolle mehrfach ungesättigte Fettsäuren. Er sollte deshalb zweimal pro Woche auf den Tisch kommen.
Vorsicht ist allerdings bei rohen, in Salzlake marinierten oder kalt geräucherten Fischprodukten geboten. Durch Sushi, Sashimi, Salzheringe, Forellenfilets und Räucherlachs kön-

nen Listerien (ab Seite 44), eventuell auch Toxoplasmen (ab Seite 40), Nematoden und andere Parasiten übertragen werden. Die Alternative: Fischdauerkonserven oder pasteurisierte Fischerzeugnisse.

? Ich habe am Anfang der Schwangerschaft einmal Leber gegessen. Muss ich mir jetzt Sorgen machen?

Das Bundesamt für Verbraucherschutz und Lebensmittelsicherheit rät Schwangeren, zumindest in den ersten drei Monaten auf den regelmäßigen Verzehr von Leber aller Tierarten zu verzichten, da sie viel Vitamin A enthält. Auch beim Verzehr von leberhaltigen Produkten, wie Leberwurst und Leberpastete, sollten Sie zurückhaltend sein.
Vitamin A ist fettlöslich und wird bei einem Überangebot nicht über den Urin ausgeschieden, sondern im Körper gesammelt. Wenn Sie eine Woche lang täglich eine sehr hohe Dosis Vitamin A zu sich nehmen, kann dies zu Schädigungen des Embryos führen. Wenn Sie also einmal eine Portion Leber gegessen haben, ist das kein Grund zur Sorge, Sie sollten es nur nicht regelmäßig tun.

? Stimmt es, dass vegetarische Ernährung in der Schwangerschaft gefährlich ist?

Eine vegetarische Diät, die nur auf Fleisch verzichtet, aber Eier, Milchprodukte, vielleicht sogar Fisch und einen Zusatz bestimmter Vitamine und Mineralstoffe (vor allem Eisen, Jod, Zink und Kalzium) einschließt, muss für das Ungeborene nicht nachteilig sein. Zumindest geht das aus verschiedenen Studien hervor. Der Eiweißgehalt in der vegetarischen Nahrung wird optimal genutzt, wenn pflanzliches und tierisches Eiweiß kombiniert werden, etwa Kartoffeln und Eier, Kartoffeln und Milchprodukte (Butter oder Quark) und Getreide (Müsli) mit Milch.

Veganer gelten als Extremisten unter den Vegetariern und verzichten auf alle tierischen Produkte. Ihnen fehlt daher vor allem das Vitamin B_{12}, das fast nur in tierischen Lebensmitteln vorkommt und speziell in der Schwangerschaft wichtig ist. Auch die Versorgung mit Vitamin D ist problematisch. Und es mangelt – wie bei allen Vegetariern – an Eisen und Kalzium. Daher ist vegane Ernährung in der Schwangerschaft aus medizinischer Sicht nicht zu empfehlen, denn es könnte zur Schädigung des Kindes kommen.

? Ich bin Vegetarierin und esse jetzt besonders oft Sojaprodukte. Aber hat Soja nicht auch eine gewisse Hormonwirkung, die sich auf mein Kind auswirken kann?

Sojabohnen enthalten pflanzliche Östrogene (Phyto-Östrogene), die bei Wechseljahrbeschwerden, erhöhten Blutfettwerten und Herz-Kreislauf-Beschwerden eine positive Wirkung zeigen sollen. Denn diese Substanzen sind in ihrer Wirkung ähnlich, aber viel schwächer als die körpereigenen Östrogene. Da jedoch der schwangere Körper von Östrogenen geradezu überflutet wird, können sich von außen zugeführte Pflanzenöstrogene gar nicht mehr zusätzlich bemerkbar machen. Ihr ungeborenes Kind wird dadurch jedenfalls in seiner Entwicklung nicht beeinflusst.
Für Vegetarier ist Soja eine wertvolle Eiweiß-, Mineralstoff- und Vitaminquelle (vor allem auch Folsäure!). Sie sollten deshalb keinesfalls auf Sojaprodukte verzichten.

? Ich könnte momentan kiloweise Lakritze essen. Ist das gefährlich für mein Baby?

Über einen begrenzten Zeitraum große Mengen Lakritze (mehr als 100 g pro Tag) zu essen ist kein ernsthaftes Problem. Den schwangerschaftstypischen Essgelüsten dürfen Sie ruhig hin und wieder nachgeben.

Bei längerfristigem, übermäßigem Verzehr kann Lakritze aber unwillkommene Nebenwirkungen haben: Bluthochdruck, Wassereinlagerungen, Muskelschwäche und Kaliummangel. Frauen, die in der Schwangerschaft viel Lakritze gegessen haben, bringen laut einer Studie außerdem ihre Kinder durchschnittlich zweieinhalb Tage früher zur Welt. Der Grund dafür ist, dass Lakritze zu einer erhöhten Prostaglandin-Produktion führt, die den Muttermund aufweicht.

? Fördere ich mit Erdbeeren Allergien bei meinem Kind?

Erdbeeren können bei empfindlichen Menschen Allergien auslösen, das stimmt. Es ist aber bisher nicht bewiesen worden, dass der Genuss von Erdbeeren in der Schwangerschaft zu einer späteren Erdbeer-Allergie beim Kind führt.
Die einzige Ausnahme: Wenn die Schwangere selbst, der werdende Vater oder sogar beide Eltern allergisch gegen ein bestimmtes Lebensmittel sind, sollte auch in der Schwangerschaft darauf verzichtet werden. Solange Sie und Ihr Partner also nicht allergisch gegen Erdbeeren sind, spricht nichts dagegen, sie zu genießen.

? Darf ich in der Schwangerschaft Süßstoff verwenden?

Die übliche Zuckermenge in der Nahrung können auch Schwangere ohne gesundheitliches Risiko gegen die im Handel erhältlichen künstlichen Süßstoffe austauschen, wie die Deutsche Gesellschaft für Ernährung betont. Bisher gibt es keine Hinweise auf Entwicklungsstörungen beim Ungeborenen. Wenn Sie allerdings Kalorien sparen möchten, sind die als »zahnfreundlich« gepriesenen Zuckeraustauschstoffe (wie Sorbit, Maltose, Lactose und Xylit) und natürlicher Fruchtzucker (Fructose) für Sie ungeeignet. Denn sie entsprechen in ihrem Kaloriengehalt in etwa dem Haushaltszucker.

Gewicht

? Muss ich jetzt für zwei essen?

Nein, sicher nicht, wie man heute weiß. Der Kalorienbedarf erhöht sich erst ab dem vierten Monat der Schwangerschaft, und das auch nur sehr langsam. Am Ende der Schwangerschaft brauchen Sie etwa 200 Kalorien mehr pro Tag – das entspricht etwa zwei Stück Obst.

Schwangere brauchen allerdings mehr Eiweiß, Vitamine und Mineralstoffe. Und die bekommen Sie nicht durch mehr, sondern durch hochwertigere Lebensmittel. Sie sollten daher auf zu viele »leere« Kalorien in Fett, Süßigkeiten und hellem Brot verzichten und stattdessen reichlich Obst, Gemüse und Vollwertprodukte essen.

In der Stillzeit beträgt der zusätzliche Bedarf etwa 700 Kalorien. Wird weniger zugeführt, greift der Körper auf die in der Schwangerschaft angelegten Fettdepots zurück.

? Ich ernähre mich gesund, bewege mich ausreichend – und trotzdem habe ich in den letzten Wochen einige Kilos zugenommen. Das kann doch nicht so weitergehen!

Die Gewichtsentwicklung in der Schwangerschaft ist nicht immer gleichmäßig. Es gibt Zeiten, in denen man mehr, und Zeiten, in denen man weniger zunimmt. Keine Schwangerschaft ist genau wie die andere und gerade beim Gewicht ist der Normalbereich recht weit gefasst!

Als Faustregel gilt, dass eine Schwangere pro Woche rund 300 bis 400 g oder pro Monat zwischen 1 und 1,5 kg zulegen sollte. Bezogen auf die gesamte Schwangerschaft sind das dann normalerweise rund 10 bis 15 kg. Aber auch 20 kg sind noch in Ordnung – vorausgesetzt, Sie haben keine Wassereinlagerungen oder andere Komplikationen. Bei starker Gewichtszunahme wird Ihr Frauenarzt besonders sorgfältig auf Alarmzeichen achten.

? Ich bin stark übergewichtig (172 cm, 92 kg). Gibt es da besondere Risiken in der Schwangerschaft?

Die meisten übergewichtigen Schwangeren bekommen ein gesundes Kind. Aber es besteht doch ein etwas höheres Risiko für Komplikationen wie Schwangerschaftsdiabetes (siehe Seite 190), Harnwegsinfektionen, Venenthrombosen und Bluthochdruck (siehe Seite 133). Ultraschalluntersuchungen sind mitunter schwieriger durchzuführen und auszuwerten. Die Entbindung verläuft häufiger per Kaiserschnitt und die Neugeborenen haben oft Anpassungsschwierigkeiten. Aus all diesen Gründen werden Sie deshalb intensiver als eine normalgewichtige Schwangere überwacht.

INFO

Sie sollten in der Schwangerschaft auf keinen Fall eine Schlankheitsdiät beginnen, die womöglich noch einseitig aufgebaut ist und dadurch Ihr ungeborenes Kind gefährden kann. Aber es ist sehr sinnvoll, an Fett und minderwertigen Kohlenhydraten (Zucker, weißes Mehl) zu sparen. Insgesamt sollten Sie bei Übergewicht in der Schwangerschaft nicht viel mehr als 8 bis 10 kg zunehmen.

? Bis vor einiger Zeit war ich noch magersüchtig. Jetzt bin ich sehr schlank (48 kg) und möchte es auch in der Schwangerschaft bleiben.

Nach den Erfahrungswerten großer Studien ist es für das Kind am besten, wenn eine so schlanke Schwangere wie Sie in der gesamten Schwangerschaft 12 bis 18 kg zunimmt, das sind bis zu 2 kg pro Monat. Normalgewichtige Schwangere brauchen zwar nicht mehr als 200 Kalorien pro Tag zusätzlich zu ihrer gewohnten Ernährung, aber sehr schlanke Frauen sollten doch

etwas mehr essen. Der Grund: Es könnte wegen der fehlenden Reserven sonst sehr schnell zu Mineral- und Vitaminmangel und einer Unterversorgung des Kindes kommen. Außerdem empfiehlt sich ein Vitamin-Mineralstoff-Präparat mit Folsäure, Zink, Eisen und Jod. Die sonstige Nahrungszusammensetzung sollte möglichst ausgewogen sein. Ganz wichtig ist es, eine ausreichende Menge tierisches Eiweiß in Form von Milchprodukten, Fleisch und Fisch zu sich zu nehmen.
Nach neueren Untersuchungen haben Schwangere mit Untergewicht ein höheres Risiko, eine Schwangerschaftsvergiftung (Präeklampsie, siehe Seite 192) zu entwickeln. Achten Sie besonders sorgfältig auf mögliche Anzeichen wie Wassereinlagerungen, Kopfschmerzen und Sehstörungen.

? Ich nehme hauptsächlich an Hüften und Oberschenkeln zu. Ist das normal?

Ja, an diesen Stellen setzt sich besonders gern Depotfett an. Mitverantwortlich dafür sind die Schwangerschaftshormone, und das hat einen entwicklungsgeschichtlichen Grund: Nach der Geburt soll die stillende Mutter in Notzeiten von den Depots zehren können, damit ihr Nachwuchs keinen Mangel leidet. Dieser Schutzmechanismus ist heute zwar nicht mehr nötig, die typische Form der Fettablagerung hat sich aber erhalten. Mit ein bisschen Gymnastik und bewusster Ernährung verschwinden die Pölsterchen nach der Entbindung wieder!

Mineralstoffe

? Sollten grundsätzlich alle Schwangeren ein Eisenpräparat einnehmen?

Darüber sind sich auch die Experten nicht ganz einig. Den allermeisten Schwangeren würde ein Eisenpräparat nicht schaden und vielen könnte es nützen. Allerdings kostet eine solche »Rundumversorgung« auch viel Geld.

Tatsache ist: Der tägliche Eisenbedarf steigt während der zweiten Hälfte der Schwangerschaft, wenn sowohl Mutter als auch Kind ihre Blutbildung verstärken, auf etwa 30 mg. Das ist das Doppelte des normalen Bedarfs und diese Menge ist kaum über die Nahrung aufzunehmen. Daher werden zunächst die Körperspeicher der Schwangeren geleert, doch bei vielen Frauen sind die Reserven durch Monatsblutungen und vorhergehende Schwangerschaften sehr niedrig. So kommt es spätestens ab der 30. SSW häufig zu den Symptomen eines Eisenmangels, wie Müdigkeit, Blässe und Infektionsanfälligkeit. Die Einnahme eines Eisenpräparats ist spätestens dann auf jeden Fall sinnvoll.

TIPP

Vitamin C hilft dem Körper bei der Eisenaufnahme aus der Nahrung. Geben Sie deshalb einen Spritzer Zitronensaft an die Mahlzeiten oder trinken Sie ein Glas Orangen- oder Grapefruitsaft dazu!

? Mein Hämoglobinwert ist sehr niedrig, aber Eisenpräparate vertrage ich überhaupt nicht. Was kann ich tun?

Ein niedriger Hämoglobinwert (Hb) zeigt an, dass eine Blutarmut (Anämie), also ein Mangel an roten Blutkörperchen, besteht. Es ist jetzt sehr wichtig, dass Sie ein Eisenpräparat einnehmen, denn der Sauerstoff wird über die roten Blutkörperchen zu Ihrem Kind transportiert. Leider haben die gängigen Eisenpräparate oft Nebenwirkungen, am häufigsten Übelkeit, Magenschmerzen und Verstopfung. Es ist aber praktisch unmöglich, einen niedrigen Hb-Wert allein durch eisenhaltige Nahrung wieder auf ein normales Niveau zu heben. Bei Unverträglichkeit bleibt oft nur, den Magen-Darm-Trakt zu umgehen und das Eisen in Form einer Spritze oder Infusion zu geben.

? Meine ebenfalls schwangere Freundin nimmt täglich eine Fluoridtablette ein und meint, das sei schon jetzt für ihr Baby gut. Ist das richtig?

Tatsächlich empfiehlt die Deutsche Gesellschaft für Ernährung zur Sicherung der Reserven und zur Kariesprophylaxe des Fetus während der Schwangerschaft die Aufnahme von etwa 2 mg Natriumfluorid pro Tag; das entspricht 1 mg Fluorid. Gute Fluoridquellen sind fluoridreiche Mineralwässer, für die eine Kennzeichnungspflicht besteht, wenn der Fluoridgehalt mehr als 1,5 mg pro Liter beträgt. Auch schwarzer Tee ist fluoridreich, hemmt aber die Eisenaufnahme aus der Nahrung und sollte deshalb und wegen seiner stark anregenden Wirkung in der Schwangerschaft reduziert werden. Gute Alternativen dazu sind fluoridiertes Speisesalz, fluoridreiche Zahnpflegeprodukte und letztlich auch Fluoridtabletten. Bei der Tabletteneinnahme muss jedoch die Dosierung genau beachtet werden, weil ein Überangebot an Fluor zu weißen Flecken auf dem Zahnschmelz führen kann.

? Darf ich in der Schwangerschaft vorsorglich Magnesium einnehmen, auch wenn ich keine Wadenkrämpfe habe?

In der Schwangerschaft ist Magnesium einer der wichtigsten Mineralstoffe. Ein Magnesiummangel macht sich sehr rasch etwa in Form von Wadenkrämpfen bemerkbar, außerdem scheint er ein Faktor bei der Entstehung von Schwangerschaftsübelkeit (siehe Seite 202), vorzeitigen Wehen (siehe Seite 208), Bluthochdruck (siehe Seite 133) und Schwangerschaftsvergiftung (Präeklampsie, siehe Seite 192) zu sein. Selbst eine gezielte Ernährung – wie mit Magnesium angereichertes Mineralwasser, geschälte Mandeln und viel grünes Gemüse – kann oft nicht genügend Magnesium zur Verfügung stellen. Daher fordern einige Experten eine generelle Magnesiumgabe von 450 mg pro Tag für alle Schwangeren und stillenden Mütter. Selbst bei einer Überdosierung wären kaum Nebenwirkungen, höchstens Müdigkeit und eine Stuhlverdünnung, zu erwarten. Ob die positive Vorsorgewirkung allerdings tatsächlich eine allgemeine Empfehlung und die dadurch entstehenden Kosten rechtfertigt, muss erst noch gründlicher untersucht werden.

? Ich esse nicht gern Fisch. Wie kann ich meine Jodaufnahme verbessern?

Die Deutsche Gesellschaft für Ernährung empfiehlt Schwangeren eine tägliche Jodzufuhr von etwa 250 µg. Diese Menge ist durch regelmäßigen Fischkonsum (zweimal pro Woche) und konsequente Verwendung von jodiertem Speisesalz im Haushalt nur annähernd zu erreichen. Deshalb wird von Schilddrüsen-Experten die zusätzliche Einnahme von Jodidtabletten (200 µg pro Tag) gefordert. Besprechen Sie mit Ihrem Frauenarzt, ob dies für Sie sinnvoll wäre. Es gibt einige wenige Stoffwechselerkrankungen, bei denen zu viel Jod auch schädlich sein kann.
Mit Meersalz können Sie Ihre Jodaufnahme übrigens kaum verbessern, da dessen Jodgehalt zu gering ist.

? Welche Kalziumquellen gibt es für Schwangere wie mich, die Milcherzeugnisse nicht mögen?

Es gibt Gemüsearten, die relativ viel Kalzium enthalten, etwa Brokkoli, Grünkohl, Fenchel und Lauch. Vollkornbrot, Nüsse und Samen (Kerne) sowie spezielle kalziumreiche Mineralwässer können ebenfalls dazu beitragen, den Bedarf zu decken. Aber Achtung: Einige Inhaltsstoffe pflanzlicher Lebensmittel bilden schwer lösliche Komplexe mit Kalzium, die der Körper nicht aufnehmen kann. Ein Beispiel ist die Oxalsäure, die in Spinat, Rhabarber, Kakao und schwarzem Tee vorkommt. Eventuell sollten Sie Kalzium in Form von Lutsch- oder Brausetabletten zuführen.

Vitamine

? Sollten alle Schwangeren zusätzlich Vitamine einnehmen?

Zumindest für die Folsäure muss diese Frage eindeutig mit Ja beantwortet werden. Für alle anderen Vitamine gilt, dass eine Schwangere, die gesund ist und sich bewusst und abwechslungsreich ernährt, zusätzliche Vitamingaben zwar nicht unbedingt benötigt, dass diese aber oft sinnvoll sind.

VITAMINTABLETTEN

Für folgende Gruppen sind Vitamin- oder auch Mineralstofftabletten eine sinnvolle Maßnahme:

- Untergewichtige Schwangere
- Schwangere, die sich einseitig ernähren
- Frauen, die nach der letzten Geburt rasch wieder schwanger wurden
- Sehr junge Schwangere
- Schwangere aus sozial schwachen Schichten
- Schwangere, die alkohol-, drogen- oder nikotinabhängig sind
- Schwangere, die aufgrund einer chronischen Erkrankung Medikamente einnehmen müssen, welche die Nährstoffverwertung beeinflussen

? Kann ich mit Karotten zu viel Vitamin A aufnehmen?

Vitamin A kommt nur in tierischen Produkten vor, etwa in Eiern, Milch oder Leber. Pflanzliche Produkte, vor allem gelbe Gemüse und Früchte, enthalten Beta-Karotin, eine Vorstufe von Vitamin A. Unser Körper bildet aus diesem Provitamin erst dann das wirksame Vitamin A, wenn das Angebot aus tierischen Quellen zu gering ist und Unterversorgung droht.

Deshalb können Sie ohne Bedenken so viele Karotten essen oder so viel Karottensaft trinken, wie Sie wollen.

? Ich trinke täglich ACE-Saft und nehme auch noch ein Multivitaminpräparat für Schwangere ein. Ist das zu viel an Vitaminen?

Studien belegen, dass die meisten Vitamine sogar in Dosierungen bis zum Hundertfachen des Tagesbedarfs unbedenklich sind, auch wenn sie über einen längeren Zeitraum eingenommen werden. Doch alles, was über das Zwei- bis Dreifache des Bedarfs hinausgeht, nützt nicht mehr. Zumindest bei gesunden Menschen wird der Überschuss einfach wieder ausgeschieden.
Nur mit Vitamin A sollten Schwangere vorsichtig sein (siehe Seite 10). Die tägliche Multivitamintablette kann aber auf keinen Fall eine Überdosierung bewirken. Und die besonders zusammengestellten Schwangerschaftsvitamine (aus der Apotheke) sollten Sie einnehmen, weil sie zusätzlich Folsäure und andere wichtige Vitamine und Mineralstoffe enthalten.
Der Vitaminsaft ist ebenfalls unbedenklich. In ACE-Saft ist nämlich nicht Vitamin A, sondern seine Vorstufe (Provitamin), das Beta-Karotin, enthalten. Der Körper wandelt nur die benötigten Mengen in das wirksame Vitamin A um. Es ist deshalb praktisch nicht möglich, durch Obst und Gemüse oder durch Säfte über die zulässige Höchstmenge von Vitamin A zu kommen.

? Darf ich meine Vitamin-A-haltige Hautcreme in der Schwangerschaft noch weiter benutzen?

In einer Reihe von Feuchtigkeitscremes ist reines Vitamin A, sogenanntes Retinol, enthalten. Es oxidiert auf der Haut zu Retinolsäure, die einige Alterserscheinungen durch Lichteinwirkung verzögern oder rückgängig machen soll und angeblich auch gegen Cellulite hilft. Schwangere sollten nicht zu viel

Vitamin A zu sich nehmen, doch in der üblichen lokalen Anwendung als Hautcreme ist eine Überdosierung mit Sicherheit nicht zu erwarten.

INFO

Absolut verboten sind in der Schwangerschaft die synthetischen Vitamin-A-Säuren, die Retinoide (Tretinoin oder Isotretinoin). Sie sind rezeptpflichtig und werden in Form von Salben, Cremes oder Kapseln zur Therapie einer schweren Akne eingesetzt. Während der Therapie und für mindestens einen Monat danach sollten Sie eine Schwangerschaft unbedingt vermeiden.

? Schadet es, Folsäure länger als die empfohlenen zwölf Wochen einzunehmen?

Wissenschaftlich unbestritten ist, dass eine ausreichende Folsäureversorgung in der Frühschwangerschaft beim ungeborenen Kind das Risiko für Neuralrohrdefekte, wie einen offenen Rücken, vermindert. Einige Studien deuten auch darauf hin, dass frühe Fehlgeburten (siehe Seite 142), eine Schwangerschaftsvergiftung (Präeklampsie, siehe Seite 192) und eine vorzeitige Plazentalösung (ab Seite 178) bei Folsäuremangel etwas häufiger vorkommen. Frauen, die eine Schwangerschaft planen, sollten deshalb möglichst schon drei Monate vor Eintritt der Schwangerschaft zusätzlich ein Folsäurepräparat einnehmen, denn der Bedarf ist selbst bei bewusster Ernährung mit viel grünem Gemüse nicht allein durch die Nahrung zu decken. Nach der 12. SSW hat die Folsäure zwar keinen Effekt mehr auf das Neuralrohr des Ungeborenen, denn die Organbildung ist im ersten Drittel der Schwangerschaft abgeschlossen. Trotzdem ist es nicht unvernünftig, weiter Folsäure einzunehmen. Sie ist nämlich ein unverzichtbarer Baustein bei der Neubildung von Zellen und deshalb an vielen wichtigen Prozessen im Körper des ungeborenen Kindes beteiligt. Und auch der werdenden Mutter tut eine erhöhte Folsäurezufuhr gut: Sie hilft dabei, eine Blutarmut (Anämie) zu vermeiden, und soll sogar das Risiko für Darmkrebs und Herz-Kreislauf-Erkrankungen langfristig senken.

Getränke

? Welche Mineralwässer sind besonders gut für Schwangere geeignet? Und auf welche sollte ich eher verzichten?

Da Schwangere generell mit Eisen eher unterversorgt sind, sollten Sie kein Mineralwasser mit dem Zusatz »enteisent« trinken. Kalziumreiches Mineralwasser (mehr als 400 mg Kalzium pro Liter) stärkt die Knochen des Kindes und der werdenden Mutter. Fluorid im Mineralwasser schützt die Zähne. Außerdem ist ein möglichst hoher Magnesiumgehalt sinnvoll, denn Magnesium beugt Wadenkrämpfen (siehe Seite 210) und vorzeitigen Wehen (siehe Seite 208) vor.
Hingegen sollte das Mineralwaser weniger als 200 mg Natrium pro Liter enthalten. Achten Sie auch darauf, dass der Gehalt an Nitrat (unter 25 mg), Nitrit (unter 0,05 mg) und Mangan (unter 1 mg) möglichst niedrig ist.
Mineralwasser mit wenig oder ohne Kohlensäure ist gut für Schwangere, die einen empfindlichen Magen haben und leicht Sodbrennen (siehe Seite 195) bekommen.

? Wie viele Tassen Kaffee sind in der Schwangerschaft noch erlaubt?

Koffein ist nicht nur in Kaffee, sondern auch in Schwarztee, Cola und sogar in Schokolade enthalten. Es besitzt eine stimulierende Wirkung auf das Zentralnervensystem, auf Herz, Kreislauf und Atmung. Energiedrinks enthalten noch mehr Koffein als Kaffee. Zum Teil sind auch noch andere Inhaltstoffe, wie Guarana oder Taurin, enthalten. Damit sollten Sie n der Schwangerschaft zurückhaltend sein, weil ihre Unbedenklichkeit noch nicht erwiesen ist.

Wenn Sie koffeinhaltige Getränke zu sich nehmen, finden sich im Blut Ihres Kindes ähnlich hohe Koffeinspiegel wie bei Ihnen selbst, da Koffein die Plazentaschranke schnell überwindet. Kinder von starken Kaffeetrinkerinnen können deshalb ein etwas niedrigeres Geburtsgewicht haben. Schwarzer Tee verschlechtert zudem die Eisenaufnahme aus den Speisen und führt zu Verstopfung.

Gegen zwei bis drei Tassen Kaffee über den Tag verteilt ist sicher nichts einzuwenden. Schwarztee und Colagetränke enthalten weniger Koffein als Kaffee. Sie sollten aber nicht mehr als fünf Tassen Schwarztee oder zwei Liter Cola pro Tag trinken – wobei der Colakonsum aufgrund des hohen Zuckergehalts natürlich deutlich niedriger sein sollte.

? Schwangere sollen ja weniger Schwarztee trinken. Aber Kräutertees mag ich nicht. Ist denn auch von Grüntee abzuraten?

Nein, überhaupt nicht. Die Wirkstoffe im grünen Tee können wie die im schwarzen Tee Kreislauf und Stoffwechsel anregen. Ein Vorteil gegenüber schwarzem Tee und Kaffee ist aber, dass die stimulierende Wirkung des Koffeins sich nicht so schnell, sondern langsamer und weniger stark entfaltet. Damit hält auch die belebende Wirkung länger an. Darüber hinaus enthält grüner Tee Mineralstoffe wie Eisen, Zink, Magnesium, Kalzium, Kalium und Fluor. Aber zusätzlich zu allen Vorteilen (Blutdrucksenkung, Verlangsamung des Alterungsprozesses, Vermeidung von Arteriosklerose, Krebsvorbeugung) ist in der Schwangerschaft besonders wichtig, dass grüner Tee die Verdauung fördert (Verstopfung, siehe Seite 207) und die Sauerstoffaufnahme in den Organen verbessert. Auch Roibostee ist gut für Schwangere, da er gegen Blähungen helfen kann.

? Stimmt es, dass Himbeerblättertee wehenanregend wirkt?

Himbeerblättertee soll das Gewebe des Beckenbodens und der Gebärmutter lockern und so empfindlicher für Wehen machen. Also trinken Sie Himbeertee vorsichtshalber erst ab der 36. SSW!
Ebenfalls »wehenanregend« sollen die Aufgüsse von Brombeerblättern, Schafgarbe, Eisenkraut (Verbena), Kreuzkümmel, Wermutkraut und Frauenmantel sein (siehe Seite 120). Daher sollten Sie diese Tees ebenfalls erst in den letzten Schwangerschaftswochen einsetzen.

? Wie sieht es aus mit alkoholfreiem Bier in der Schwangerschaft?

Das dürfen Sie sich gelegentlich gönnen! Beachten Sie aber, dass viele »alkoholfreie« Biere nur alkoholreduziert sind. In Deutschland darf sich jedes Bier alkoholfrei nennen, dessen Alkoholgehalt unter 0,5 Prozent liegt. Auch ein geringer Alkoholgehalt summiert sich, deshalb ist vom regelmäßigen Konsum größerer Mengen solcher Biere abzuraten (Alkohol, siehe Seite 77).

ERNÄHRUNG IN DER SCHWANGERSCHAFT: DAS WICHTIGSTE AUF EINEN BLICK

- Essen Sie wenig Fett. Kaufen Sie mageres Fleisch, wie Geflügel, und grillen oder dünsten Sie es. Verwenden Sie nur hochwertige Öle.
- Essen Sie mindestens zweimal in der Woche Fisch (siehe Seite 9).
- Achten Sie auf kurze Garzeiten bei Obst und Gemüse und verwenden Sie, wenn überhaupt, nur wenig Wasser. Dünsten ist besser als kochen!
- Kaufen Sie keine abgepackten Salate, Keime oder Sprossen.

- Fleisch, Fisch, Geflügel und Eier sollten immer gut durchgegart sein.
- Verzichten Sie während der Schwangerschaft auf Rohmilchprodukte (vor allem auf ausländische Schimmel- und Weichkäse), auf rohe Eier, auf rohes Fleisch oder Wurstwaren aus rohem Fleisch sowie auf rohen oder geräucherten Fisch.
- Essen Sie nur ab und zu Leber oder Leberprodukte (Pastete, Leberwurst).
- Verzichten Sie auf weißen Zucker. Süßen Sie stattdessen mit Honig oder mit Rohzucker. Stillen Sie den Hunger auf Süßes mit Obst statt mit Kuchen, Gummibärchen oder Schokoriegeln.
- Trinken Sie nicht mehr als zwei bis drei Tassen Kaffee oder vier bis fünf Tassen schwarzen Tee am Tag.
- Vermeiden Sie chininhaltige Getränke wie Tonic Water oder Bitter Lemon. Das aus der Rinde des Chinarindenbaums gewonnene Chinin kann bereits in geringer Dosis vorzeitige Wehen auslösen. Bei regelmäßigem Genuss besteht auch die Gefahr, dass es den Fetus schädigt, da dieser die Substanz nicht abbauen kann.
- Achten Sie bei Nahrungsmitteln grundsätzlich auf das Verfallsdatum. Werfen Sie im Zweifelsfall abgelaufene Lebensmittel lieber weg.
- Meiden Sie Nahrungsmittel aus aufgeblähten, verbeulten oder verrosteten Konservendosen.
- Waschen Sie sich vor und nach der Zubereitung des Essens die Hände.
- Waschen Sie Obst und Gemüse gründlich. Wurzelgemüse müssen vor der Zubereitung grundsätzlich geschält und geputzt werden.
- Verwenden Sie für die Zubereitung saubere Küchenutensilien.
- Reinigen Sie Arbeitsflächen, Utensilien und Ihre Hände nach der Küchenarbeit gründlich.

Infektionen

Schwangere haben aufgrund hormoneller Veränderungen eine abgeschwächte Immunabwehr und sind deshalb empfänglicher für Infektionen. Der Verlauf der meisten Infektionskrankheiten, zum Beispiel einer Erkältung oder eines Magen-Darm-Infekts, ist jedoch in der Schwangerschaft nicht problematischer als vorher oder nachher. Lediglich die Art der Behandlung sollte den »besonderen Umständen« angepasst werden.
Einige übertragbare Krankheiten können allerdings für das ungeborene Kind gefährlich werden, vor allem manche Kinderkrankheiten, wie Röteln, Ringelröteln oder Windpocken. In der Regel ist es eine Erstinfektion der Schwangeren, die eine Fehlgeburt, Frühgeburt, Komplikationen bei der Geburt oder bleibende Schäden beim Kind auslösen kann. Wenn Sie also weder geimpft sind noch eine dieser Erkrankungen selbst durchgemacht haben, sollten Sie sich von erkrankten Kindern fernhalten.
Scheideninfektionen, ob durch Viren, Pilze, Bakterien oder Einzeller, sind nicht nur unangenehm. Sie müssen konsequent behandelt werden, damit sie den Verlauf der Schwangerschaft nicht gefährden.
Einige Krankheitserreger, die durch Lebensmittel übertragen werden können (beispielsweise Listerien, Toxoplasmoseerreger, Salmonellen), sind für Schwangere besonders gefährlich. Sie können durch sorgfältige Hygiene und bewusste Auswahl der Speisen vermieden werden. Werdende Mütter sollten zumindest auf rohes bzw. nicht ganz durchgegartes Fleisch und Rohmilchprodukte verzichten.
Schutzimpfungen in der Schwangerschaft sollten, wenn es irgend geht, auf einen späteren Zeitpunkt verschoben werden. Aber manchmal ist eine Impfung notwendig: Dann sind Schutzimpfungen (außer mit Lebendimpfstoffen) auch in der Schwangerschaft erlaubt.

llgemeines

Ich bin Kindergärtnerin und habe natürlich tändig mit kranken Kindern Kontakt. Worauf soll ch jetzt besonders aufpassen?

Venn durch eine Blutuntersuchung (Antikörperbestimmung) estgestellt wird, dass Sie noch nicht immun sind gegen die in er Schwangerschaft gefährlichen Kinderkrankheiten Wind-ocken, Röteln, Zytomegalie und Ringelröteln (ab Seite 30), t der Kontakt mit Vorschulkindern für Sie gefährlich. Denn or einer Ansteckung schützen können Sie sich praktisch nicht nd bei kleinen Kindern kommen gerade diese Krankheiten äufig vor.
hr Frauenarzt kann eventuell sogar ein Beschäftigungsverbot ussprechen. Sie müssen in diesem Fall von Ihrem Arbeit-eber an einen »ungefährlichen« Arbeitsplatz versetzt oder ogar bei vollen Bezügen freigestellt werden. Das Gleiche gilt ür Lehrerinnen an der Grundschule.

Gibt es Krankheiten, die von Haustieren bertragen werden und für Schwangere gefähr-ich sind?

atzen können über ihren Kot Toxoplasmose (ab Seite 40) uf Menschen übertragen, was bei einer Erstinfektion der chwangeren schwere Schäden beim ungeborenen Kind ver-rsachen kann. Wenn Sie eine Katze haben, sollten Sie testen ssen, ob Sie schon immun sind. Dies geht über eine Blutun-ersuchung. Falls nicht, sollten Sie das Katzenklo täglich und ur mit Handschuhen säubern, am besten aber von einer nderen Person reinigen lassen. Eine Impfung gegen Toxo-lasmose gibt es nicht.
Jnter normalen hygienischen Verhältnissen gibt es darüber inaus keine von den üblichen Haustieren übertragenen nfektionskrankheiten, vor denen Schwangere sich speziell n Acht nehmen müssen.

Sind Fieberbläschen in der Schwangerschaft gefährlich?

Nein, Fieberbläschen oder Lippenherpes (Herpes labialis, siehe Seite 85) sind im Gegensatz zum Genitalherpes (siehe Seite 39) in der Schwangerschaft harmlos. Aber nach der Geburt kann das Herpesvirus durch Tröpfcheninfektion (etwa durch Husten oder Niesen) oder Schmierinfektion (also durch Kontakt der Finger mit dem Bläscheninhalt und dessen Verbreitung) auf das Neugeborene übertragen werden. Weil sein Immunsystem noch sehr unreif ist, kann das gefährlich werden. Häufiges Händewaschen und ein Mundschutz beim Schmusen und Stillen sind empfehlenswert, bis die Bläschen abgeheilt sind.

TIPP

Lippensalbe mit dem Wirkstoff Aciclovir dürfen Sie auch in der Schwangerschaft anwenden, wenn Sie einen Schub von Herpesbläschen haben. Natürliche Alternativen sind Melissenextrakt und Teebaumöl.

Müssen Schwangere sich besonders vor Zecken schützen?

Zecken können die FSME (Frühsommer-Meningoenzephalitis) übertragen. Vor dieser Virusinfektion können Sie sich durch Impfung schützen. Bei einem Zeckenbiss in einem Risikogebiet sollten Ungeimpfte innerhalb von drei Tagen mit einem Immunglobulin behandelt werden.
Zecken können andererseits aber auch die bakterienähnlichen Borrelien übertragen, diese Infektion ist in der Schwangerschaft nicht ungefährlich. Deshalb ist es ratsam, sich im Sommer durch entsprechende Kleidung besonders gut zu schützen oder den Aufenthalt in einem Zeckengebiet zu vermeiden.

INFO

Eine Impfung gegen FSME ist für Schwangere in einem Risikogebiet empfehlenswert. Sie schützt jedoch nicht vor einer Borreliose.

In Deutschland sind das vor allem Bayern und Baden-Württemberg, in Österreich Kärnten, die Steiermark, das Burgenland und Niederösterreich, in der Schweiz vor allem das Rheintal.
Bei Verdacht auf eine Infektion sollte sofort Penizillin oder, bei Penizillinallergie, Erythromycin verabreicht werden. Der Erreger kann durch eine Antikörperbestimmung im Nabelschnurblut nachgewiesen werden. Dadurch lässt sich feststellen, ob das Ungeborene angesteckt wurde.

Erkältung und Grippe

? Ich habe gehört, dass hohes Fieber in der Schwangerschaft gefährlich ist. Stimmt das?

Mehrere wissenschaftliche Studien haben sich inzwischen mit der Bedeutung von Hitzeeinwirkung und einer erhöhten Körpertemperatur in der Schwangerschaft beschäftigt. Einige Studien an Kindern mit angeborenen Fehlbildungen haben nachträglich herausgefunden, dass die Mütter häufiger und über längere Zeit (mehr als 24 Stunden) hohes Fieber (über 39 °C) hatten. Daraus wurde gefolgert, dass sich das normale Fehlbildungsrisiko durch Fieber in der Frühschwangerschaft etwa verdoppelt. Andererseits hat eine sehr große Studie mit über 50 000 Schwangeren und unter Beteiligung mehrerer renommierter Zentren keine statistisch signifikante Erhöhung der üblichen Fehlbildungsrate gefunden.
Solange keine eindeutigen Erkenntnisse vorliegen, sollten Schwangere hohes Fieber senken. Dazu eignen sich zunächst

alle Hausmittel wie Wadenwickel sowie Medikamente wie Paracetamol (siehe Seite 82, 90).

? Schadet ständiges Husten meinem Baby? Und was ist mit Niesen oder Naseputzen?

Wenn Sie nicht zu vorzeitigen Wehen neigen, kann Husten, Niesen oder Naseputzen Ihrem Kind nicht schaden. Eine gesunde Schwangerschaft hält ein bisschen Druckerhöhung mit Anspannung der Bauchmuskeln ohne Weiteres aus. Gewöhnen Sie sich an, beim Husten Ihren Beckenboden anzuspannen (siehe Seite 118).
Sie dürfen darüber hinaus auch pflanzliche Hustentropfen einnehmen. Außerdem hilft Ihnen wahrscheinlich ein Schleimlöser mit dem Wirkstoff Acetylcystein und niedrig konzentriertes Schnupfenspray. Aber das wichtigste Hausmittel ist: viel, viel trinken!

Kinderkrankheiten

? Ich hatte Masernkontakt. Was bedeutet das in der Schwangerschaft?

Masern gehören nicht zu den Infektionskrankheiten, die beim Ungeborenen Fehlbildungen oder sonstige Erkrankungen auslösen können. Allerdings ließ sich eine leicht erhöhte Rate von Fehlgeburten und Frühgeburten feststellen. Wahrscheinlich ist dies aber indirekt dadurch bedingt, dass mit Masern manchmal sehr hohes Fieber einhergeht (siehe Seite 29).
Wenn Sie selbst Masern bekommen, gehen Sie gleich zum Arzt! Denn dann sollten Sie unbedingt das Fieber mit einem in der Schwangerschaft erlaubten Medikament (siehe Seite 90) senken und eventuell Masern-Immunglobuline bekommen.
Die Kinderkrankheiten Mumps, Scharlach, Dreitagefieber, Pfeiffersches Drüsenfieber, Keuchhusten und Diphtherie sind ebenfalls ungefährlich für werdende Mütter.

? Bei meiner ersten Schwangerschaft war mein Röteln-Titer noch 1:32; jetzt, bei der zweiten, ist er auf 1:16 gesunken. Bin ich nun nicht mehr genug geschützt?

Der Schutz vor Röteln ist selbst bei einem Titer von 1:16 (siehe Kasten unten) höchstwahrscheinlich noch ausreichend. Die Titer 1:32 und 1:16 liegen nur eine Verdünnungsstufe auseinander. Schon eine kleine methodische Abweichung kann zu unterschiedlichen Ergebnissen führen. Sicher wird bei der Kontrolle wieder alles in Ordnung sein. Eine akute Infektion kann Ihr Arzt zuverlässig erkennen.
Aussagekräftig sind eigentlich nur Titerveränderungen über mindestens zwei Verdünnungsstufen. Ein echtes Absinken des Röteln-Titers ist extrem selten.

DAS SAGT DER TITER ÜBER IHREN IMPFSCHUTZ

Der Antikörper-Titer ist ein Maß für die Konzentration der Antikörper in Ihrem Blut. Er ermöglicht eine Aussage über die aktuelle Immunität des Körpers gegen eine bestimmte Krankheit. So ist erkennbar, ob noch gar kein Kontakt mit einer Krankheit bestand, ob eine Infektion erst kürzlich oder schon vor längerer Zeit abgelaufen ist. Auch kann der Erfolg einer Impfung mit dem Titer kontrolliert werden.
Die Titerbestimmung erfolgt als sogenannte Verdünnungsreihe der untersuchten Blutprobe, etwa 1:4, 1:8, 1:16 und so weiter, wobei sich der zweite Wert immer verdoppelt. Je höher die Titerangabe ist, desto höher ist die Immunität, also 1:64 ist höher als 1:8.
Die Grenze (Schutzschwelle) für eine genügende Immunität ist nicht bei jeder Krankheit gleich. Bei Röteln zum Beispiel gilt ein Titer von 1:32 oder mehr, also 1:64 und so weiter, als Zeichen für ausreichende Immunität.

? Ich bin zwar gegen Röteln geimpft worden, aber trotzdem ist mein Titer nur 1 : 8. Wie schütze ich mich im Alltag vor einer Ansteckung?

Leider gibt es in seltenen Fällen Impfungen, die nicht richtig anschlagen. Deshalb sollten Sie vier Wochen nach der Impfung die Antikörper kontrollieren lassen. Falls Sie bei dieser Kontrolle ausreichend Antikörper hatten, ist nicht mit einer Gefahr für Ihr Kind zu rechnen. Wurden die Antikörper nicht kontrolliert, ist die Beurteilung schwieriger.
Zunächst einmal: Völlig schützen können Sie sich vor Röteln nicht. Denn die Überträger sind nicht immer erkennbar, da die Krankheit auch schon vor Ausbruch der Hauterscheinungen (Inkubationszeit) ansteckend ist. Grundsätzlich sollten Sie deshalb Ansammlungen von Kindern im Vorschulalter meiden. Wenn Sie mit einer möglicherweise infizierten Person in Kontakt gekommen sind, informieren Sie umgehend Ihren Frauenarzt. Innerhalb von bis zu fünf Tagen nach einer möglichen Infektion kann noch eine passive Immunisierung mit Röteln-Immunglobulin durchgeführt werden. Außerdem wird dann der Röteln-Titer (siehe Kasten auf Seite 31) nach einigen Wochen kontrolliert, damit eine Neuinfektion ausgeschlossen werden kann.
Übrigens bedeutet ein Titer von 1:8 nicht, dass Sie überhaupt keinen Schutz haben. Er ist nur nicht vollständig. Ab einem Titer von 1:32 gilt ein ausreichender Immunschutz als sicher.

? Ist es wahr, dass eine Rötelninfektion dem Kind nur in den ersten zwölf Schwangerschaftswochen schaden kann?

Im ersten Schwangerschaftsdrittel ist eine Ansteckung mit Röteln besonders gefährlich. Das Risiko für Fehlbildungen, etwa des Herzens oder des Gehirns, ist dann höher als 50 Prozent. Nach der 12. Woche sinkt dieses Risiko auf unter 10 Prozent und nach der 22. Woche ist es praktisch nicht mehr vorhanden. Das ungeborene Kind kann dann zwar noch über den Mutterkuchen angesteckt werden, aber die Infektion verursacht keine angeborenen Schäden mehr.

? Ich habe mich unglücklicherweise in der 10. SSW mit Windpocken angesteckt. Was kann ich jetzt noch tun?

Eine passive Impfung mit Immunglobulinen kann den Ausbruch der Windpocken nur verhindern, wenn sie gegeben wird, bevor die Hauterscheinungen auftreten. Danach gibt es keine Behandlungsmöglichkeit mehr.
Bedenken Sie aber, dass nur in äußerst seltenen Fällen die Windpockenviren in der ersten Schwangerschaftshälfte tatsächlich auf das ungeborene Kind übergehen und es schädigen. Um dieses sehr geringe Risiko auszuschließen, empfehlen Fachleute sorgfältige Ultraschalluntersuchungen. Außerdem kann eine eventuelle Ansteckung des Kindes im Plazentagewebe, im Fruchtwasser sowie im Nabelschnurblut festgestellt werden.

? Sind Windpocken auch in den letzten Schwangerschaftswochen noch schädlich für mein Baby?

Ja, aber auf eine andere Art als in der ersten Schwangerschaftshälfte, in der es sehr selten zu angeborenen Fehlbildungen beim Kind kommen kann. Bei einer Erstinfektion der Schwangeren weniger als fünf Tage vor der Geburt könnte das Neugeborene lebensbedrohlich an Windpocken erkranken. Dann bekommt das Kind gleich nach der Geburt ein Immunglobulin und wird so passiv immunisiert.
Wie die meisten Schwangeren (95 Prozent) haben Sie sehr wahrscheinlich schon einmal Windpocken gehabt. Das heißt, Sie sind selbst immun und geben Ihrem Neugeborenen damit in den ersten Wochen einen sogenannten Nestschutz mit. Sollten Sie jedoch nicht immun sein, was sich mit einem Bluttest

sehr schnell herausfinden lässt, und haben Sie Windpockenkontakt gehabt, müssen Sie innerhalb von wenigen Tagen Immunglobulin bekommen. Dadurch wird der Ausbruch der Windpocken bei Ihnen verhindert und Ihr Baby kann nicht angesteckt werden.
Sollten Sie Windpocken noch vor den Wehen bekommen, kann der Geburtstermin mit wehenhemmenden Medikamenten verzögert werden, bis die Hauterscheinungen verkrustet sind. Natürlich müssten Sie bis dahin auch von den anderen Wöchnerinnen getrennt werden. Stillen ist aber trotz der Infektion nach der Geburt erlaubt.

? Mein Mann weiß nicht, ob er als Kind Windpocken hatte. Nun hatte er gerade Kontakt mit einem erkrankten Kind. Darf er dann bei der Geburt in etwa zwei Wochen dabei sein?

Zunächst einmal ist anzunehmen, dass Ihr Mann – wie 95 Prozent aller Erwachsenen – Windpocken gehabt hat. Ein Arzt kann das durch den Nachweis von IgG-Antikörpern in seinem Blut bestätigen. Sollte er nicht immun sein und das Kind hat tatsächlich Windpocken, wird er sich aber mit sehr hoher Wahrscheinlichkeit infiziert haben.
Neugeborene sind wegen ihres ungenügenden Immunschutzes sehr infektionsgefährdet. Das gilt aber nur dann, wenn die Mutter eine Krankheit, wie etwa Windpocken, noch nicht gehabt hat oder sich gerade erst frisch angesteckt hat. Das kann mit einer Blutuntersuchung herausgefunden werden und die Schwangere erhält dann sofort ein Immunglobulin, das den Ausbruch der Erkrankung verhindert. Hat die Mutter dagegen früher schon einmal Windpocken gehabt, gibt sie den sogenannten Nestschutz weiter, das heißt, die Antikörper der Mutter schützen das Kind in den ersten Wochen. Der Kontakt mit dem Vater ist dann kein Problem.
Eine akute Gefährdung des Neugeborenen könnte sich also nur ergeben, wenn der Vater infektiös ist und gleichzeitig die

Mutter noch keine Windpocken gehabt hat. Erkrankt die Mutter dann vier Tage vor bis zwei Tage nach der Entbindung, besteht kein Nestschutz für das Neugeborene. In einem solchen unwahrscheinlichen Fall ist es ratsam, dass der Vater bei der Geburt nicht anwesend ist und seinem Kind auch in den nächsten Tagen nicht zu nahe kommt – so lange, bis er nicht mehr infektiös ist.

? Meine kleine Tochter hat Ringelröteln. Was bedeutet das für mich (8. SSW)?

Mehr als die Hälfte der Bevölkerung hat schon einmal Ringelröteln gehabt und ist dagegen immun. Ob Sie auch dazugehören, zeigen die Antikörper in Ihrem Blut. Wenn Sie nicht sicher sind, lassen Sie sich testen.

Ringelröteln führen nicht zu angeborenen Fehlbildungen, wie das bei Röteln der Fall sein kann. Sie können aber bei einem kleinen Teil der Feten Blutarmut (Anämie) auslösen und dadurch zu Wassereinlagerungen beim Kind führen – dies allerdings erst viele Wochen später in der Schwangerschaft. Sie sollten sich also zu Ihrer Beruhigung vor allem im mittleren Schwangerschaftsdrittel regelmäßig sorgfältig untersuchen lassen. Werden Veränderungen beim Kind entdeckt, kann es mit vorgeburtlichen Austauschtransfusionen so weit stabilisiert werden, bis es geboren werden kann. Den meisten Kindern geht es danach gut.

? Sind Ringelröteln auch noch kurz vor der Geburt ein Problem?

Wenn Sie in der Spätschwangerschaft an Ringelröteln erkranken, ist die Gefahr für Ihr ungeborenes Kind nur noch sehr, sehr gering. Es dauert nämlich einige Wochen, bis sich bei dem Fetus eine Blutarmut (Anämie) entwickeln kann (siehe vorangegangene Frage). Sehr wahrscheinlich haben Sie bis dahin schon längst entbunden.

Genitalinfektionen

? Stimmt es, dass häufige Blasenentzündungen eine Frühgeburt auslösen können?

Während jeder Vorsorgeuntersuchung in der Schwangerschaft wird eine Urinprobe auf Eiweiß und Nitrit sowie weiße Blutkörperchen (Leukozyten) untersucht.
Nicht selten, vor allem in der zweiten Hälfte der Schwangerschaft, wird dabei eine Vermehrung von Bakterien im Harn (Bakteriurie) festgestellt. Das liegt einerseits an dem veränderten pH-Wert (Säuregrad) des Urins während der Schwangerschaft. Andererseits drückt die vergrößerte Gebärmutter auf die Harnwege. Zudem vermindert das Hormon Progesteron die Beweglichkeit von Darm und Harnleiter. So staut sich der Urin leichter und Bakterien können sich ungestört vermehren.
Steigen die Bakterien in die Blase auf, dann kommt es zu einer Blasenentzündung, wandern sie weiter, kann dies zu einer gefährlichen Nierenbeckenentzündung führen. Diese Infektionen im Unterleib wiederum sind die häufigste Ursache für vorzeitige Wehen (siehe Seite 208), die eine Frühgeburt auslösen können.
Deshalb sollten grundsätzlich alle Harnwegsinfekte, auch wenn sie keine Beschwerden verursachen, antibiotisch behandelt werden (siehe Seite 84).
Zur Vorbeugung sollten Sie besonders viel trinken!

? Wie kann ich mich vor Scheideninfektionen schützen?

Aufsteigende Infektionen von der Harnröhre oder der Scheide sind die häufigsten Ursachen für vorzeitige Wehen (siehe Seite 208) und Frühgeburten. Und leider ist die Scheide durch die hormonellen Veränderungen in der Schwangerschaft sehr viel infektionsanfälliger. Deshalb sollte das Scheidenmilieu, also der pH-Wert (Säuregrad) des Vaginalsekrets,

m sauren Bereich (unter 4,5) gehalten werden. Das können ie mit Indikatorpapier oder speziellen Indikatorhandschuhen us der Apotheke kontrollieren. Eine beginnende Vaginalnfektion kann dann oft erfolgreich mit Ansäuerung, etwa mit aktobazillus-Scheidenzäpfchen, behandelt werden. Sie könıen auch einen Tampon in Naturjoghurt tränken und diesen ür maximal sechs Stunden in die Scheide einführen. Wiederıolen Sie dies vier bis fünf Tage lang zweimal täglich. Bei ilzinfektionen hilft eine Ansäuerung allerdings nicht: Pilze vachsen unabhängig vom pH-Wert der Scheide.
cheidenspülungen, Seife, Intimspray, Gel und Ähnliches ind in der Schwangerschaft tabu, außer sie sind ärztlich verrdnet worden. Übertriebene Hygiene zerstört das natürliche Milieu und fördert deshalb Scheideninfektionen!

? Ich messe regelmäßig meinen Scheiden-pH-Wert. Kann hinter einem hohen Wert noch etwas anderes als eine Infektion stecken?

a, der pH-Wert (Säuregrad) des Vaginalsekrets steigt zum Beispiel an, wenn Sperma beigemischt ist. Deshalb sollten Sie erst zwölf Stunden nach dem Geschlechtsverkehr messen. Außerdem kann Urin den pH-Wert in beide Richtungen verfälschen. Messen Sie aber wiederholt Werte von 4,7 oder ıöher, kann dies ein Hinweis auf Fruchtwasserabgang durch inen vorzeitigen Blasensprung (siehe Seite 133) sein. Dann ollten Sie umgehend liegend in eine Entbindungsklinik gefahren werden.

? Ist eine Pilzinfektion in der Scheide gefährlich für das ungeborene Kind?

Während der Schwangerschaft besteht für das Kind kein direktes Risiko, sich bei einer Pilzinfektion der Mutter anzustecken. Aber beim Durchtritt durch den Geburtskanal kann sich das Kind infizieren und einen juckenden Hautausschlag am Mund und ein Windelekzem bekommen. Beides ist für das Baby zwar nicht gefährlich, aber ziemlich unangenehm und muss behandelt werden.

? Muss eine Chlamydieninfektion in der Schwangerschaft unbedingt behandelt werden?

In der Schwangerschaft können Chlamydien, wie viele andere Erreger von Scheideninfektionen, einen vorzeitigen Blasensprung (siehe Seite 133), vorzeitige Wehen (siehe Seite 208) und damit verbunden eine Frühgeburt verursachen. Außerdem ist das Kind bei der Geburt gefährdet: Chlamydien verursachen Augen- und Lungenentzündungen. Deshalb müssen sie unbedingt behandelt werden. Am wirkungsvollsten und auch in der Schwangerschaft erlaubt sind Erythromycin und neuere Makrolidantibiotika. Der Partner sollte unbedingt mitbehandelt werden, um eine Wiederansteckung zu vermeiden. Eine vorherige Untersuchung des Partners ist aber meist nicht nötig.

INFO

Die Erstinfektion mit Chlamydien kann übrigens durchaus zehn Jahre und länger zurückliegen, ohne bislang erkannt worden zu sein. Darum sollte der Infektionsnachweis keinesfalls Anlass für Misstrauen oder Verdächtigungen sein.

? Ich habe Angst, dass ich während der Schwangerschaft wieder Feigwarzen bekomme. Wäre das gefährlich für mein Baby?

Für die Entstehung von gutartigen Feigwarzen im Scheidenbereich sind Papillomaviren (HP-Viren) verantwortlich.
Sie sind in den Warzen enthalten und bei Hautkontakt, etwa beim Geschlechtsverkehr, hoch infektiös. Nach bisherigem

Wissensstand sind sie aber während der Schwangerschaft nicht gefährlich für das Ungeborene.
Bei der Geburt ist eine Übertragung der Viren auf das Neugeborene allerdings möglich. Deshalb sollten die Feigwarzen etwa um die 34. SSW behandelt werden. Das ist einerseits früh genug, um eine komplette Abheilung vor der Entbindung sicherzustellen. Andererseits ist dann gewährleistet, dass bis zur Geburt keine neuen Warzen auftreten. Eine lokale Behandlung der Warzen mit einer speziellen Salbe oder Tinktur ist auch in der Schwangerschaft erlaubt. Die wirkungsvollste Therapie besteht jedoch darin, die Warzen durch Laser, Verbrennung (Elektrokoagulation) oder chirurgisch zu entfernen. Normalerweise ist eine vaginale Geburt möglich. Nur bei einem sehr ausgedehnten Befall kann ein Kaiserschnitt angebracht sein.

? Muss ein Kaiserschnitt gemacht werden, wenn ich in den letzten Schwangerschaftswochen einen Herpesschub bekomme?

Wenn zum Zeitpunkt der Geburt eine akute Genitalherpesinfektion besteht, wird häufig ein Kaiserschnitt vorgenommen, um eine Ansteckung des Kindes bei der Geburt zu verhindern. Denn das Baby infiziert sich meist über die offenen Bläschen im Scheidenbereich oder im Geburtskanal und nur in seltenen Fällen über die Plazenta. Ein Kaiserschnitt ist besonders wichtig, wenn eine Schwangere sich zum ersten Mal angesteckt hat und nicht genug Zeit hatte, Antikörper zu bilden, die sie auch auf das Kind überträgt.
Wenn Sie dagegen früher bereits mehrfach Schübe von Genitalherpes hatten, ist die Wahrscheinlichkeit einer Ansteckung Ihres Kindes gering. Denn Mütter mit chronischem Genitalherpes besitzen normalerweise ausreichend Antikörper, die über die Plazenta auch das Baby erreichen und schützen. Eine vaginale Geburt ist dann durchaus möglich.
Ob ein Genitalherpes, der nicht erst gegen Ende, sondern

früher in der Schwangerschaft ausbricht, behandelt werden sollte, ist umstritten. Allgemein wird empfohlen, wenigstens in den letzten sechs bis acht Schwangerschaftswochen eine antivirale Therapie in Tablettenform (mit Aciclovir) durchzuführen. Sprechen Sie mit Ihrem Frauenarzt über diese Möglichkeit. Denn durch diese Vorsichtsmaßnahme kann die Gefahr verringert werden, dass die Herpesinfektion zum Zeitpunkt der Geburt erneut ausbricht.

Toxoplasmose

? Wie hoch ist die Wahrscheinlichkeit, dass ich mich mit Toxoplasmose anstecke?

Die Symptome der Toxoplasmose sind in den meisten Fällen so schwach und unspezifisch, dass sie für einen leichten Anflug von Grippe gehalten werden können. Deshalb kann nur mit einem Test festgestellt werden, ob Sie gegen Toxoplasmose immun sind.

Die Bestimmung des Toxoplasmose-Titers (siehe Seite 31) ist in Deutschland nicht Bestandteil der gesetzlichen Schwangerschaftsvorsorge. Sie wird deshalb von den Krankenkassen nur übernommen, wenn ein konkret begründeter Infektionsverdacht besteht.

Etwa die Hälfte der Bevölkerung hat schon eine Toxoplasmose durchgemacht und ist immun dagegen. Trotzdem infiziert sich statistisch gesehen immerhin eine von hundert Schwangeren zum ersten Mal. Die Infektion geschieht meist über rohes oder nicht genügend durchgebratenes Fleisch, seltener über andere Lebensmittel und nur noch in wenigen Fällen über Tiere (vor allem Katzen).

Über den Mutterkuchen kann die Toxoplasmose dann auf das ungeborene Kind übertragen werden. Das ist umso wahrscheinlicher, je später die werdende Mutter erkrankt. In der Frühschwangerschaft ist die Plazenta noch relativ undurchlässig für die Parasiten.

Außerdem ist die Inkubationszeit recht lang. Kommt es im zweiten Schwangerschaftsdrittel zu einer Infektion, die nicht behandelt wird, sind die Auswirkungen auf das Ungeborene sehr schwer, vor allem auf das Gehirn und die Augen. Dagegen führt eine Toxoplasmoseinfektion nach der 32. SSW praktisch nicht mehr zu kindlichen Schäden, die nicht erfolgreich behandelt werden könnten.

? Wie kann eine Toxoplasmose in der Schwangerschaft behandelt werden?

Bei Verdacht auf eine frische Infektion bekommt die Mutter sofort das Antibiotikum mit dem Wirkstoff Spiramycin. Etwa ab der 16. SSW oder wenn sich im weiteren Verlauf durch eine Untersuchung im Nabelschnurblut oder im Fruchtwasser herausstellt, dass die Infektion auf das Kind übergegangen ist, werden zusätzlich die Wirkstoffe Pyrimethamin, Sulfadiazin und Folsäure gegeben. Eine Schädigung des Kindes kann so praktisch immer verhindert werden. Zusätzlich wird mit Ultraschalluntersuchungen kontrolliert, ob das Kind trotzdem irgendwelche Krankheitszeichen entwickelt.

? Ich bin schwanger. Muss ich jetzt meine Katze abgeben?

Das muss normalerweise nicht sein. Als Katzenbesitzerin haben Sie wahrscheinlich längst eine Toxoplasmose durchgemacht und sind immun. Wenn Sie es genau wissen wollen, dann lassen Sie eine Blutuntersuchung auf Toxoplasmose durchführen. Diese müssen Sie allerdings selbst bezahlen. Wenn Sie Toxoplasmose-positiv sind, können Sie beruhigt die Schwangerschaft genießen.

Sind Sie Toxoplasmose-negativ, sollten Sie sehr vorsichtig sein. Eine wichtige Maßnahme: Sorgen Sie dafür, dass das Katzenklo täglich gereinigt wird, denn die ausgeschiedenen Erreger werden erst nach frühestens einem Tag für Menschen gefährlich. Die Wahrscheinlichkeit einer Übertragung ist umso größer, je jünger die Katze ist und je mehr sie herumstreunen darf. Ältere Katzen, die nur in der Wohnung leben und nur Fertigfutter bekommen, übertragen fast nie Toxoplasmose. Grundsätzlich ist deshalb die Gefahr, sich über eine Hauskatze mit Toxoplasmose anzustecken, viel geringer, als sich durch Nahrungsmittel zu infizieren.

? Mein schöner Gemüsegarten wird oft als Katzenklo benutzt. Darf ich den Salat und das Gemüse überhaupt noch essen?

Wenn Sie noch keine Toxoplasmose gehabt haben, was Ihr Arzt durch einen Bluttest herausfinden kann, sollten Sie sehr vorsichtig sein. Denn nicht nur in Katzenkot stecken Zysten der Toxoplasmoseerreger, auch kleine Nagetiere können sie ausscheiden. Durch Schnecken und andere Kriechtiere wird der infektiöse Kot auf dem Gemüse und im Blumenbeet verteilt und kann bei feuchtwarmem Klima bis zu anderthalb Jahre lang infektiös bleiben. Eine weitere Infektionsquelle sind Sandkästen auf Spielplätzen, die gerne von streunenden Katzen aufgesucht werden.
Wenn Sie bei der Gartenarbeit Handschuhe tragen und Obst und Gemüse sorgfältig waschen, reduzieren Sie das Risiko. Aber nur wenn Sie Ihr Gemüse kochen oder tiefkühlen, sind Sie auf der sicheren Seite.

? Enthält das Fleisch aller Tierarten Toxoplasmoseerreger?

Es gibt mehr und weniger »gefährliche« Fleischsorten. Fleisch vom Schaf (Lamm) und von der Ziege ist am häufigsten infiziert. Fleisch vom Schwein, Rind und Kaninchen ist weniger belastet. Geflügel ist bezüglich Toxoplasmose die sicherste Fleischsorte. Sie müssen sich über diese Risikoangaben aber keine Gedanken machen, wenn Sie Fleisch einfach grundsätz-

ich immer gut durchbraten. Auch tiefgefrorenes Fleisch ist ungefährlich. Die hohe Hitze bzw. die Kälte tötet sämtliche Toxoplasmoseerreger ab.
Fisch kommt als Toxoplasmoseüberträger praktisch nicht infrage – in rohem Fisch können jedoch Listerien stecken (siehe Seite 9, 44).

? Kann ich auch über andere tierische Erzeugnisse wie Milch und Eier eine Toxoplasmose bekommen?

Nein, Milch und Eier sind keine Infektionsquellen für Toxoplasmose. Schwangere sollten dennoch vorsichtig bei der Wahl ihrer Lebensmittel sein: Unpasteurisierte (Roh-)Milch kann Listerien (siehe ab Seite 44) und rohe Eier können Salmonellen (siehe Seite 47) enthalten.

? Sind Räucherwurst, Salami und Schinken auch gefährlich?

Ja, Salami und geräucherter Schinken, aber auch Mett- und Teewurst werden aus rohem Fleisch hergestellt und können deshalb Toxoplasmose übertragen. Luftgetrockneter Schinken gilt als eher unbedenklich. Das höchste Risiko besteht bei rohem Hackfleisch (Mett, Tartar) und Carpaccio. Toxoplasmoseerreger oder ihre Zysten werden nur durch Kochen, Durchbraten oder Tiefgefrieren unschädlich gemacht.

Lebensmittelinfektionen

? Warum reagieren ausgerechnet Schwangere empfindlicher auf verdorbene Nahrungsmittel?

Bei werdenden Müttern ist das Immunsystem etwas reduziert, damit das kindliche Gewebe, das ja genetisch zur Hälfte vom Vater stammt und somit Fremdgewebe ist, vom Körper nicht

angegriffen und abgestoßen wird. Deshalb sind schwangere Frauen infektionsanfälliger und Erkrankungen verlaufen meist schwerer.
Die Listerieninfektion (siehe folgende Frage) ist ein typisches Beispiel: Schwangere erkranken 20-mal öfter an Listeriose und umgekehrt sind von den an Listeriose Erkrankten ein Drittel Schwangere. Selbst wenn die Schwangere keinerlei Krankheitszeichen bemerkt, können die Listerien über die Plazenta das Kind erreichen.
Auch eine Salmonelleninfektion (siehe Seite 47) bekommen Schwangere sehr viel leichter. Sie kann zwar keine vorgeburtlichen Schäden beim Kind anrichten, trotzdem sollten Schwangere vorsichtig sein, denn ein schwerer Brechdurchfall kann längerfristig die Versorgung des Kindes mit den wichtigsten Nährstoffen gefährden (siehe Seite 137).

? Woher weiß ich, ob ich eine Listeriose gehabt habe? Bin ich danach immun?

Die Infektion mit Listerien kann leider auch ganz ohne Krankheitssymptome verlaufen. In den meisten Fällen kommt es aber zu erkältungsähnlichen Symptomen mit Fieber und Muskelschmerzen, Magen-Darm-Beschwerden oder Kopfschmerzen und Schwindel. Wenn Sie solche Beschwerden haben, sollten Sie sich unbedingt untersuchen lassen. Mit einem einfachen Bluttest kann eine frische Infektion ausgeschlossen werden. Falls jedoch eine Listerieninfektion nachgewiesen wird, kann in den meisten Fällen mit einer Antibiotika-Therapie die Übertragung auf das ungeborene Kind verhindert werden.
Die Listerioseerreger sind Bakterien und besonders gefährlich, weil sie im Gegensatz zu den meisten anderen Bakterien über die Plazenta in den Fetus gelangen können. Gegen bakterielle Erkrankungen gibt es keine Immunität. Selbst wenn Sie schon einmal Listeriose gehabt haben, können Sie sich immer wieder anstecken.

? Kann ich eine Listeriose nur durch den Verzehr von Rohmilchprodukten bekommen?

Nein, Listeriosebakterien vermehren sich auch im Kühlschrank, sogar in Vakuumverpackungen und vor allem in Produkten, die mit rohem Fleisch und Geflügel hergestellt wurden, etwa Hackfleisch, geräucherte Rohwurstwaren und Fleischpasteten. Nicht nur wegen der Toxoplasmosegefahr (siehe ab Seite 40) sollten Sie deshalb Fleisch immer gut durchbraten. Auch Speisen mit rohem, mariniertem (eingelegtem) oder geräuchertem Fisch sowie Feinkostsalate und abgepackte Gemüse, frische Salate, Keime und Sprossen können Listerien enthalten. Achten Sie immer peinlich genau auf das Verfallsdatum!

? Werden die Listerioseerreger beim Überbacken oder Tiefkühlen abgetötet?

Wenn der Käse richtig heiß wird und beim Überbacken Blasen wirft, sollten die Listerienkeime eigentlich abgetötet werden. Pasteurisiert wird ja auch »nur« bei 70 bis 75 °C. Achten Sie immer darauf, dass das ganze Gericht gut durcherhitzt wird. Beim Aufwärmen im Mikrowellenherd ist dies nicht ausreichend gewährleistet.
Durch Tiefkühlen werden Listerioseerreger anders als Toxoplasmen nicht abgetötet.

? Ist Vorzugsmilch dasselbe wie Rohmilch?

Ja, denn Vorzugsmilch ist einfach nur Rohmilch, die unter strengen Kontrollen abgefüllt direkt vom Hof in den Handel kommt und innerhalb von 96 Stunden nach der Gewinnung verkauft sein muss. Vorzugsmilchhöfe unterliegen einer besonderen amtstierärztlichen Überwachung und behördlichen Zulassung. Die Vorzugsmilch ist zwar keimärmer als die ursprüngliche Rohmilch, die innerhalb von 24 Stunden verkauft sein muss, aber ebenso wie diese nicht pasteurisiert (wärmebehandelt). Deshalb können Listeriosebakterien noch immer darin enthalten sein.

? Die Verkäuferinnen sind meist ratlos, wenn ich danach frage, ob ein Käse aus Rohmilch hergestellt wurde. Woran kann ich mich denn sonst noch orientieren?

Grundsätzlich sind Sie auf der sicheren Seite, wenn Sie abgepackten Käse aus einer größeren deutschen Molkerei kaufen. Die großen Molkereien verwenden fast ausschließlich wärmebehandelte, also pasteurisierte Milch oder kennzeichnen Rohmilchprodukte auf der Packung sehr deutlich. Wenn nichts auf der Packung steht, wurde pasteurisierte Milch verwendet. Wenn Sie Ihren Käse gern offen an der Käsetheke kaufen, kann die Verkäuferin auf einem noch eingepackten Stück nachsehen. Denn auch für Großpackungen gilt die Kennzeichnungspflicht.
Kleine private Molkereien und Direkterzeuger wie Bauernhofkäsereien müssen ihre Rohmilchprodukte nicht kennzeichnen. Wenn Sie dort Käse oder Milchprodukte wie Joghurt und Quark einkaufen möchten, sollten Sie vorsichtig sein und im Zweifelsfall lieber verzichten.
Käsesorten mit einer rechtlich geschützten regionalen Herkunftsbezeichnung, zum Beispiel original italienischer Mozzarella oder Parmesan, Schweizer Emmentaler oder französischer Camembert, werden häufig aus Rohmilch hergestellt. Sicherheitshalber können Sie für die Dauer der Schwangerschaft nur in Deutschland hergestellte Milchprodukte kaufen. Deutscher Mozzarella oder Parmesan, Schafskäse, Emmentaler oder Camembert schmecken zwar nicht genau wie die Originalprodukte, sind aber mit Sicherheit aus pasteurisierter Milch hergestellt.
Kaufen Sie außerdem prinzipiell eher Hartkäse als Weichkäse und entfernen Sie die Rinde.

? Darf ich in der Schwangerschaft noch rohen Fisch essen, etwa Sushi?

Während der Schwangerschaft ist es sehr wichtig, viel Fisch zu essen, denn damit führen Sie sich eine Extraportion Jod, hochwertiges Eiweiß und wertvolle Omega-3-Fettsäuren zu (siehe ab Seite 9). Wenn Sie gern Sushi, Sashimi, Maki, geräucherte Forellenfilets oder Räucherlachs, Matjes, Hering oder rohe Austern essen, sollten Sie in der Schwangerschaft allerdings vorsichtig sein. In rohem oder geräuchertem Fisch – wie auch in rohem Fleisch und Geflügel – können sich Listerien (siehe Seite 44) befinden. Unbedenklich für Schwangere sind deshalb nur ausreichend durcherhitzte Fische, Fischprodukte und Muscheln, ebenso Fischdauerkonserven und pasteurisierte Fischerzeugnisse.

? Sollten Schwangere Eier wegen der Salmonellengefahr nicht besser ganz vom Speiseplan streichen?

Eier sind gerade in der Schwangerschaft ein wertvoller Ernährungsbestandteil und sollten im Speiseplan nicht fehlen. Salmonellengefahr besteht nur bei Gerichten, die aus nicht ganz frischen rohen Eiern zubereitet und zu lange und nicht ausreichend kühl gelagert wurden. Auch weich gekochte Eier, Rühr- oder Spiegeleier sind nicht ungefährlich, weil das Eigelb nicht ganz durchgegart wird. Das Risiko kann aber deutlich verringert werden, wenn frische Eier verwendet und die Speisen sofort gekühlt und innerhalb von wenigen Stunden verzehrt werden. Ein hart gekochtes Ei, das vor dem Kochen kühl gelagert wurde und nicht älter als 14 Tage ist, kommt als Infektionsquelle praktisch nicht infrage.
Wenn Sie in der Schwangerschaft gar kein Risiko eingehen wollen, sollten Sie auf selbst gemachte Mayonnaise, Remoulade und Sauce Hollandaise, Bayrische Creme, Mousse au chocolat, Tiramisu und Zabaione verzichten.

Körperliche Beanspruchung

Wenn Sie regelmäßig zu den Vorsorgeuntersuchungen gehen und keine Komplikationen erkennbar sind, brauchen Sie als werdende Mutter Ihr Leben kaum zu ändern. Ihr Körper zeigt Ihnen deutlich, wann Sie Ruhe brauchen – Sie sollten dann allerdings auch auf diese Signale hören.

Für Reisen ist das zweite Schwangerschaftsdrittel die angenehmste Zeit, weil Müdigkeit und Übelkeit verschwunden sind und der Bauch noch nicht im Wege steht. Ob in der Bahn, im Auto oder im Flugzeug: Machen Sie viele Pausen oder stehen Sie ab und zu auf, um Ihre Beine zu bewegen.

Körperliche Aktivität ist auch in der Schwangerschaft wichtig – nicht nur Spazierengehen und Schwimmen. Wenn Sie sich regelmäßig bewegen, werden Beschwerden gemildert, Ihr Körper wird besser mit Sauerstoff versorgt, Ihre Abwehrkräfte werden gestärkt und Sie sind besser auf die Geburt vorbereitet. Vermeiden sollten Sie aber alle Sportarten, die Ihren Körper bis an seine Grenzen belasten oder bei denen die Gefahr, sich zu verletzen, sehr hoch ist.

Im Alltag dürfen Sie nicht zu schwer heben (maximal 5 kg), weil der Beckenboden dadurch extrem belastet wird. Lassen Sie sich also helfen! Aus dem gleichen Grund ist es wichtig, sich richtig zu bücken – mit gebeugten Knien und geradem Rücken. So viele Arbeiten wie möglich sollten Sie im Sitzen erledigen, das schont die Beinvenen.

Sex in der Schwangerschaft? Gar nicht so wenige Schwangere sind überrascht, wenn sie auf einmal mehr Lust haben. Das liegt daran, dass der gesamte Genitalbereich besser durchblutet und die Brust viel empfindlicher ist. Sie müssen beim Sex keine Angst haben: In einer unkomplizierten Schwangerschaft ist Ihr Baby gut geschützt. Ein Orgasmus löst mit Sicherheit keine Fehl- oder Frühgeburt aus.

llgemeines

Muss ich mein Piercing in der Schwanger-
chaft entfernen lassen?

in Bauchnabelpiercing wird vermutlich nur Probleme ver-
rsachen, wenn es noch relativ frisch ist. Wenn Sie es schon
nger als ein Jahr haben, ist die Wahrscheinlichkeit gering,
ass es an dieser Stelle einen Hautriss und eine Infektion gibt.
chten Sie aber trotzdem auf Entzündungszeichen (Rötung,
chwellung, Juckreiz) und cremen Sie den Bereich doppelt
ıt ein, damit die Haut schön elastisch bleibt! Wird es Ihnen
nangenehm, muss das Metall-Schmuckstück entfernt oder
urch ein biegsames Plastikteil ersetzt werden. Beim Ultra-
hall stört das Piercing übrigens normalerweise nicht.
in Brustwarzenpiercing wird in der Schwangerschaft oft sehr
nangenehm. Die Brust vergrößert sich enorm und die Brust-
arzen werden sehr empfindlich. Viele Frauen entfernen des-
alb ihre Piercings schon in der Frühschwangerschaft. Auf
einen Fall darf das Baby mit Piercingschmuck in der Brust-
arze gestillt werden, denn es besteht die Gefahr, dass es sich
eim Saugen verletzt oder dass es das Schmuckstück sogar
erschluckt. Übrigens kann Stillen nach einem Brustwarzen-
iercing problematisch sein, wenn mehrere Milchkanäle ver-
tzt worden sind.
iercings im Genitalbereich können bei der Geburt stören
nd zu Verletzungen führen. Ihr Frauenarzt kann Ihnen
gen, ob es nötig ist, den Schmuck zu entfernen.

Ich habe oft Angst, dass ich mein Baby
urch eine falsche Bewegung verletze. Kann das
assieren?

ein, auch wenn es für Ihr Baby in den letzten Wochen recht
ng wird, liegt es immer noch gut gepolstert im Fruchtwasser.
lötzliche Bewegungen verletzen höchstens Sie selbst oder
ıre überdehnten Muskeln und Bänder, aber nicht Ihr Baby.

Auch eine vorzeitige Lösung der Plazenta (siehe ab Seite 178) oder ein vorzeitiger Riss der Fruchtblase (siehe Seite 133) ist höchst unwahrscheinlich!
Sich strecken im Sinne von sich rekeln (Stretching) ist auch in der Schwangerschaft sehr gut, weil lästige Muskelverspannungen damit gelöst werden. Auch ein Stretching der Becken bodenmuskulatur wie beim Schneidersitz und in der Hockstellung ist empfehlenswert. Aber alle Bewegungen sollten langsam und aufgewärmt durchgeführt werden, sonst bewirken sie eher das Gegenteil.

? Heute bin ich auf der Treppe gestürzt. Muss ich mir Sorgen machen?

Solange Sie keine Blutungen oder Schmerzen bekommen, brauchen Sie sich keine Sorgen um Ihr Baby zu machen. Eine zusätzliche Kontrolle bei Ihrem Frauenarzt ist nur notwendig wenn Sie die genannten Symptome bemerken – oder zu Ihrer eigenen Beruhigung, wenn Sie sich nicht sicher sind. Normalerweise ist Ihr Baby bei solchen Unfällen in der Gebärmutter sehr gut geschützt!

? Warum sollen Schwangere in den letzten Wochen vor der Geburt nicht mehr auf dem Rücken schlafen?

In den Wochen vor der Geburt ist die Gebärmutter schon recht schwer. Sie drückt in der Rückenlage auf die große Hohlvene (Vena cava), die das Blut zum Herzen zurücktransportiert und parallel zur großen Körperschlagader (Aorta) verläuft, die das Blut vom Herzen wegpumpt. Die Aorta hat eine dicke, muskulöse Gefäßwand und wird nicht eingeengt, aber die Vena cava hat (wie alle Venen) nur eine dünne Wand Wird diese von der Gebärmutter eingedrückt, fließt weniger Blut zum Herzen und in der Folge fließt auch wieder weniger Blut in das Gehirn und den übrigen Körper. Der Blutruck und die Sauerstoffversorgung sinken dann ab, was sich nter anderem in Schwindelgefühlen und Herzrasen bemerkar macht, dem sogenannten Vena-cava-Syndrom (siehe eite 194).

Venn zu viel Blut im Körper »versackt« und nicht so einfach um Herzen zurückfließen kann, führt das auch leichter zu rampfadern (siehe Seite 166), Hämorrhoiden (siehe Seite 48) und Wassereinlagerungen (Ödeme, siehe Seite 175). Vor llem aber können die Gebärmutter und der Mutterkuchen nd damit auch das Baby nicht mehr so gut mit Sauerstoff ersorgt werden. Aus diesen Gründen ist in der späten chwangerschaft zum Schlafen die Links-Seitenlage zu empehlen. Zur linken Seite wird geraten, weil die Vena cava rechts on der Wirbelsäule verläuft.

INFO

Sie müssen aber keine Angst haben, wenn Sie unbemerkt trotzdem einmal auf dem Rücken schlafen: Wenn die Sauerstoffversorgung eingeschränkt ist, gibt Ihnen Ihr Körper rechtzeitig Bescheid und Sie wachen dann automatisch auf!

Wie lange darf ich noch auf dem Bauch chlafen?

olange es Ihnen bequem ist, dürfen Sie ruhig auf dem Bauch chlafen, denn Ihr Baby liegt gut gepolstert im Fruchtwasser. Die meisten Schwangeren ziehen aber im letzten Drittel der chwangerschaft die stabile Seitenlage zum Schlafen vor. Diese wird am besten unterstützt durch Kissen – gut geeignet ind die langen, wurstförmigen Stillkissen – oder eine zum chlauch gedrehte Decke, die zwischen die Knie und unter en Bauch geschoben wird. Nur in der Rückenlage kann es in er Spätschwangerschaft zu Kreislaufproblemen kommen siehe vorhergehende Frage).

? Ich bin noch ganz am Anfang der Schwangerschaft. Soll ich mich trotzdem schon beim Tragen von Einkäufen oder Wäsche zurückhalten?

Solange Sie keine Blutungen, Schmerzen oder andere Anzeichen für eine Komplikation haben, können Sie sich grundsätzlich so wie vor der Schwangerschaft belasten. Allerdings werden Sie schon durch die schwangerschaftsbedingte Müdigkeit etwas gebremst – und das hat ja auch seinen Sinn. Lassen Sie sich also, wenn es geht, schwere Arbeiten ruhig abnehmen. In der späteren Schwangerschaft ist es sinnvoll, Tätigkeiten zu vermeiden, bei denen Sie die Bauchmuskeln stark anspannen müssen, wie beim Heben schwerer Lasten. Dabei ist es immer wichtig, dass Sie den Oberkörper gerade aufgerichtet halten und die Knie statt der Wirbelsäule beugen. So können Sie Rückenschmerzen als Folge falscher Haltung vorbeugen. Beim Einkaufen sollten Sie möglichst in beiden Händen Gewicht tragen, damit es nicht zu einseitigen Verspannungen kommt. Schwere Taschen sind jetzt allerdings tabu: Besorgen Sie sich für Ihre Einkäufe einen Wagen, den Sie hinter sich herziehen können.

? Dürfen Schwangere noch auf alle Fahrgeräte im Freizeitpark oder auf der Kirmes?

Bei einer Fahrt mit einer modernen Achterbahn oder in ähnlichen Fahrbetrieben wirken heutzutage enorme Kräfte auf die Passagiere. Sie betragen zum Teil das Fünffache der Erdbeschleunigung und entsprechen somit der Belastung, die Astronauten beim Start ins All aushalten müssen. Nur die Formel-1-Piloten presst es noch härter in die Sitze! Insofern kann Schwangeren eigentlich nur davon abgeraten werden, diese extrem schnellen Bahnen zu benutzen. Auch Autoscooter sind wegen der plötzlichen Zusammenstöße für Schwangere nicht geeignet. Gegen ein altmodisches Kettenkarussell oder ein Riesenrad gibt es aber nichts einzuwenden.

exualität

Seit ein paar Wochen habe ich überhaupt eine Lust mehr, mit meinem Mann zu schlafen. ibt sich das wieder?

ei vielen Schwangeren werden die ersten Wochen von einem arken Libidoverlust begleitet. Müdigkeit, Übelkeit, sehr erührungsempfindliche Brüste und viele andere Veränderun- en durch die Hormonumstellung lassen die Lust vorüber- ehend schwinden. Sprechen Sie ganz offen mit Ihrem Partner nd erklären Sie ihm, dass es nicht an ihm, sondern an den eränderungen in Ihrem Hormonhaushalt liegt. Er hat dann estimmt Verständnis!

lit hoher Wahrscheinlichkeit gibt sich die Lustlosigkeit nach em ersten Schwangerschaftsdrittel. Dafür gibt es auch kör- erliche Gründe: Klitoris und Vagina sind jetzt stärker durch- lutet und empfänglicher für Stimulationen. Viele Frauen rleben deshalb in der Schwangerschaft leichter und schnel- r einen Orgasmus. In den Wochen vor der Geburt lässt die ust dann manchmal wieder etwas nach, weil mit dem dicken auch alle Bewegungen mühsamer werden. Auch dies wird ır Partner nachvollziehen können.

Stört es das ungeborene Kind, wenn ich inen Orgasmus habe?

lanche Frauen kommen in der Schwangerschaft leichter um Orgasmus als vorher, da der gesamte Beckenbereich jetzt ärker durchblutet ist (siehe vorhergehende Frage). Der weib- che Schwellkörper ist praller, größer und empfänglicher für eize. Die Scheide fühlt sich wärmer an und reagiert sensibler uf Berührung.

ie Kontraktionen der Gebärmutter beim Orgasmus sind llerdings spätestens nach ein paar Minuten wieder vorbei. as Ungeborene wird dadurch nicht gestört und schon gar icht gefährdet.

? Kann das Baby beim Sex verletzt werden?

Nein, Sie können alles tun, was Ihnen beiden Spaß macht. Auch heftigere Stöße können dem Baby nicht schaden. Es liegt gut geschützt im Fruchtwasser und in der Fruchtblase. Solange der Gebärmutterhals noch fest verschlossen ist, Sie während des Geschlechtsverkehrs keine Schmerzen haben, kein Fruchtwasser verlieren und keine Blutungen (siehe Seite 134) auftreten, gibt es keinen Grund, warum Sie Ihr Liebesleben nicht wie bisher fortsetzen sollten!

? Ich habe gleich nach dem Geschlechtsverkehr ein paar Tropfen Blut verloren. Was bedeutet das?

Bei allen Blutungen im ersten Teil der Schwangerschaft und nach dem Geschlechtsverkehr sollten Sie grundsätzlich Ihren Arzt informieren. Aber eine schwache Blutung nach dem Sex ist meist nur eine Kontaktblutung vom äußeren Muttermund. Die Haut ist dort gut durchblutet, geschwollen und sehr empfindlich. Wenn ein kleines oberflächliches Blutgefäß platzt, verlieren Sie ein paar Tropfen Blut, aber die Blutung hört gleich wieder auf (siehe Seite 134, 187).

? Steigt durch Geschlechtsverkehr die Gefahr einer Infektion und einer Frühgeburt?

Nein, grundsätzlich müssen Sie Ihre sexuellen Aktivitäten in der Schwangerschaft nicht einschränken. Wenn alles normal verläuft, ist Sex bis zur Entbindung erlaubt. Nur in ganz wenigen Fällen wird die Hebamme oder der Arzt vorschlagen, mit dem Sex während der Schwangerschaft etwas zurückhaltender zu sein.

Bei Komplikationen wie zum Beispiel Blutungen oder vorzeitigen Wehen sollten Sie auf Geschlechtsverkehr verzichten (siehe Kasten rechts) und andere sexuelle Spielarten ausprobieren, bei denen der Penis nicht eindringt.

INFO

In diesen Fällen sollten Sie auf Geschlechtsverkehr verzichten:

- Wenn der Muttermund vorzeitig geöffnet ist, denn dann besteht die Gefahr von Infektionen, die zu einer Fehl- oder Frühgeburt führen können
- Nach mehreren Fehlgeburten – zumindest in den ersten Wochen
- Bei akuten Blutungen, und zwar so lange, bis sich die Schwangerschaft wieder stabilisiert hat
- Bei vorzeitigen Wehen
- Wenn die Plazenta (Mutterkuchen) direkt über dem inneren Muttermund liegt (Placenta praevia), denn dann kann Geschlechtsverkehr zu Blutungen führen (siehe Seite 179)

? Kann Geschlechtsverkehr vorzeitige Wehen auslösen?

Diese Angst ist sehr häufig, aber unbegründet. Weder die Bewegungen beim Sex noch die Kontraktionen in der Gebärmutter während und nach dem Orgasmus lösen Wehen aus – es sei denn die Gebärmutter ist sowieso schon wehenbereit.

Dies ist zum Beispiel bei einer verkürzten Zervix (siehe Seite 15) der Fall, wenn die Tendenz zu einer Frühgeburt besteht oder bei einer ganz normalen Schwangerschaft kurz vor der Geburt. In den ersten beiden Fällen sollten Sie auf Sex verzichten (siehe auch Kasten oben).

Im letzteren Fall – also kurz vor der Geburt – kann Sex sogar gezielt zur natürlichen Wehenstimulation eingesetzt werden. Sowohl eine Stimulation der Brustwarzen als auch ein Orgasmus und bestimmte Wirkstoffe in der Samenflüssigkeit regen dann die Wehen an und weichen die Zervix (den Muttermund) auf.

Sport

? Welche Sportarten sind für Schwangere am besten geeignet?

Für die meisten Frauen gibt es keinen Grund, in der Schwangerschaft auf sportliche Aktivitäten zu verzichten. Denn körperliche Bewegung verbessert die Sauerstoffversorgung des Kindes, verhindert oder lindert viele der typischen Schwangerschaftsbeschwerden und bereitet optimal auf die Anstrengungen bei der Geburt vor. Grundbedingung ist, dass die Schwangere gesund ist, die Schwangerschaft normal verläuft und keine Risikofaktoren (siehe Kasten auf Seite 60) bestehen Die klassischen Schwangerschaftssportarten sind: Spazierengehen, Radfahren, (Rücken-)Schwimmen, Yoga, Stretching oder Bodyforming. Ideal ist nach Expertenmeinung Wassergymnastik, auch Aqua-Aerobic oder Aqua-Jogging genannt. Dabei werden die Gelenke nicht vom eigenen Gewicht belaste und bei einer Wassertemperatur von 28 bis 30 °C besteht keine Gefahr der Überhitzung und Mangelversorgung des Babys. Je nach persönlichem Trainingszustand gibt es aber viele weitere Sportarten, die auch mit einem wachsenden Bauch noch lange ausgeübt werden können.
Extremsportarten wie Bungee-Jumping, Marathonlaufen, außerdem viele Leichtathletik-Sportarten sowie Tauchen und bestimmte Ballsportarten sind für Schwangere tabu.

INFO

Die besten Sportarten für Schwangere sind solche,

- bei denen wenig Sturz- und Verletzungsgefahr besteht,
- die Sie nicht überanstrengen (Puls maximal bei 130 Schlägen pro Minute) oder überhitzen,
- bei denen der Körper nicht erschüttert wird,
- bei denen keine kurzen, zerrenden Bewegungen oder Stopps ausgeführt werden müssen.

? Darf ich beim Step-Training auch mal ußer Atem geraten oder ist das gefährlich ir das Baby?

egen Ende der Schwangerschaft ist Kurzatmigkeit eine der äufigsten Beschwerden und hängt vor allem mit der Raum-erdrängung zusammen. Da kann Sie schon eine leichte elastung wie Treppensteigen ins Schnaufen bringen. Nor-malerweise führt das aber nicht zu einer Beeinträchtigung er kindlichen Sauerstoffversorgung. Beim Sport sollten Sie temnot als Signal Ihres Körpers erkennen und sich dann in wenig ausruhen.
tärkere und länger andauernde Atemnot beeinträchtigt llerdings auch die Sauerstoffversorgung Ihres Babys. Am esten ist es, wenn Sie sich während des Trainings noch in ormaler Stimmlage unterhalten können. Ihr Puls sollte icht über 130 Schläge pro Minute ansteigen.

? Ist etwas gegen Bergwandern in der chwangerschaft zu sagen?

ei Bergwanderungen sollten Sie Extreme vermeiden, also ufstiege mit einem Höhenunterschied von über 2000 m, und asche Aufstiege, etwa mit einer Seilbahn, mit über 3000 m ielhöhe. Die dünnere Luft ab einer Höhe von 2500 m führt u Sauerstoffmangel und verschlechtert so die Versorgung hres Kindes (siehe Seite 67). Das gilt besonders für Schwan-ere mit einer Blutarmut (Anämie) oder einer Lungen- oder Ierz-Kreislauf-Erkrankung.
edenken Sie auch, dass Ihr Gleichgewichtssinn verändert st, was bei schmalen Wegen mitunter gefährlich sein kann. Kletterpartien oder Freeclimbing sind natürlich tabu in der chwangerschaft.
ine Sonnencreme mit sehr hohem Lichtschutzfaktor ist emp-ehlenswert, weil die Haut in der Schwangerschaft extrem licht-mpfindlich ist. Zudem müssen Sie ausreichend Flüssigkeit zu

sich nehmen. Ein weiterer Nachteil bei Bergwanderungen ist, dass ärztliche Hilfe im Notfall nur sehr schwer erreichbar ist.

? Ich würde gern Wassergymnastik für Schwangere mitmachen, habe aber Angst, dass ich mir im öffentlichen Schwimmbad eine Infektion hole.

Auch wenn Sie sich in der Schwangerschaft leichter Pilz- und andere Scheideninfektionen zuziehen können, besteht in öffentlichen Schwimmbädern kein ernst zu nehmendes Risiko. Die Wasserqualität wird dort streng überwacht. Anders sieht das bei öffentlichen Whirlpools aus. Die Keime können sich in dem sehr warmen Wasser und der relativ kleinen Wassermenge viel besser vermehren. Deshalb sollten Schwangere auf dieses Vergnügen verzichten. Eine weitere Infektionsquelle sind feuchte Holzbänke in Schwimmbädern also immer ein Handtuch unterlegen!

? Wie lange darf ich in der Schwangerschaft noch mit dem Rad fahren?

Grundsätzlich ist gegen Radfahren während der gesamten Schwangerschaft nichts einzuwenden. Es ist sogar sehr günstig, wenn Sie zu Krampfadern neigen (siehe Seite 166). Sie sollten jedoch lieber keine großen Radtouren mehr unternehmen und holperige Feldwege möglichst meiden. Auch das Radeln auf verkehrsreichen, abgasverpesteten Straßen ist – nicht nur in der Schwangerschaft – ungesund.
Der Sattel sollte bequem und weich gepolstert sein, um die Wirbelsäule zu schonen. Ein klassisches Damenrad ist jetzt geeigneter als ein Rennrad. Auf- und Absteigen ist mit einem dicken Bauch nicht gerade einfach. Um Verletzungen zu vermeiden, sollten Sie dabei besonders vorsichtig sein. Denken Sie auch daran, dass Sie Probleme mit Ihrem Gleichgewichtssinn haben können, da sich die Gewichtsverteilung in Ihrem Körper verändert hat.

Was muss ich beim Bauchmuskeltraining n der Schwangerschaft beachten?

anftes Bauchmuskeltraining ist in der Schwangerschaft nicht erboten. Es stärkt den Rücken und beugt so Rückenschmeren vor. Nach der ersten Hälfte der Schwangerschaft sollten Sie llerdings vermehrt die schrägen Bauchmuskeln und die Museln des kleinen Beckens trainieren – und nicht die geraden auchmuskeln. Also lieber schräge Sit-ups als gerade und icht mehr beide Beine gleichzeitig anziehen oder den Oberörper vorbeugen. Denken Sie daran, die Muskeln vorher nmer gut aufzuwärmen und nachher ausgiebig zu dehnen. rainieren Sie möglichst unter fachlicher Anleitung und inforieren Sie die Betreuer von Ihrer Schwangerschaft. Wenn Sie llein trainieren, legen Sie die flache Hand auf Ihren Bauch. o spüren Sie, wenn die geraden Bauchmuskeln angespannt erden, und können solche Übungen auslassen.
uch ohne Bauchmuskeltraining kommt es bei vielen chwangeren gegen Ende der Schwangerschaft zu einem leichen Auseinanderklaffen der Bauchmuskeln in der senkrechten, ehnigen Mittellinie. Aber dies bildet sich meist bald nach der Geburt mit ein wenig Gymnastik zurück.
m letzten Schwangerschaftsdrittel sollten Sie nicht mehr in Rückenlage trainieren, weil dann die Gebärmutter den Blutückfluss zum Herzen behindern und zu Kreislaufproblemen ühren kann (Vena-cava-Syndrom, siehe Seite 194). Übungen n der Seitenlage, im Stehen, Sitzen oder im Vierfüßlerstand ind dann günstiger.

Ich bin in der 8. Woche schwanger. Darf ich denn jetzt noch Tennis spielen?

Eigentlich gibt es nicht allzu viele Bedenken, wenn eine chwangere noch weiter locker Tennis spielt – aber nicht wettampfmäßig! Wenn Sie es sich verkneifen können, jedem Ball ninterherzuhetzen, sollte eine intakte Schwangerschaft ein leichtes Training aushalten. Wenn Sie ganz auf Nummer sicher gehen wollen, sollten Sie im ersten Drittel Ihrer Schwangerschaft auf sportliche Aktivitäten mit ruckartigen Bewegungen und Erschütterungen verzichten. Nach der 12. Woche dürfen Sie dann langsam und bewusst wieder loslegen.

INFO

Sie sollten sofort mit Sport aufhören, wenn
- Sie sich unwohl, schwindelig oder kraftlos fühlen,
- Sie außer Atem kommen,
- Sie Blutungen, Schmerzen oder Krämpfe bekommen,
- Sie Kontraktionen der Gebärmutter spüren, egal ob schmerzhaft oder nicht.

Sie sollten sich körperlich schonen, wenn
- Sie gerade eine Chorionbiopsie, Fruchtwasseruntersuchung, Cerclage oder einen anderen Eingriff hinter sich haben,
- Sie Mehrlinge erwarten,
- Sie in der vorherigen Schwangerschaft Komplikationen hatten, etwa eine Fehlgeburt, einen vorzeitigen Blasensprung oder eine Plazentalösung,
- Sie an einer chronischen Erkrankung leiden, wie Bluthochdruck, Diabetes, Schilddrüsenüberfunktion, Bronchialasthma,
- Sie stark unter- oder übergewichtig sind.

? Darf man in der Schwangerschaft auf einer Vibrationsplatte trainieren?

Eindeutige Studien zu dieser noch recht neuen Trainingsform gibt es nicht. Bei einer Schwangerschaft wird jedoch sicherheitshalber vom Training auf der Power Plate abgeraten. Die Vibrationen können möglicherweise zu einem erhöhten Risiko für eine Frühgeburt führen, zum Beispiel durch Mikrover-

etzungen in der Gebärmutter oder am Mutterkuchen. Theoetisch wäre auch ein negativer Einfluss auf das Kind selbst nöglich, das heißt Entwicklung von Fehlbildungen.
Auch Frauen, die schwanger werden wollen, sollten auf das Vibrationstraining verzichten. Die Einnistung der befruchteen Eizelle in die Gebärmutter könnte behindert werden.

? Gibt es Bedenken gegen Skilaufen in der Schwangerschaft?

Skifahren (oder Snowboarden) ist eine risikoreiche Sportart und für Schwangere nur bedingt geeignet. Einerseits kann in der Schwangerschaft das Gleichgewichtsgefühl durch den veränderten Körperschwerpunkt beeinträchtigt sein. Andererseits sind auch die besten Skiläufer nicht davor geschützt, von Anfängern oder Pistenrowdys angefahren zu werden. Und bei einem Sturz könnte es schlimmstenfalls zu einer gefährlichen Verletzung und sogar zu einer vorzeitigen Lösung der Plazenta (siehe ab Seite 178) kommen. Solch ein akuter Notfall ist auf der Skipiste nicht schnell genug zu behandeln. Aber auch bei einem einfachen Knochenbruch müssen Sie vielleicht im Schnee liegen, bis Hilfe kommt. Danach folgen der Transport, Röntgenaufnahmen, eine Narkose und vielleicht sogar eine Operation. Hinzu kommt, dass die Luft oberhalb von 2500 m weniger Sauerstoff enthält, weshalb Sie schon bei leichter Belastung kurzatmig werden und damit die Versorgung Ihres Kindes nicht mehr optimal gewährleistet ist.

TIPP

Wenn Sie in der Schwangerschaft partout nicht auf das Skilaufen verzichten möchten, wählen Sie dafür das mittlere Schwangerschaftsdrittel. Geben Sie sich drei, vier Tage Zeit zur Anpassung an die Höhe, bleiben Sie auf einfachen Pisten und machen Sie viele Pausen.

? Muss ich zur Schwangerschaftsgymnastik gehen, obwohl ich regelmäßig jogge und im Fitness-Studio trainiere?

Ja, das ist unbedingt zu empfehlen! Sport ist in der Schwangerschaft sehr gut, aber kein Ersatz für die Schwangerschaftsgymnastik. In einem Geburtsvorbereitungskurs (siehe ab Seite 117) werden zusätzlich Atemtechniken und spezielle Übungen zur Geburtserleichterung trainiert. Das sind zum Beispiel Dehnungsübungen im Bereich des Beckenbodens. Außerdem werden Ihnen Übungen gezeigt, die viele der kleinen und großen Beschwerden in der Schwangerschaft lindern können. Und nicht zuletzt ist solch ein Kurs auch eine gute Gelegenheit, andere Schwangere mit denselben Beschwerden, Problemen und Ängsten kennenzulernen.

? Wie lange darf ich in der Schwangerschaft noch joggen?

Wenn Sie gut trainiert sind, können Sie weiterlaufen, bis Sie sich nicht mehr wohlfühlen. Manche Schwangere joggen noch fast bis zum Geburtstermin. Doch die meisten hören in der Mitte der Schwangerschaft damit auf, weil es ihnen zu mühsam wird. Viele Schwangere wechseln dann von Jogging zu Power-Walking oder einfach schnellem Gehen. Hören Sie sehr genau auf Ihren Körper. Atemnot ist auf jeden Fall immer ein Signal, etwas zurückzustecken.

TIPP

Achten sie unbedingt auf gute Schuhe! Zum Schutz der Wirbelsäule und der Knie- und Fußgelenke müssen die Laufschuhe sehr gut gepolstert sein und den Fuß gut stützen. Denn alle Gelenke werden durch die Schwangerschaftshormone nachgiebiger und weniger stabil gegen Verletzungen.

Auch beim Joggen gilt: keine Extreme! Untersuchungen haben gezeigt, dass Kinder von Ausdauersportlerinnen, die bis zur Entbindung trainieren, bei der Geburt durchschnittlich 400 g leichter sind. Wie bei einer Plazentainsuffizienz (siehe ab Seite 178) wird dem Kind bei zu viel Sport nicht genug Sauerstoff zur Verfügung gestellt, weil die Muskulatur der werdenden Mutter bevorzugt versorgt wird.

Reisen

? Was sollten Schwangere beim Autofahren beachten?

In den ersten Wochen sind die meisten Schwangeren extrem müde und unkonzentriert. Das sind natürlich keine guten Voraussetzungen zum Autofahren. Oft kommt noch Übelkeit dazu. Wenn Sie sich wohlfühlen, spricht jedoch nichts dagegen, selbst zu fahren. Ab etwa dem sechsten Schwangerschaftsmonat sollten Sie sich allerdings lieber fahren lassen. Die Bewegungsfreiheit ist dann oft so eingeschränkt, dass Sie in kritischen Situationen nicht mehr rasch genug reagieren können. Beachten Sie außerdem die Tipps im Kasten auf Seite 64.

? Stimmt es, dass Schwangere im Auto oder im Bus den Sicherheitsgurt besser nicht anlegen sollten?

Nein, ganz im Gegenteil! Unfallforscher betonen immer wieder, dass Sicherheitsgurte auch in der Schwangerschaft unbedingt angelegt werden sollen. Der Dreipunkt-Sicherheitsgurt muss bequem sitzen und sollte nicht einschneiden. Der diagonale Schultergurt liegt dabei zwischen Ihrer Brust und über dem Baby. Der Beckengurt sollte so weit wie möglich unter und nicht auf Ihrem Bauch gespannt sein. Werden die normalen Gurte im Verlauf der Schwangerschaft zu kurz, muss ein längerer Gurt eingebaut werden.

Bei einem Unfall ist das Ungeborene in den ersten sechs Monaten der Schwangerschaft in Fruchtwasser, Fruchtblase und mütterlichem Körper gut geschützt. Problematischer wird es allerdings im letzten Drittel. Die Gefahren für die werdende Mutter und das ungeborene Kind sind dann bei einem Aufprall größer, vor allem die Gefahr einer vorzeitigen Ablösung der Plazenta und eines vorzeitigen Blasensprungs steigt (siehe Seite 133). Daher sollten Sie insbesondere in den letzten drei Monaten der Schwangerschaft beim Autofahren auf Sicherheit achten: Legen Sie den Sicherheitsgurt an, fahren Sie nach Möglichkeit nicht selbst und pflegen Sie eine entspannte Fahrweise.

TIPP

Das erleichtert werdenden Müttern das Autofahren

- Optimal verstellbare Sitze: Stellen Sie die Rückenlehne und die Sitzfläche so ein, dass Sie möglichst aufrecht sitzen können und Ihre Beine leicht angewinkelt bequem zu den Pedalen gelangen. Wenn die Beine zu stark abgeknickt sind, kann sich bei längeren Fahrten eine Thrombose entwickeln
- Stützkissen gegen Rückenschmerzen
- Höhenverstellbares Lenkrad
- Bequemer Einstieg
- Ausreichend lange Sicherheitsgurte
- Zweiter Außenspiegel oder ein Spiegel für den »toten Winkel«, weil das Umschauen in der Spätschwangerschaft schwerer fällt
- Schwangere Beifahrerinnen sollten den Sitz so weit zurückstellen, dass mindestens 25 cm Platz zwischen Airbag und Bauch bleiben. Für Hochschwangere ist der rechte Rücksitz der sicherste Platz im Fahrzeug
- Keine Handschuhfächer, die den Freiraum für die Beine einengen

? Ist bei einem Autounfall der Airbag im Auto gefährlich für Schwangere?

Wenn bei einem Unfall der Airbag ausgelöst wird, bedeutet das keine zusätzliche Gefährdung für schwangere Fahrerinnen oder Beifahrerinnen. Da sich europäische Airbags nur im Kopf- und Brustbereich aufblähen, ist der Bauch der Schwangeren nicht betroffen. Außerdem reagiert der Airbag vor dem Sicherheitsgurt und verhindert dadurch den harten Aufpralldruck des Hüftgurts.

? Nach zwei Fehlgeburten bin ich endlich wieder schwanger. Wir haben nun eine längere Autoreise von etwa 3000 km geplant. Können auch die Vibrationen im Auto eine Fehlgeburt auslösen?

Bezüglich der Vibrationen sollten Sie sich keine Sorgen machen – wenn Sie ein normales Auto und keinen hart gefederten Sportwagen fahren. Eine gesunde Schwangerschaft sollte das problemlos aushalten. Bei den Ursachen für eine Fehlgeburt spielen mechanische Probleme nur eine sehr geringe Rolle (siehe ab Seite 142).
In der späteren Schwangerschaft ist jedoch die Thrombosegefahr (siehe Kasten links) durch zu langes, in der Hüfte abgeknicktes Sitzen nicht zu unterschätzen. Außerdem ist die Beckendurchblutung und damit die Sauerstoffversorgung Ihres ungeborenen Kindes im Sitzen vermindert. Ausreichende Flüssigkeitszufuhr und Pausen in kurzen Abständen sind also sehr wichtig.
Bedenken Sie aber auch, dass Sie nach zwei Fehlgeburten in einer besonderen psychischen Situation sind. Überlegen Sie, ob Sie sich nicht vielleicht Vorwürfe machen würden, sollte es doch wieder zu einer Fehlgeburt kommen, auch wenn die Reise nichts damit zu tun hätte. Im Zweifelsfall sollten Sie lieber eine Alternative suchen.

? Darf ich in der Schwangerschaft noch Motorrad fahren?

Wenn die Schwangerschaft ohne Komplikationen verläuft, ist dagegen grundsätzlich nichts einzuwenden – zumindest nicht, wenn Sie Beifahrerin sind. Zu empfehlen sind aber Strecken, die nicht zu große Erschütterungen hervorrufen. Als Fahrerin wird Ihnen das Fahrzeug wahrscheinlich bald zu schwer werden. Und auch Ihr Gleichgewichtssinn verändert sich mit wachsendem Bauch. Zudem wird Ihnen die Schutzkleidung nicht mehr passen. Bedenken Sie schließlich auch, dass Motorradfahrer laut Statistik häufiger verunglücken als Autofahrer und dass Sie bei einem Unfall auch Ihr ungeborenes Kind gefährden würden.

? Sind Flugreisen in der Schwangerschaft bedenklich?

Flugreisen sind heutzutage in der Schwangerschaft generell kein Problem, wenn kein besonderes Fehl- oder Frühgeburtsrisiko besteht. Weder der Kabinendruck noch die Strahlung in höheren Lagen stellen eine Gefährdung für das Kind oder die Schwangerschaft dar. Die Strahlenbelastung auf Langstreckenflügen ist niedriger als bisher angenommen: Ein einziger Langstreckenflug erhöht die natürlich vorhandene kosmische Strahlenbelastung (mittlere Jahresdosis) nur um ein Prozent (siehe Seite 109).
Generell sollten Sie aber darauf achten, dass Sie reichlich trinken (keinen Kaffee, keinen Alkohol), leicht essen, viel herumlaufen und nicht zu lange mit angewinkelten Beinen sitzen (Thrombosegefahr). Stützstrumpfhosen sind auf Langstreckenflügen für alle Schwangeren empfehlenswert, aber besonders wichtig, wenn Sie zu Krampfadern (siehe Seite 166) neigen. Lassen Sie sich rechtzeitig einen Sitz mit Beinfreiheit reservieren. Stellen Sie sich auch darauf ein, dass die Reiseübelkeit verstärkt auftreten kann. Wenn Sie auf Nummer sicher

gehen wollen, sollten Sie für den Notfall die Adresse eines Gynäkologen oder Krankenhauses am Reiseziel bereit haben. Wollen Sie in den letzten Schwangerschaftswochen reisen, sollten Sie abklären, ob Ihre Fluggesellschaft besondere Beschränkungen für Schwangere hat und Sie vielleicht gar nicht mehr mitnehmen wird.
Die Sicherheitskontrollen am Flughafen sind für Schwangere kein Problem: Die dort eingesetzten Strahlen sind für Mutter und Kind unbedenklich (siehe Seite 103).

? Was ist bei einem Sommerurlaub in den Bergen zu beachten?

Eine Höhe bis zu 2500 m ist im Allgemeinen kein Problem in der Schwangerschaft. Bei einem Aufenthalt in höheren Lagen sollten Schwangere körperliche Anstrengungen allerdings vermeiden. Auch ein zwar wenig anstrengender, aber zu schneller Aufstieg auf über 3000 m, zum Beispiel mit der Seilbahn, kann aus medizinischer Sicht nicht befürwortet werden (siehe Seite 57).
Die dünnere Luft ab einer Höhe von 2500 m führt zu Sauerstoffmangel und bringt Sie während der Schwangerschaft leichter in Atemnot. Dann kann es sein, dass die Sauerstoffversorgung Ihres Kindes nicht mehr optimal gewährleistet ist. Das gilt besonders für Schwangere, die unter Blutarmut (Anämie) leiden oder die eine Lungen- oder Herz-Kreislauf-Erkrankung haben.

Wanderwege sind mitunter sehr schmal: Schwangere können ein Problem mit dem Gleichgewicht haben und leichter stolpern. Hier können Wanderstöcke sehr nützlich sein. Achten Sie auch darauf, genügend zu trinken, wenn Sie schwitzen, und auf einen guten Sonnenschutz, denn Ihre Haut ist jetzt besonders lichtempfindlich.

? Wir möchten in der 30. SSW einen Safari-Urlaub in Afrika machen. Ist etwas dagegen einzuwenden?

Bedenken gibt es viele: Sie sind in einem afrikanischen Park ziemlich weit von der Zivilisation entfernt. Wie lange würde der Transport dauern, falls Sie vorzeitige Wehen haben? Was könnte notfalls bei einer plötzlichen Blutung getan werden? Ist überhaupt ein gutes Krankenhaus erreichbar? Wie wäre die Versorgung des Kindes, falls es zu früh zur Welt käme? Wie sieht es mit dem Infektionsrisiko, mit vorbereitenden Impfungen (siehe ab Seite 94) oder mit einer Malariaprophylaxe (siehe Seite 96) aus?
Solche Notsituationen am Ende einer Schwangerschaft sind zwar sehr selten, aber nicht auszuschließen. Es ist Ihnen überlassen, wie Sie mit dem Risiko umgehen. Die Entscheidung, wie viel Sicherheit Sie brauchen, liegt bei Ihnen.

? Ich möchte mich in der Schwangerschaft einmal so richtig verwöhnen lassen. Gibt es bei einem Wellness-Urlaub etwas, das Schwangere beachten sollten?

Theoretisch betrachtet ist jede Phase der Schwangerschaft für Wellness-Tage geeignet, denn zu jeder Zeit haben Sie es verdient, sich so richtig verwöhnen zu lassen. Allerdings fühlen Sie selbst sich wahrscheinlich am wohlsten im zweiten Drittel der Schwangerschaft. Die ersten Monate sind oft noch überlagert von allerlei Beschwerden und der Angst vor einer Fehlgeburt. In den Wochen vor der Geburt dagegen fühlen sich viele Schwangere weniger beweglich. Im zweiten Drittel geht es den meisten Schwangeren am besten und so können Sie Wellness-Anwendungen jeglicher Art am meisten genießen. Zu jeder Zeit dürfen Sie ruhig alle Angebote im Wellness-Bereich wahrnehmen, sollten aber bei Whirlpools zurückhaltend sein (Infektionsgefahr, siehe Seite 112). Ersetzen Sie auch die klassische finnische Sauna durch die sanftere Biosauna oder bleiben Sie pro Durchgang nicht zu lange in der heißen Sauna (siehe ab Seite 111). Massagen, leichte Gymnastik, Yoga, Schwimmen oder Wassergymnastik, Körperpflege, Kosmetikbehandlungen und Aromatherapie – all diese Angebote sind völlig unbedenklich.

TIPPS FÜR DIE URLAUBSPLANUNG

- Reisen Sie möglichst innerhalb Europas.
- Bahnreisen sind angenehmer als lange Flug- oder Autoreisen.
- Vermeiden Sie größere Klima-, Höhen- und Zeitunterschiede.
- Im Urlaubsland sollten mindestens durchschnittliche hygienische Verhältnisse und nicht zu extreme Ernährungsgewohnheiten herrschen.
- Malariagebiete und Länder, die Gelbfieber-, Typhus- oder Cholera-Impfungen verlangen, sind ungünstig.
- Ein Krankenhaus oder zumindest ärztliche Hilfe sollte problemlos erreichbar sein.
- Wenn Sie die Landessprache nicht beherrschen, schreiben Sie sich einige wichtige Sätze auf, damit Sie Auskunft über Ihre Schwangerschaft und deren Besonderheiten geben können.
- Planen Sie keine Abenteuerreisen oder stressige Städte-Trips, bei denen Sie stundenlang auf den Beinen sind.
- Denken Sie an Ihren Mutterpass!
- Klären Sie die Kostenübernahme bei Auslandsreisen mit Ihrer Krankenversicherung. Schließen Sie eventuell eine private Zusatzversicherung ab.

Psychische Belastungen und Ängste

Die völlig veränderten Hormonspiegel der Schwangerschaft verursachen eine Achterbahnfahrt der Gefühle – darauf kann kein noch so guter Ratgeber eine zum ersten Mal schwangere Frau wirklich vorbereiten. Stimmungsschwankungen sind völlig normal, aber inzwischen weiß man, dass auch echte Depressionen in der Schwangerschaft nicht selten sind.
Auf einmal sind Sie nicht nur für die eigene Gesundheit verantwortlich, sondern auch noch für die Ihres ungeborenen Kindes. Und was kann da nicht alles schiefgehen! Als Schwangere sieht man nicht mehr den Spielplatz voller gesunder, fröhlicher Kinder, sondern denkt nur noch an Geburtskomplikationen, angeborene Krankheiten, Erziehungsprobleme. Und man fürchtet, dies alles könne auch durch Stress am Arbeitsplatz, traurige Erlebnisse oder Alpträume ausgelöst werden. Zumindest können Sie sicher sein, dass es Ihnen nicht allein so geht: Typisch ist die Angst vor einer Fehlgeburt am Anfang der Schwangerschaft, die nahtlos übergeht in die Verunsicherung durch die verschiedenen Möglichkeiten der pränatalen Diagnostik. Verdächtige Befunde können zum Auslöser schlimmster Befürchtungen werden, die glücklicherweise in den meisten Fällen nicht bestätigt werden. Im weiteren Verlauf der Schwangerschaft taucht bei vielen Frauen die Furcht auf, das Kind könne im Mutterleib unbemerkt sterben. Die Kindsbewegungen scheinen nie normal zu sein, entweder zu heftig oder zu schwach. Der Herzrhythmus zu schnell oder zu langsam. Und im letzten Schwangerschaftsdrittel tritt die Angst vor der Geburt in den Vordergrund, vor allem wenn bei einer früheren Geburt nicht alles optimal gelaufen ist. Die meisten dieser Ängste sind unbegründet, aber trotzdem ernst zu nehmen.

? Kann es passieren, dass mein Kind stirbt, ohne dass ich etwas davon merke? Ich habe solche Angst davor!

Ja, das kann leider passieren – aber das ist sehr, sehr selten. Es gibt einfach Momente in unserem Leben, die wir nicht vollständig kontrollieren können. Daran haben auch alle Möglichkeiten der modernen Medizin nichts geändert und werden es auch in Zukunft nicht ändern.
Trösten Sie sich mit der Tatsache, dass fast alle Schwangeren diese Angst haben. Vielleicht ist das auch von der Natur so gewollt, damit die werdende Mutter bereits während der Schwangerschaft eine besonders liebevolle und schützende Beziehung zu ihrem Kind aufbaut – und um sie darauf vorzubereiten, dass sie nach der Geburt noch mehr Angst um ihr Kind haben wird!

? Ich freue mich sehr auf unser Baby und kann es nicht abwarten, es endlich im Arm zu halten. Aber jetzt, kurz vor der Geburt, habe ich fast jede Nacht Alpträume, dass etwas schiefgehen oder nicht in Ordnung sein könnte. Ist das normal?

Es hat keinen Zweck, die Angst zu verdrängen. Versuchen Sie, darüber zu reden! Am besten mit jungen Müttern, die das Geburtserlebnis noch in frischer Erinnerung haben. Die meisten erzählen sehr gern ihre Erlebnisse, denn es ist ihnen ja vor der Geburt genauso gegangen wie Ihnen jetzt. Jede Schwangere hat Angst vor der ersten Geburt!
Wissenschaftler haben übrigens Hinweise darauf gefunden, dass Schwangere mit Angstträumen leichtere Geburten haben als Frauen, die sich vorher nicht so intensiv in ihrem Unterbewusstsein damit auseinandergesetzt haben. Auf jeden Fall sind solche Träume nicht als Prophezeiung oder gar als böses Omen zu sehen.

Bedenken Sie auch, dass bei lediglich einem kleinen Prozentsatz aller Babys etwas nicht in Ordnung ist – meistens handelt es sich um geringfügige Fehlbildungen oder Probleme, die sich außerdem in aller Regel gut korrigieren lassen. Wiederum nur ein Bruchteil von ihnen hat wirklich schwere Behinderungen. Außerdem kündigen sich Probleme oft schon während der Schwangerschaft an. Die allermeisten Kinder kommen völlig gesund zur Welt.

TIPP

Es ist beruhigend, wenn Sie merken, dass alle Schwangeren dieselben Ängste haben. In einem Geburtsvorbereitungskurs dauert es meist nicht lange, bis sich das herausstellt. Sie können sich dann gegenseitig Mut machen. Versuchen Sie auch, sich mit dem Unbekannten vertraut zu machen: Schauen Sie sich das Vorwehenzimmer und den Kreißsaal an und sprechen Sie mit dem geburtshilflichen Team.

? Ich habe beruflich zurzeit sehr viel Stress. Manchmal glaube ich, ein starkes Ziehen im Unterleib zu spüren. Kann Stress eine Fehlgeburt auslösen?

Als Schwangere haben Sie das Recht auf Ruhe und Harmonie in Ihrer Umgebung, und das sollten Sie auch mit Nachdruck durchsetzen. Sowohl körperlicher als auch seelischer Dauerstress vermindern die Durchblutung des Mutterkuchens, was eine schlechtere Sauerstoffversorgung des ungeborenen Kindes zur Folge hat.
Eine Fehl- oder später Frühgeburt (durch vorzeitige Wehentätigkeit, siehe Seite 208) kann allerdings nur im Extremfall ausgelöst werden – auch bei großem Stress. Ob bei Ihnen dafür ein besonderes Risiko besteht, kann nur eine körperliche Untersuchung klären, etwa die Messung der Zervixlänge im

ltraschall oder eine CTG-Untersuchung. Wenden Sie sich azu an Ihren Frauenarzt.

Venn Ihr Job mit sehr viel Stress verbunden ist, besteht die Iöglichkeit, dass Ihnen von Ihrem Arzt ein individuelles eschäftigungsverbot erteilt wird. Sie müssen dann an einen veniger belastenden Arbeitsplatz versetzt oder ganz freigestellt verden. In dieser Zeit steht Ihnen das volle Gehalt zu. Das eschäftigungsverbot kann so lange bestehen, bis der gesetzche Mutterschutz einsetzt.

? Neulich habe ich mich sehr erschreckt. Iat das meinem Baby geschadet?

s ist ein Ammenmärchen, dass plötzliches Erschrecken oder lpträume dem ungeborenen Kind schaden. Lassen Sie sich avon bloß nicht verrückt machen! Ihr Baby liegt wunderbar eschützt in der Gebärmutter. Der kindliche Herzschlag kann ich zwar durch Stress beschleunigen, aber kurzfristig macht as dem Baby überhaupt nichts aus. Im Gegenteil: Dadurch vird es schon ein wenig auf das Leben außerhalb des Mutterɛibs vorbereitet.

? Gibt es so etwas wie Wochenbettdepressionen uch schon in der Schwangerschaft?

Nach einer ganz neuen Studie klagen schwangere Frauen sogar äufiger über Symptome einer Depression als Wöchnerinnen ach der Geburt. Entweder sind die Hormonumstellung und ie Schwangerschaft selbst die Auslöser für eine Depression.)der die depressive Verstimmung war bereits vorhanden und leibt auch in der Schwangerschaft bestehen.

Venn aus einem Stimmungstief eine echte Depression wird, ollten Sie auf jeden Fall einen Spezialisten aufsuchen, etwa inen Neurologen, Psychiater oder Psychotherapeuten.

Umwelteinflüsse

Unserer belasteten Natur können sich auch werdende Mütter nicht entziehen. Deren Auswirkungen auf die Schwangerschaft sind jedoch vernachlässigbar. Viel wichtiger ist es, Umweltrisiken, die wir beeinflussen können, so gering wie möglich zu halten.
Das beginnt bei den sogenannten Genussgiften: Zigaretten, Alkohol und Drogen sollten für Schwangere grundsätzlich tabu sein, weil selbst kleine Mengen negative Auswirkungen auf das ungeborene Kind haben können. Eine sichere Grenze für ihren Konsum gibt es nicht. Deshalb empfehlen alle Fachleute, ganz darauf zu verzichten.
Medikamente, auch wenn Sie diese seit Jahren eingenommen haben, sind in der Schwangerschaft nur noch nach Rücksprache mit dem Frauenarzt oder der Frauenärztin erlaubt – das wissen wir spätestens seit der Contergan-Katastrophe. Andererseits sollten chronisch kranke Schwangere eine bewährte Therapie auch nicht eigenmächtig absetzen. Eine Anpassung der Dosis oder Änderung des Präparates kann jedoch sinnvoll sein. Auch dies ist mit dem behandelnen Arzt zu besprechen.
Vorsicht ist im Haushalt geboten, vor allem wenn Sie mit aggressiven Putzmitteln, Farben und Insektengiften zu tun haben. Den Umgang mit diesen Stoffen sollten Sie möglichst vermeiden. Dagegen sind die üblichen Kosmetika und Haarpflegeprodukte zwar harmlos, sie können in der Schwangerschaft aber plötzlich Allergien auslösen.
Nicht zuletzt wird die Strahlenbelastung durch Mobiltelefone Röntgenuntersuchungen, auf Langstreckenflügen oder durch Sonnenlicht bzw. Solarium und ihre Bedeutung für die Schwangerschaft vielfach überschätzt, wie auch Hitze- oder Lärmeinwirkung (Sauna, laute Musik). Hier müssen Sie sich wenig Sorgen machen.

:auchen

Wie viele Zigaretten pro Tag sind in der ;chwangerschaft noch vertretbar?

'ertretbar ist eigentlich nur, in der Schwangerschaft gar nicht u rauchen. Die bisherigen Untersuchungen wurden mit Rau-herinnen durchgeführt, die angaben, mehr als fünf Zigaretten ro Tag geraucht zu haben. Ab dieser Anzahl war jedenfalls :hon ein verringertes Geburtsgewicht der Kinder messbar. ei mehr als 20 Zigaretten pro Tag lag das Geburtsgewicht um twa 400 g unter dem der Nichtraucherkinder, der Kopfum-ang war um einen Zentimeter kleiner und die Körperlänge m anderthalb Zentimeter kürzer. Bei Raucherkindern schlägt as Herz schneller, sie sind unruhiger und sterben dreimal äufiger an plötzlichem Kindstod (SIDS). Zusätzlich sind sie nfektionsanfälliger und entwickeln später häufiger Atem-egserkrankungen wie Bronchialasthma sowie Allergien und estimmte Krebserkrankungen (Blut- und Nierenkrebs). lle wissenschaftlichen Untersuchungen haben klar gezeigt: Jikotin kann ungehindert über die Plazenta auf das Ungebo-ene übergehen und dort direkt wirken. Die gefäßverengende Virkung des Nikotins beeinträchtigt die Sauerstoffversorgung es Mutterkuchens und damit des ungeborenen Kindes. Das ann zu einer Fehlgeburt oder später zu einer Plazentainsuffi-ienz (siehe ab Seite 178) und damit zu einer Frühgeburt ühren. Frühgeburten sind bei Raucherinnen doppelt, Totge-urten sogar dreimal so häufig wie bei Nichtraucherinnen. Jnd: Raucherinnen sind in der Schwangerschaft und im Vochenbett stark thrombosegefährdet.

Sind Nikotinpflaster in der Schwangerschaft rlaubt?

Venn Sie starke Raucherin sind und nach dem Aufhören Ent-ugserscheinungen bekommen oder wenn Ihnen das Leben hne Zigarette unmöglich erscheint, können Sie als Übergangslösung durchaus Nikotinersatzpräparate (Pflaster, Spray oder Kaugummi) verwenden. Dies ist zwar keine optimale Lösung, aber immer noch um vieles besser, als weiter zu rauchen. Vielen Schwangeren hilft auch Akupunktur oder Hypnose, um vom Glimmstängel loszukommen.

? Ist es richtig, dass Schwangere nicht plötzlich mit dem Rauchen aufhören sollten, weil das dem Kind dann noch mehr schadet?

Das ist völlig falsch. Entzugserscheinungen beim ungeborenen Kind durch plötzliche Nikotinentwöhnung sind nicht bekannt. Richtig ist dagegen, dass jede Zigarette, welche die werdende Mutter weniger raucht, der Gesundheit des Kindes nützt. Über die vielen Risiken des Rauchens auch in der Schwangerschaft gibt es keine Zweifel (siehe Seite 75).

? Werden durch Rauchen auch körperliche Fehlbildungen beim Ungeborenen verursacht?

Obwohl Nikotin selbst nicht als schädlich für das Ungeborene gilt, gibt es Hinweise darauf, dass Raucherkinder etwas häufiger angeborene Herzfehler und Lippen-Kiefer-Gaumenspalten haben. Die schädlichen Inhaltsstoffe im Zigarettenrauch sind aber so zahlreich, dass eindeutige Studien kaum möglich sind. Die einzelnen Bestandteile werden zudem häufig im Körper zu neuen giftigen Produkten umgewandelt.

? Mein Mann meint, es reiche, wenn ich in der Schwangerschaft nicht rauche. Er selbst will nicht damit aufhören.

Der werdende Vater sollte zumindest in Gegenwart seiner schwangeren Frau auf Zigaretten verzichten, denn auch Passivrauchen schadet der Gesundheit des ungeborenen Kindes. Vom gesamten Rauch einer Zigarette wird nur etwa ein

Viertel inhaliert. Der größere Teil des Rauches verbreitet sich in der Raumluft. Diese Luft enthält zum Teil noch höhere Konzentrationen giftiger Substanzen als die direkt durch die Zigarette eingesaugte Luft.

? Meine Arbeitskollegen sind starke Raucher. Kann ich verlangen, dass sie in meiner Umgebung nicht mehr rauchen?

Als werdende Mutter haben Sie nach dem Mutterschutzgesetz ein Recht auf einen rauchfreien Arbeitsplatz. Sprechen Sie mit Ihren Kollegen, wenn es notwendig ist, auch mit Ihrem Arbeitgeber und dem Betriebsarzt darüber. Auf Sie und Ihr Baby muss Rücksicht genommen werden!

Alkohol

? Wie viel Alkohol darf ich in der Schwangerschaft trinken, ohne meinem Kind zu schaden?

Bis jetzt gibt es keine eindeutigen Hinweise dafür, dass der gelegentliche Genuss von niedrigprozentigem Alkohol, etwa ein Glas Bier oder Wein, Ihrem Baby während der Schwangerschaft schadet. Aber es gibt auch keinen Grenzwert, bis zu dem Alkoholgenuss in der Schwangerschaft mit Sicherheit unbedenklich ist. Jedenfalls haben Frauen, die regelmäßig Alkohol konsumieren, leichtere Kinder und neigen eher zu Frühgeburten. Der Extremfall eines sogenannten fetalen Alkoholsyndroms mit äußerlich sichtbaren Fehlbildungen und Entwicklungsverzögerung kann auftreten, wenn vor allem in der Frühschwangerschaft hochprozentiger Alkohol in großen Mengen getrunken wurde. Wird im weiteren Verlauf der Schwangerschaft viel Alkohol getrunken, stört er die kindliche Hirnreifung, was sich auch erst lange nach der Geburt zeigen kann. Denn die Leber des Ungeborenen kann den vom mütterlichen Blut übernommenen Alkohol nicht abbauen.

Bevor meine Regelblutung ausblieb, habe ich auf einer Party zu viel getrunken. Nun mache ich mir große Sorgen um mein Kind.

In den ersten zwei Wochen nach der Befruchtung gilt noch die »Alles-oder-nichts-Regel« (siehe Seite 145): Die sich teilenden embryonalen Zellen können sich gegenseitig vollständig ersetzen, wenn nur ein kleiner Teil der Zellen geschädigt wird. Ist die Schädigung allerdings sehr stark, kommt es zu einer Fehlgeburt.
Da die Party wohl innerhalb dieser Zeitspanne stattgefunden hat, brauchen Sie sich keine Sorgen zu machen. Ab der 5. SSW beginnt dann die Organbildung. Erst in dieser Zeit kann der Embryo sehr empfindlich auf Störungen reagieren.

Meine Hustenbonbons enthalten laut Packung als Inhaltsstoff »mehrwertige Alkohole«. Ist das gefährlich für Schwangere?

Keine Sorge: Damit ist nicht Äthylalkohol (was man normalerweise unter Alkohol in Getränken versteht) gemeint, sondern die mehrwertigen Alkohole Glycerin oder Glykol. Glycerin wird als Salbengrundlage und Lösungsmittel in der Pharmazie gebraucht und ist in der niedrigen Dosierung in Hustenbonbons in der Schwangerschaft unschädlich.

Drogen

Auf einer Party habe ich gekokst – damals war ich in der 5. Woche. Jetzt mache ich mir riesige Vorwürfe.

Bei einem einmaligen Kokainkonsum in der Frühschwangerschaft ist eine Schädigung des Kindes recht unwahrscheinlich. Zu Ihrer Beruhigung wäre eine sorgfältige Organdiagnostik mit Ultraschall etwa um die 20. SSW herum empfehlenswert.

egelmäßiger Kokainkonsum gefährdet allerdings nicht nur en Schwangerschaftsverlauf, sondern schädigt auch das ngeborene. Denn Kokain führt zu einer erhöhten Ausschütung von Adrenalin und Noradrenalin im Körper und damit ı einer extremen Verengung der Blutgefäße, zu Blutdruckanieg und schnellerem Herzschlag. Bei Kokainmissbrauch in er Schwangerschaft gibt es häufiger Fehl-, Früh- und Toteburten sowie eine vorzeitige Lösung der Plazenta. Die Kiner werden mit einem niedrigeren Geburtsgewicht geboren, nd auch eine erhöhte Fehlbildungsrate (Gehirn, Gesicht, Ierz, Nieren) gilt als sehr wahrscheinlich. Zuverlässige Stuien sind aber sehr schwierig, da Schwangere, die Kokain ehmen, meist nicht nur eine Droge konsumieren, sondern usätzlich auch noch Medikamente, Alkohol und Zigaretten.

? Kann früherer Haschischkonsum Aus-/irkungen auf meine jetzige Schwangerschaft ıaben?

'ein, es gibt keine Hinweise darauf, dass sich irgendwelche)rogen im Körper einlagern und in einer späteren Schwanerschaft schädliche Auswirkungen haben könnten. Allerdings at eine Untersuchung in Kalifornien herausgefunden, dass egelmäßiger Haschisch- oder Cannabiskonsum die Fruchtarkeit deutlich reduziert.

/ledikamente

? Ist es nicht das Beste, in der Schwangerschaft ar keine Arzneimittel mehr einzunehmen?

)as kann man so generell nicht sagen. Die Zahl spezieller ehlbildungen, die auf Medikamente zurückzuführen sind, ist ußerst gering. Schwangere sollten trotzdem kritisch mit /ledikamenten umgehen: Sie sollten so wenig wie möglich ınd nur bewährte Arzneimittel einnehmen. Sprechen Sie

immer mit Ihrem Arzt darüber, und wenn Sie außer in gynäkologischer noch in anderer ärztlicher Behandlung sind, muss auch dort Ihre Schwangerschaft bekannt sein. Im Allgemeinen werden Schwangeren heute nur solche Medikamente verschrieben, bei denen ausreichend gesichert ist, dass sie das Ungeborene nicht schädigen.
Andererseits darf der werdenden Mutter nicht aus unbegründeter Angst heraus ein lebenswichtiges Medikament vorenthalten werden. Optimal ist es, wenn Frauen mit einer chronischen Erkrankung (etwa Bronchialasthma, Bluthochdruck, Epilepsie, psychische Erkrankungen) vor Beginn einer Schwangerschaft mit Medikamenten so eingestellt werden, dass das Baby so wenig wie möglich belastet wird.
Eigenmächtiges Absetzen von ärztlich verordneten Arzneimitteln ist übrigens genauso falsch wie eigenmächtiges Einnehmen von Medikamenten.

? Mein Arzt hat mir trotz der Schwangerschaft ein Arzneimittel verschrieben, in dessen Beipackzettel steht: »Strenge Indikationsstellung in der Schwangerschaft«!

Dieser aus juristischen Gründen sehr vorsichtig formulierte Zusatz steht bei den meisten Medikamenten auf dem Beipackzettel und verursacht oft große Sorgen, wenn ein Präparat bereits eingenommen wurde.
Er bedeutet aber nur, dass die Wirkung des Medikaments in den ersten drei Monaten der Schwangerschaft noch nicht ausreichend erforscht ist, weil große Studien bisher noch nicht durchgeführt wurden. Positiv gesehen heißt das, es liegen bisher keine Berichte über kindliche Schädigungen durch dieses Medikament vor. Sicherheitshalber wird jedoch vor einer unüberlegten Anwendung gewarnt. Gibt es eine gute medizinische Begründung (Indikation) für den Einsatz dieses Präparats, kann die Einnahme daher von den Ärzten problemlos vertreten werden.

)er seltene Zusatz »In der Schwangerschaft kontraindiziert« ›edeutet hingegen, dass es entweder im Tierversuch oder ›ogar beim Menschen Hinweise auf eine schädigende Wir- .ung auf das Ungeborene gibt.

MEDIKAMENTE, DIE FÜR SCHWANGERE GEFÄHRLICH SIND

- Aminoglykosid-Antibiotika, wie Streptomycin und Kanamycin, können beim Fetus Ohren- und Nierenschäden verursachen.
- Androgene, also männliche Geschlechtshormone, können die äußeren Geschlechtsorgane des weiblichen Fetus beeinflussen.
- Antikonvulsiva, das sind Epilepsie-Medikamente, verursachen möglicherweise vermehrt Neuralrohrdefekte und andere Fehlbildungen.
- Antiphlogistika, also entzündungshemmende Medikamente, können die normale Entwicklung des kindlichen Herzens hemmen.
- Lithium, ein Psychopharmakon, löst möglicherweise Herzfehlbildungen aus.
- Kumarin-Derivate sind Medikamente, die zur Blutverdünnung eingesetzt werden. Sie können zu bestimmten Fehlbildungen führen.
- Retinoide sind Vitamin-A-Säure-Derivate zur Aknetherapie. Sie können ebenfalls bestimmte Fehlbildungen verursachen.
- Zytostatika sind Zellgifte zur Krebstherapie und schädigen auch kindliche Zellen.

Bei den drei letzten Arzneimittelgruppen kann sogar ein Schwangerschaftsabbruch in Erwägung gezogen werden, wenn die Medikamente in Unkenntnis der Schwangerschaft eingenommen wurden.

? Kann ich während der Schwangerschaft meine homöopathischen Mittel unbesorgt weiter nehmen?

Sie sollten das mit der Person, die Ihnen diese Mittel gegeben hat, und auch mit Ihrem Frauenarzt besprechen. Über die Auswirkung homöopathischer Mittel in der Frühschwangerschaft gibt es leider meistens keine wissenschaftlich gesicherten Erkenntnisse. Negative Folgen für Ihr Kind sind aber sehr unwahrscheinlich.

? Gibt es irgendein Beruhigungsmittel, das Schwangere bei Einschlafstörungen einnehmen dürfen?

Wenn Sie mit den bekannten Hausmitteln (Abendtee, Entspannungsbad mit Aromaöl, Wärmflasche gegen kalte Füße) keine Ruhe finden, können Sie pflanzliche Mittel aus der Apotheke probieren. Das sind Baldrian, Hopfen, Johanniskraut, Passionsblume und Melisse. Beachten Sie aber, dass in Tropflösungen eventuell hochprozentiger Alkohol enthalten ist, und lassen Sie sich entsprechend beraten. Viele Tipps gegen Schlaflosigkeit finden Sie ab Seite 185.

? Darf ich bei einer Erkältung in der Schwangerschaft ein Medikament zum Fiebersenken einnehmen?

Vermutlich kann sehr hohes Fieber in der Frühschwangerschaft beim Embryo Fehlentwicklungen vor allem am zentralnervensystem (Gehirn und Rückenmark) auslösen (siehe Seite 29). Aus diesem Grund ist die Einnahme eines fiebersenkenden Mittels sogar dringend zu empfehlen. Der Wirkstoff Paracetamol gilt für Schwangere als harmlos und deshalb als Mittel der ersten Wahl. Sie können ihn bedenkenlos einsetzen – als Tablette oder Zäpfchen.

Sind Nasensprays oder Inhalierstifte auch in der Schwangerschaft noch erlaubt?

Ja, wenn das Nasenspray nicht über einen längeren Zeitraum genommen wird. Denn Schnupfensprays wirken auch im übrigen Körper, wie an den Blutgefäßen der Plazenta, etwas gefäßverengend, was aber für begrenzte Zeit kein Problem ist. Versuchen Sie zunächst, mit harmlosen Meerwasser- oder Kochsalzsprays auszukommen oder mit Nasensprays in niedriger Konzentration für Säuglinge. Die verdünnte Lösung wirkt meist noch stark genug an der Nasenschleimhaut, aber nur noch minimal im übrigen Körper. Auch ein Erkältungsbad kann schon helfen.
Die aktiven Wirkstoffe im Inhalierstift oder in der Nasensalbe sind pflanzlich, meist sind es Menthol, Kampfer und Kiefernnadelöl. Vor allem Menthol wirkt leicht betäubend, kühlend und abschwellend. Alle drei Stoffe sind nicht schädlich, auch nicht in der frühen Schwangerschaft. Wenn Sie bisher bei Erkältungen gute Erfahrungen damit gemacht haben, dürfen Sie das Mittel auch in der Schwangerschaft verwenden.
Auf jeden Fall ist es ungünstig, wenn Sie durch die verstopfte Nase schlecht atmen und zu wenig Sauerstoff aufnehmen. Das kann Ihr Baby eventuell mehr beeinträchtigen als die minimalen Nebenwirkungen eines Medikaments.

Welches Mittel kann ich jetzt bei hartnäckiger Bronchitis zur Schleimlösung nehmen? Und wie ist es mit Hustentropfen?

Zunächst einmal sollten Sie mit Inhalieren und viel Flüssigkeit (wie Kräutertee) versuchen, den Schleim zu lösen. Ist das erfolglos, kann ein Mukolytikum mit den Wirkstoffen Acetylcystein, Bromhexin oder Ambroxol eingenommen werden. Auf Jodsalze zur Schleimlösung sollten Sie in der Schwangerschaft verzichten, weil sie die fetale Schilddrüse in ihrer Entwicklung behindern können.

Gegen den Hustenreiz ist Dextromethorphan zu empfehlen. Codein dagegen kann bei einer Einnahme kurz vor der Geburt zu Atmungsproblemen beim Neugeborenen führen und steht im Verdacht, in der Frühschwangerschaft Fehlbildungen auszulösen.

? Ich soll wegen einer Halsentzündung Penizillin einnehmen. Sind Antibiotika in der Schwangerschaft denn überhaupt erlaubt?

Natürlich sollten Sie in der Schwangerschaft so wenig Medikamente wie möglich einnehmen, aber Antibiotika sind nicht nur erlaubt – sie können sogar sehr wichtig sein, denn ein unbehandelter Infekt kann schwerwiegende Folgen haben. Allerdings sollten ausschließlich die in der Schwangerschaft bewährten Antibiotika eingesetzt werden.
Penizillin ist in der Schwangerschaft und Stillzeit seit Langem das Antibiotikum der ersten Wahl. Sie können es sogar im ersten Drittel der Schwangerschaft einnehmen, wenn ein medizinischer Grund dafür vorhanden ist.
Bei Infektionen der Atemwege, der Harnwege und im Hals-Nasen-Ohren-Bereich werden oft auch Cephalosporine, Amoxicillin und Ampicillin (beta-Lactam-Antibiotika) eingesetzt. Auch Erythromycin gehört zu den in der Schwangerschaft erlaubten Antibiotika.

? Ich muss wegen ständiger Blasenentzündungen immer wieder Antibiotika einnehmen. Schadet das meinem Baby?

Im Gegenteil: Die Behandlung einer Blasenentzündung ist sehr wichtig, denn ein unbehandelter Harnwegsinfekt kann zu einer Fehlgeburt und später zu einer Frühgeburt führen (siehe Seite 36). Allerdings sollten ausschließlich die in der Schwangerschaft bewährten Antibiotika (Penizillin, Cephalosporine und Erythromycin) eingesetzt werden.

Auf Trimethoprim und Sulfonamide sollte im ersten Schwangerschaftsdrittel verzichtet werden, weil sie die Wirkung der Folsäure einschränken. Sulfonamide und Nitrofurantoin sind in den letzten Schwangerschaftswochen ungünstig: Sie können die Neugeborenengelbsucht verstärken.

? Welche Mittel gegen Scheidenpilz (Soor) sind auch in der Schwangerschaft unbedenklich?

Nicht alle Medikamente gegen Pilzinfektionen sind ungefährlich, besonders die Einnahme in Tablettenform kann problematisch sein. Deshalb ist die äußerliche Behandlung der befallenen Hautgebiete zunächst vorzuziehen. Das Mittel der ersten Wahl ist Nystatin, das von Haut und Schleimhaut kaum aufgenommen wird. Bei Scheidenpilz ist auch Clotrimazol zu empfehlen. Neuere Präparate scheinen ebenfalls für die Behandlung in der Schwangerschaft geeignet zu sein, sind jedoch noch nicht ausreichend erprobt.

? Kann ich meine Salbe gegen Lippenherpes noch weiter anwenden?

Aciclovir-haltige Salben sind in der Schwangerschaft erlaubt (siehe Seite 28). Die Einnahme von Aciclovir in Tablettenform sollte jedoch nur in begründeten Fällen erfolgen, etwa bei Ausbruch von Genitalherpes kurz vor der Geburt (siehe Seite 39). Denn die Herpeserkrankung ist ein sehr hohes Infektionsrisiko für das Kind.

? Ich nehme auch in der Schwangerschaft weiter das Epilepsie-Medikament Carbamazepin ein. Was kann dadurch passieren?

Carbamazepin gilt als eines der bevorzugten Medikamente zur Behandlung eines Krampfleidens. Allerdings ist – wie bei einem anderen krampflösenden Mittel, der Valproinsäure –

das Risiko für Neuralrohrdefekte beim Kind erhöht, wenn es in den ersten zwölf Wochen der Schwangerschaft eingenommen wird. Durch die hoch dosierte Einnahme von Folsäure in der Frühschwangerschaft kann dieses Risiko aber deutlich reduziert werden. Sicher wird Ihnen eine spezielle Ultraschalluntersuchung (siehe Kasten auf Seite 222) und eine Alpha-Fetoprotein-Bestimmung im Blut (AFP, siehe Kasten ab Seite 222) angeboten werden. Weil die Blutgerinnung unter Carbamazepin gestört ist, fordern manche Fachleute, Schwangeren in den letzten vier Wochen Vitamin K (einen Gerinnungsfaktor) zu verabreichen. Auf jeden Fall sollte das Neugeborene hoch dosiert Vitamin K bekommen.
Es gibt leider noch keine Antiepileptika, von denen sich guten Gewissens sagen ließe, dass sie für das ungeborene Kind völlig ungefährlich sind. Besser ist es auf jeden Fall, wenn nur ein Einzelpräparat in niedriger Dosierung eingenommen wird. Neuere Präparate (wie Felbamat, Gabapentin, Lamotrigin, Vigabatrin) scheinen günstig zu sein, aber mit ihnen liegen noch nicht genügend Erfahrungen vor. Deshalb ist zurzeit bei Schwangeren mit Epilepsie noch Phenytoin oder Phenobarbital als Einzelsubstanz das Mittel der ersten Wahl.
Wenn Sie ungeplant schwanger geworden sind, dürfen Sie die Behandlung aber keinesfalls plötzlich beenden oder auch nur ändern. Die Auswirkungen der Medikamente sind für Mutter und Kind sehr wahrscheinlich geringer als die eines schweren Krampfanfalls. Sprechen Sie darüber mit Ihrem Arzt.

? Meine Schilddrüse ist vergrößert, weshalb ich Jodtabletten einnehmen muss. Gestern habe ich sie vergessen. Ist das schlimm für mein Baby?

Nein, das gleicht sich über einen längeren Zeitraum aus. Für fast alle Schwangeren – auch für die Frauen ohne Schilddrüsenvergrößerung – ist eine gesteigerte Jodzufuhr sehr wichtig, denn Jod spielt beim Aufbau der fetalen Schilddrüse eine wichtige Rolle. Bekommt das Ungeborene zu wenig Jod, können sich Gehirn und Knochen nicht gesund entwickeln. Besprechen Sie mit Ihrem Frauenarzt, ob Ihre bisherige tägliche Dosis ausreicht.

? Ich habe eine gut eingestellte Schilddrüsenüberfunktion und bin jetzt schwanger geworden. Darf ich die Medikamente weiter nehmen?

Ja, das müssen Sie sogar, denn eine unbehandelte Schilddrüsenüberfunktion kann zu vorzeitigen Wehen und anderen Komplikationen führen. Die Medikamente zur Unterdrückung der Schilddrüsenaktivität (Thyreostatika) gehen zwar auf das Kind über, wirken jedoch bei möglichst niedriger Dosierung nicht schädlich. Das Mittel der ersten Wahl ist Propylthiouracil. Zusätzlich kann ein Betablocker verabreicht werden. Hier ist gute gynäkologisch-internistische Zusammenarbeit besonders wichtig!

? Darf ich mein Asthmaspray in der Schwangerschaft weiter benutzen?

Schwere und lange Asthmaanfälle schaden Ihnen und Ihrem Baby sicher mehr als die Medikamente zur Asthmabehandlung. Trotzdem sollten Schwangere Arzneimittel einnehmen, die das ungeborene Kind möglichst wenig belasten.
Sprays (Dosier-Aerosole) zum Inhalieren sind in der Schwangerschaft zur Asthmatherapie am besten geeignet, weil die Medikamentenbelastung für den gesamten Körper (und das Ungeborene) geringer ist als bei einer Tabletteneinnahme. Bewährte Inhaltsstoffe sind die krampflösenden Beta-Sympathomimetika Fenoterol, Salbutamol, Reproterol und Terbutalin. Mit den neueren Mitteln Formoterol und Salmeterol gibt es noch nicht genug Erfahrungen. Beta-Sympathomimetika haben allerdings auch eine leicht wehenhemmende Wirkung. Wenn Sie den berechneten Geburtstermin erreicht haben, sollten Sie daher gut überlegen, ob Sie sie anwenden.

Ist Ihr Bronchialasthma zum Teil allergisch bedingt, ist ein Spray mit einem Zusatz des gefäßerweiternden Stoffs Cromoglicin sinnvoll und auch in der Schwangerschaft erlaubt. Die Inhalation von Glukokortikoiden (Cortison) ist ebenfalls in allen Schwangerschaftswochen zulässig. Gute Erfahrungen liegen mit den Inhaltsstoffen Budesonid, Beclometason und Dexamethason vor. Muss bei sehr schwerem Asthma Cortison als Spritze oder in Tablettenform gegeben werden, ist Prednisolon vorzuziehen.
Theophyllin sollte erst als Mittel der zweiten Wahl eingesetzt werden, weil es anregend auf das Ungeborene wirkt.

? Ich habe schon alles probiert, aber mir ist immer noch ständig übel. Gibt es kein Medikament, das in der Schwangerschaft erlaubt ist?

Wenn Sie alle Hausmittel und alternativen Methoden (siehe ab Seite 203) ausgeschöpft haben, kann Ihr Arzt Ihnen ein Medikament verschreiben. Nach heutigem Wissensstand sind die folgenden Wirkstoffe gegen Übelkeit auch in der Frühschwangerschaft unbedenklich: Meclozin, Dimenhydr(in)at, Metoclopramid, Diphenhydramin, Chlorpromazin, Promethazin und Triflupromazin.

? Welche Mittel gegen Sodbrennen und Magenschmerzen kann ich auch in der Schwangerschaft einnehmen?

Probieren Sie zunächst die Tipps aus, die in den Kästen ab Seite 196 aufgeführt sind. Hilft all das nicht, können Sie kurzfristig (nicht länger als drei bis vier Wochen) ein magnesium- oder aluminiumhaltiges Mittel gegen Magenübersäuerung einnehmen. Die Dosierung sollte drei bis vier Beutel pro Tag nicht übersteigen. Außerdem sollten Sie von einem Arzt einmal prüfen lassen, ob nicht eine ernsthaftere Ursache für Ihre Magenprobleme vorliegt.

Längerfristig sollten Sie auf aluminiumfreie Mittel ausweichen (etwa Kalzium- oder Magnesiumkarbonat). Denn hoch dosierte Aluminiumsalze haben im Tierversuch zu fetalen Veränderungen geführt. Beim Menschen sind allerdings bisher keine entsprechenden Fälle bekannt geworden.

? Hausmittel helfen mir bei meinen starken Blähungen nicht. Gibt es ein wirksames Arzneimittel, das ich nehmen darf?

Sie können den Wirkstoff Simethicon oder Dimeticon auch in der Schwangerschaft gegen Blähungen einnehmen. Ungünstige Auswirkungen auf das ungeborene Kind sind bisher nicht bekannt. Weitere Tipps ab Seite 130.

? Was kann ich gegen Durchfall in der Schwangerschaft einnehmen? Ich hätte gern ein harmloses Mittel in unserer Reiseapotheke.

Sie können auf jeden Fall Kohletabletten mitnehmen. Auch der Wirkstoff Loperamid ist für Schwangere unbedenklich. Vergessen Sie nicht, bei einer Durchfallerkrankung (siehe ab Seite 137) reichlich zu trinken!

? Ist die Einnahme von Abführmitteln gefährlich in der Schwangerschaft?

Es ist sehr unwahrscheinlich, dass die Einnahme eines pflanzlichen Abführmittels Ihr ungeborenes Kind schädigen könnte. Mittel wie Senna-Psyllium oder Bisocadyl werden schon sehr lange auch in der Schwangerschaft eingesetzt. Anzeichen für eine erhöhte Fehlbildungsrate hat es bisher nicht gegeben. Trotzdem ist es gut, wenn Sie versuchen, den Abführmittelgebrauch immer weiter einzuschränken. Sie können Ihre Verdauung sicher auch durch natürliche Methoden wieder ankurbeln (siehe ab Seite 207). Füll- und Quellstoffe wie Wei-

zenkleie, Agar-Agar, Leinsamen und Methylcellulose sollten Sie immer mit sehr viel Flüssigkeit einnehmen. Auch sogenannte osmotische Abführmittel wie Lactulose, Mannit oder Sorbit sind gut geeignete Alternativen.
Seien Sie vorsichtig mit Anthrachinon-haltigen Abführmitteln und Rizinusöl – sie können Wehen auslösen!

? Gibt es ein Mittel gegen Kopfschmerzen, das ich auch in der Frühschwangerschaft einnehmen darf?

Wenn alle Hausmittel gegen Kopfschmerzen (siehe Seite 165) nicht helfen, dürfen Sie bei Kopf- und Zahnschmerzen oder anderen Beschwerden während der gesamten Schwangerschaft ein Schmerzmittel nehmen, das die Wirkstoffe Paracetamol oder Acetaminophen enthält.
Auch Acetylsalicylsäure ist in den ersten zwei Dritteln der Schwangerschaft erlaubt. In den letzten zehn Wochen vor dem Geburtstermin sollten Sie es nur noch in besonderen Fällen und nach ärztlicher Rücksprache einsetzen, weil es eine leicht blutverdünnende Wirkung hat. Das kann bei der Geburt möglicherweise zu Komplikationen führen. Außerdem hemmt Acetylsalicylsäure – ebenso wie die Wirkstoffe Ibuprofen und Diclofenac – im letzten Schwangerschaftsdrittel die normale Entwicklung des kindlichen Herzens.

? Welches Medikament darf ich gegen Migräne einnehmen?

Gegen die mit der Migräne verbundene Übelkeit können Sie die Wirkstoffe Metoclopramid, Meclozin und – wenn Sie nicht zu vorzeitigen Wehen neigen – auch Dimenhydrinat einnehmen.
Wenn Dihydroergotamin Ihnen gegen Migräne hilft, ist auch in der Schwangerschaft nichts dagegen einzuwenden – außer es gibt ein Frühgeburtsrisiko, Kreislaufprobleme oder Schwie-

·igkeiten mit dem Blutdruck. Ansonsten versuchen Sie die Mittel gegen Kopfschmerzen (siehe vorhergehende Frage).

? Wegen einer Gelbkörperschwäche soll ich bis zur 12. SSW ein Gestagenpräparat einnehmen. Im Beipackzettel steht aber, man soll es bei Eintritt der Schwangerschaft absetzen.

Das Gelbkörperhormon Progesteron (ein natürliches Gestagen) wird in der Schwangerschaft zunächst vom Eierstock und dann vom Mutterkuchen in großen Mengen produziert. Progesteron ist verantwortlich für die Umwandlung und den Erhalt der Gebärmutterschleimhaut, die Einnistung der befruchteten Eizelle und die Ruhigstellung der Gebärmutter in der Schwangerschaft. Der Wirkstoff Gestagen wird in »gefährdeten« Frühschwangerschaften häufig in Form von Vaginalzäpfchen verordnet, um die Schwangerschaft zu unterstützen. Nebenwirkungen sind nicht bekannt. Sie können das Präparat also ruhig weiter einnehmen.

? Darf ich die Cortisonsalbe zur Behandlung meiner Neurodermitis trotz Schwangerschaft weiter nehmen?

Cortison ist ein körpereigenes Hormon aus der Nebennierenrinde (Corticosteroide) und in der Schwangerschaft nicht grundsätzlich verboten. Es gibt Asthmatikerinnen, die während der gesamten Schwangerschaft Cortison als Spray oder Tabletten einnehmen müssen. In der Spätschwangerschaft werden bestimmte Cortisonpräparate sogar bewusst eingesetzt, um bei drohender Frühgeburt die kindliche Lungenreifung anzuregen.

Allerdings sollten Schwangere mit einer möglichst niedrigen Dosierung und einem besonders verträglichen Cortisonpräparat, etwa Prednison, Prednisolon oder moderne Soft-Steroide, behandelt werden. Im ersten Drittel der Schwangerschaft

darf pro Tag auch nicht mehr als 30 Prozent der Körperoberfläche mit der Cortisonsalbe eingecremt werden.
Eine harmlose, aber unschöne Nebenwirkung: Bei Frauen, die mit Cortison behandelt werden, treten Schwangerschaftsstreifen häufiger auf.

? Kann ich als Schwangere einen allergischen Ausschlag mit einem Antihistaminikum behandeln oder sollte ich da vorsichtig sein?

Es gibt Antihistaminika-Tabletten, über die schon größere Studien über ihre Wirkung in der Schwangerschaft vorliegen und bei denen keine erhöhte Fehlbildungsrate bei den geborenen Kindern gefunden wurde. Das sind die Wirkstoffe Brompheniramin, Chlorphenamin, Chlorphenoxamin, Clemastin, Dexchlorpheniramin, Dimetinden, Diphenhydramin, Hydroxycin, Mebhydrolin, Pheniramin und Terfenadin. Auch Cromoglicin hat sich bei schwangeren Allergikerinnen inzwischen sehr bewährt. Zur äußeren örtlichen Behandlung mit Salbe oder Gel wird in der Schwangerschaft der Wirkstoff Polaramine gegeben.
Die neueren Präparate, wie Cetirizin oder Loratadin, scheinen zum Teil eine bessere Wirkung zu zeigen und machen weniger müde. Sie sollten aber zumindest im ersten Schwangerschaftsdrittel vorerst noch nicht eingesetzt werden, weil keine ausreichenden Erfahrungen vorliegen.
Wirken die erprobten Antihistaminika nicht gut genug, können Sie überlegen, ob Sie ein Cortisonpräparat in niedriger Dosierung einnehmen, etwa Prednisolon.
Manchmal hilft auch Kalzium sehr gut bei einer Allergie. In der Schwangerschaft wird generell eine erhöhte Kalziumzufuhr von mindestens 1200 mg empfohlen. Schädliche Auswirkungen einer kurzfristigen Überdosierung zur Behandlung der Allergie sind nicht zu befürchten, es sei denn, Sie sind nierenkrank oder leiden an einer Schilddrüsenüberfunktion (Juckreiz, siehe Seite 156).

? Die alljährliche Heuschnupfensaison beginnt – und ich bin schwanger! Wie kann ich diese Zeit nur überstehen? Oder ist Homöopathie die Lösung?

Wenn Sie mit einem Antihistaminikum gute Erfahrungen gemacht haben, dürfen Sie auch in der Schwangerschaft auf eines der bewährten Präparate (siehe vorhergehende Frage) zurückgreifen. Versuchen Sie es zunächst mit Spray oder Augentropfen, dann ist die Wirkstoffmenge, die über die Plazenta auf das Kind übergehen könnte, am geringsten. Hilft das nicht, sind auch Tabletten erlaubt.
Homöopathisch heißt nicht automatisch »harmlos«. Eine homöopathische Behandlung muss grundsätzlich – und das gilt besonders für Schwangere – ausführlich mit einem speziell ausgebildeten Arzt oder Heilpraktiker besprochen werden.

? Darf ich mich in der Schwangerschaft gegen Heuschnupfen impfen lassen?

Bei einer Hyposensibilisierung (»Allergie-Impfung«), auch Desensibilisierung genannt, wird die überschießende Abwehrreaktion des Körpers gedämpft. Dazu werden die Allergieauslöser, die im täglichen Leben tatsächlich zu einer allergischen Reaktion führen (wie Pollen, Insektengift, Milben, Schimmelpilze, Tierhaare), in steigender Konzentration wiederholt unter die Haut gespritzt. Ziel dieser Therapie ist, die Reizschwelle, bei der eine Abwehrreaktion ausgelöst wird, Stück für Stück heraufzusetzen. Der Körper gewöhnt sich an die allergieauslösenden Substanzen und wird schließlich dagegen unempfindlich. Eine schon begonnene Hyposensibilisierung kann in der Schwangerschaft zu Ende geführt werden, wenn sie bisher gut vertragen wurde. Dann ist eine plötzliche allergische Reaktion sehr unwahrscheinlich.
Sie sollten aber eine Hyposensibilisierung in der Schwangerschaft nicht neu beginnen. Denn die allergische (anaphylakti-

sche) und möglicherweise sogar lebensbedrohliche Reaktion der werdenden Mutter kann vor einer solchen Behandlung nicht gut eingeschätzt werden.

? Ist etwas gegen eine Grippeimpfung in der Schwangerschaft einzuwenden?

Die Grippeimpfung ist auch während der Schwangerschaft unbedenklich – es sei denn, Sie haben gerade einen akuten Infekt oder sind allergisch auf Hühnereiweiß. Bei der Herstellung des Grippeimpfstoffes wird nämlich als Ausgangsstoff ein befruchtetes Hühnerei benutzt, sodass unter Umständen noch Eiweißspuren im Impfstoff enthalten sein können.

? Ich habe mich ziemlich tief geschnitten. Im Krankenhaus habe ich vergessen zu sagen, dass ich schwanger bin, und es wurde mir eine Tetanusspritze gegeben. Sind Impfungen schädlich für das Baby?

Der Tetanusimpfstoff ist ein sogenannter Totimpfstoff. Negative Auswirkungen auf die Schwangerschaft sind selbst bei einer Impfung in den ersten Schwangerschaftswochen nicht zu erwarten. Dasselbe gilt für Impfungen gegen Diphtherie, Poliomyelitis und Hepatitis A und B.

? Für eine Reise nach Afrika müsste ich mich gegen Gelbfieber impfen lassen. Nun bin ich aber schwanger geworden. Darf ich auch ohne Impfung reisen?

Der Gelbfieberimpfstoff gehört (wie auch die Impfstoffe gegen Cholera, Masern, Mumps, Pocken, Röteln, Tuberkulose, Typhus und Windpocken) zu den Lebendimpfstoffen. Bei all diesen Impfungen sind zwar noch keine schädlichen Auswirkungen auf das ungeborene Kind nachgewiesen worden, aber

us grundsätzlichen Erwägungen sollten sie in der Schwanger-
chaft möglichst vermieden werden. Aus Sicherheitsgründen
ird auch empfohlen, mit einer geplanten Schwangerschaft
is drei Monate nach der Impfung zu warten. Ist in Unkennt-
is der Schwangerschaft trotzdem eine Impfung durchgeführt
vorden, besteht andererseits kein medizinischer Grund für
inen Schwangerschaftsabbruch. Generell ist das Risiko abzu-
vägen: Wie hoch ist das Impfrisiko, wie hoch ist das Infek-
ionsrisiko? Bei einer nicht vermeidbaren Reise in ein Infek-
ionsgebiet kann die Entscheidung durchaus zugunsten der
chutzimpfung ausfallen. Geht es nur um eine routinemäßige
mpfvorschrift für die Einreise, kann ein Impfbefreiungszeug-
is ausgestellt werden.

? Dürfen sich Schwangere gegen Hepatitis mpfen lassen? Wir planen eine Reise nach Indien.

n Risikoländern kann man sich allein durch Vorsichtsmaß-
ahmen praktisch nicht vor einer Hepatitis A schützen, des-
alb wird bei unvermeidbaren Reisen in solche Länder auch
n der Schwangerschaft zu einer Hepatitisimpfung (A und B)
eraten. Damit ist ein wirkungsvoller Schutz möglich.
eide Hepatitisformen können symptomlos verlaufen.
)as heißt, Sie haben vielleicht schon einmal eine Hepatitis-
rkrankung durchgemacht. Deshalb ist es empfehlenswert,
or einer Impfung das Blut auf Antikörper zu untersuchen.
iegen diese vor, ist eine Impfung nicht erforderlich!

? Ich bin in der 5. SSW versehentlich egen Röteln geimpft worden. Ich bin ganz erzweifelt …

)azu besteht kein Grund. Unter mehreren Tausend doku-
entierten Rötelnimpfungen, die versehentlich in der
chwangerschaft durchgeführt wurden, ist keine erhöhte
ate angeborener Störungen entdeckt worden. Die Empfeh-

lung, in der Frühschwangerschaft nicht mit abgeschwächten Lebenderregern zu impfen, ist eine reine Vorsichtsmaßnahme (siehe ab Seite 94). Ein Grund für einen Schwangerschaftsabbruch besteht deshalb sicher nicht. Allerdings kann zu Ihrer Beruhigung etwa in der Mitte der Schwangerschaft eine sorgfältige Ultraschalluntersuchung durchgeführt werden. Das Gleiche gilt für eine versehentliche Impfung gegen Masern, Mumps, Tuberkulose oder Windpocken.

? Welche Form der Malariaprophylaxe ist auch in der Schwangerschaft erlaubt?

Studien haben gezeigt, dass Schwangere besonders häufig von Malariamücken gestochen werden und eine Malariaerkrankung in der Schwangerschaft mit einem sehr hohen Fehlgeburtsrisiko einhergeht. Reisen in Malariagebiete sollten deshalb möglichst vermieden werden.
Geht das nicht, ist neben einem guten Mückenschutzmittel, langärmeliger Kleidung, Bettnetzen und Ähnlichem auch eine medikamentöse Vorsorge wichtig. Mit Präparaten wie Cloroquin, Proguanil und Pyrimethamin bestehen in der üblichen Dosierung als Malariavorsorge langjährige Erfahrungen auch mit Schwangeren. Zusätzlich sollte die Folsäuredosis erhöht werden. Die Medikamente müssen bis vier Wochen nach der Rückreise eingenommen werden. Keine dieser Vorsichtsmaßnahmen kann aber einen vollständigen Schutz garantieren.

? Ich habe die »Pille danach« bekommen – sie hat aber nicht gewirkt. Nun freuen wir uns trotzdem auf unser Kind, aber ich mache mir Sorgen, ob das Medikament nicht geschadet hat.

Die »Notfallverhütung« mit einer hohen Hormondosis kann, wenn sie innerhalb von 72 Stunden nach dem Geschlechtsverkehr eingenommen wird, in etwa 90 Prozent der Fälle eine Befruchtung verhindern. In den übrigen 10 Prozent der Fälle,

ı denen eine Schwangerschaft trotzdem eintritt, schadet sie
em sich entwickelnden Embryo nicht, denn in dieser Zeit gilt
as »Alles-oder-nichts-Prinzip« (siehe Seite 145).

? Meine dritte Schwangerschaft kam durch Pillenversagen« zustande, was kein Problem väre, wenn ich nicht noch fast einen Monat lang ie Pille genommen hätte ...

)as ist kein Problem. Die heutigen Anti-Baby-Pillen sind so iedrig dosiert, dass Sie sich um mögliche Auswirkungen auf as Ungeborene keine Sorgen machen müssen.

:hemikalien

? Ich muss meine Wohnung unbedingt reno- ieren. Ist es besser, jetzt zu streichen oder wenn las Baby auf der Welt ist?

.uch wenn Sie lösungsmittelfreie, wasserlösliche oder bio- ›gisch abbaubare Farbe benutzen, entstehen Farbdämpfe, eren Unbedenklichkeit in der Schwangerschaft nicht bewie- en ist. Beim Anstreichen der Wände in der ganzen Wohnung ind Sie den Farbdämpfen über längere Zeit ausgesetzt. :umindest in den ersten zwölf Wochen der Schwangerschaft ɔllten Sie deshalb damit vorsichtig sein. Und auch für Säug- nge sind die Dämpfe möglicherweise schädlich. Renovieren ie deshalb am besten im letzten Schwangerschaftsdrittel und chlafen Sie nicht in den frisch gestrichenen Zimmern.

? Sollten Schwangere besonders Acht geben uf Ozonwarnungen?

ı, Schwangere haben vor allem in den letzten Monaten eine erminderte Lungenfunktion und gehören deshalb zu den ersonen, die besonders empfindlich auf Ozon reagieren.

Ozon ist ein sehr aggressives, giftiges Gas, das je nach Konzentration, Dauer der Einwirkung und individueller Empfindlichkeit die Schleimhäute von Augen, Nase und Atemwegen reizen kann. Typische Symptome sind Engegefühle im Brustbereich, Husten, Augenbrennen und Atembeschwerden.
Bei Ozonwarnung sollten Sie sich nur morgens und spätabends im Freien aufhalten.
Eine schädigende Wirkung von Ozon auf das Ungeborene konnte bisher nicht nachgewiesen werden.

? Mein Auto musste kürzlich neu lackiert werden. Jetzt bekomme ich beim Autofahren nach wenigen Minuten Halskratzen. Ist die Farbausdünstung schädlich?

Die geschilderten Symptome werden wahrscheinlich vom Lösungsstoff im Autolack (Toluol oder Xylol) verursacht. Dieser ist zwar bei häufiger Einwirkung gesundheitsschädlich, wirkt jedoch nicht direkt schädigend auf den Embryo. Kurze Autofahrten sind also mit allerhöchster Wahrscheinlichkeit ungefährlich für Ihre Schwangerschaft. Trotzdem ist es für Ihre eigene Gesundheit gut, in nächster Zeit so wenig wie möglich mit diesem Auto zu fahren. Damit die Innenluft ständig ausgetauscht wird, sollten Sie die Lüftung hochstellen.

INFO

Egal ob Sie schwanger sind oder nicht: Meiden Sie allgemein Substanzen, die Dämpfe absondern, wie Kleb- und Treibstoffe, chemische Reinigungsstoffe (Benzin, Terpentin), schnell trocknende Anstrichfarben, Lacke, Verdünner (Lösungsmittel) und Haushaltschemikalien wie Backofenreiniger. Solche Stoffe sind in der Regel bei bestimmungsmäßigem und kurzfristigem Gebrauch nicht giftig, aber das Einatmen kann unangenehm sein.

? Darf ich noch mit Pestiziden arbeiten?

Pestizide oder Insektizide, also Schädlingsvernichtungsmittel, werden tonnenweise produziert und in der Landwirtschaft eingesetzt. Manche schädigen das Immunsystem, andere können die Fruchtbarkeit stören oder bestimmte Organe angreifen, das menschliche Nervennetz schädigen und vermutlich auch Krebserkrankungen auslösen.
Bei Frauen, die in der Nähe pestizidbehandelter Anbauflächen leben, gibt es Hinweise auf ein erhöhtes Risiko für Fehlgeburten, vor allem im ersten Schwangerschaftsdrittel. Eine erhöhte Rate kindlicher Fehlbildungen konnte dagegen bisher nicht nachgewiesen werden.
Trotzdem sollten Sie sicherheitshalber in der gesamten Schwangerschaft auf den Umgang mit Pestiziden verzichten, um sich keinem Risiko auszusetzen.

INFO

Die Rückstände von Pestiziden in Lebensmitteln (wie Obst und Gemüse) sind so gering, dass eine Gefahr für Schwangere oder ihre ungeborenen Kinder bei ausgewogener Ernährung nicht zu erwarten ist.

? Wir haben noch alte Wasserrohre aus Blei. ch habe gehört, dass das in der Schwangerschaft ehr gefährlich ist.

Ingeborene, Säuglinge und Kleinkinder reagieren besoners sensibel auf hohe Bleikonzentrationen im Trinkwasser. lei dringt ungehindert in die Plazenta ein und stört die ntwicklung des Zentralnervensystems, was sich möglicherweise erst Jahre später bemerkbar macht. Neuere Unterichungen zeigen auch, dass Kinder mit erhöhten Bleiwerten chlechter hören.

Allerdings wurde bisher für den Bleigehalt kein Grenzwert festgelegt, unter dem sicher keine Gefahr besteht. Deshalb wird zurzeit nur eine Reduktion der Bleikonzentration im Trinkwasser empfohlen. Zur Säuglingsernährung und für Schwangere sollte niemals Wasser direkt aus Bleileitungen entnommen werden.
Wenn ein Austausch der alten Bleirohre nicht möglich ist, sollten Wasser- oder Teetrinker Mineralwasser kaufen. Denn das Wasser vor dem Trinken drei Minuten laufen zu lassen oder abzukochen, wie es vielfach empfohlen wird, vermindert den Bleigehalt nicht wesentlich.

Kosmetika

? Darf ich in der Schwangerschaft Enthaarungscreme benutzen?

Ja, Sie dürfen in der Schwangerschaft bedenkenlos Enthaarungscreme verwenden, auch in der Bikinizone. Ihr Baby wird dadurch in seiner Entwicklung nicht gefährdet.

? Wie sieht es aus mit Haarefärben in der Schwangerschaft?

In letzter Zeit mehren sich die Berichte, dass künstliche Haarfärbemittel nicht unbedingt gesund sind. Es ist seit Langem bekannt, dass sie Allergien auslösen, und bestimmte Krebserkrankungen (vor allem Blasenkrebs) kommen überdurchschnittlich häufig bei Friseuren vor. Doch bisher besteht für schwangere Friseurinnen, die täglich mit Haarfärbemitteln hantieren, kein Grund, den Arbeitsplatz zu wechseln. Dies wurde im Hinblick auf die Mutterschutzrichtlinien sehr eingehend geprüft.
Auch für Schwangere, die ihre Haare färben, scheint das Risiko gering zu sein. Zwar können die Chemikalien durch die Kopfhaut der Mutter eindringen und lassen sich dann

sowohl in der Muttermilch als auch im Fettgewebe des gestillten Kindes nachweisen. Aber eindeutige Hinweise auf eine vorgeburtliche Schädigung des Kindes wurden in den bisher durchgeführten Studien nicht gefunden.
Überlegen Sie sich im ersten Schwangerschaftsdrittel trotzdem genau, ob das Haarefärben wirklich notwendig ist. Eine Alternative können Naturfarben wie Henna sein, deren Wirkstoffe kaum von der Kopfhaut aufgenommen werden. Sie können sich auch einfach Strähnchen machen lassen: Da hier so gut wie kein Kontakt mit der Kopfhaut besteht, können diese in der Schwangerschaft unbesorgt mehrmals eingefärbt werden.

? Ist von einer neuen Dauerwelle in der Schwangerschaft abzuraten?

Es gibt bisher keine Anhaltspunkte dafür, dass für das ungeborene Kind durch die Dauerwellenflüssigkeit ein Risiko entsteht. Ihre Haare können allerdings in der Schwangerschaft auf die Wirkstoffe anders reagieren als vorher. Sie müssen sich also auf Überraschungen gefasst machen.

? Ist die Benutzung von Nagellack und Nagellackentferner für Schwangere schädlich?

Wenn Sie sich hin und wieder die Nägel lackieren, ist das auch in der Schwangerschaft nicht problematisch. Eventuell können die Nägel jetzt empfindlicher reagieren und leichter splittern. Bei den meisten Frauen sind die Fingernägel in der Schwangerschaft aber besonders stabil. Es gibt zudem haut- und nagelschonende Nagellackentferner, die weniger und harmlosere Lösungsmittel enthalten. Danach sollten Sie die Hände gründlich waschen.
Der häufige Umgang mit organischen Lösungsmitteln wie Aceton, Phenol oder Trichlorethylen, die auch in den meisten Nagellackentfernern und Pinselreinigern enthalten sind, ist allerdings nicht ungefährlich. Das haben Studien an Frauen

gezeigt, die in der Schwangerschaft ständig sogenannte Schnüffelstoffe zur Erzeugung eines Rauschzustands eingeatmet haben. Die inhalierten Stoffe können Fehlgeburten und Schädigungen wie Taubheit, Hirnfehlbildungen, einen offenen Rücken oder Klumpfüße verursachen.

? Darf ich in der Schwangerschaft Selbstbräuner verwenden?

Selbstbräunende Kosmetikprodukte (Cremes, Sprays oder Gele) bewirken nur eine chemische Färbung der Haut in den obersten Hautschichten. Da sich diese zum Beispiel beim Waschen ständig abschleift, hält die Bräune lediglich drei bis fünf Tage. Dieser ganze Vorgang ist in der Schwangerschaft unbedenklich, selbst wenn Sie regelmäßig Selbstbräuner verwenden. Allerdings sollten Sie Produkte kaufen, die keine Psoralene als Bräunungsbeschleuniger enthalten. Diese Stoffe stehen im Verdacht, Krebs zu erzeugen.

Strahlung

? Wie gefährlich ist die Handybenutzung in der Schwangerschaft? Was sollte ich beachten?

Es gibt bisher keine Anhaltspunkte dafür, dass elektromagnetische Strahlung, die von einem Mobiltelefon ausgeht, zu vermehrten angeborenen Fehlbildungen oder Schwangerschaftskomplikationen führt. Vielleicht wissen wir in 20 Jahren mehr über den sogenannten Elektrosmog … Beim momentanen Erkenntnisstand muss von der Handybenutzung nicht abgeraten werden. Zudem ist es sogar gerade in der Schwangerschaft besonders wichtig, erreichbar zu sein oder in einer Notsituation um Hilfe rufen zu können.
Die Gespräche über kabellose Festnetztelefone sind übrigens weniger schädlich als die Handybenutzung: Schnurlostelefone geben nur etwa ein Zehntel der Strahlung eines Handys ab.

ie Basisstation für das Telefon sollten Sie aber möglichst
icht dort aufstellen, wo Sie sich häufig aufhalten: also besser
icht im Schlafzimmer neben dem Bett. Am wenigsten Strah-
ung geht von den alten Schnurtelefonen aus.

TIPP

Wenn Sie trotzdem beunruhigt sind: Telefonieren Sie einfach
weniger mit Ihrem Mobiltelefon! Denn eine relevante Menge
elektromagnetischer Wellen, die sich auf Ihren Kopfbereich
auswirken könnte, wird nur während eines Gesprächs aus-
gesendet. Als weitere Schutzmöglichkeit können Sie einen
Kopfhörer (Headset) verwenden.

Kann ich als Schwangere unbesorgt durch ie Metalldetektoren am Flughafen gehen?

ie auf Flughäfen eingesetzten Sicherheitsanlagen arbeiten
nit schwachen elektromagnetischen Schwingungen. Ein
Aetalldetektor ortet alle Gegenstände, die elektrisch leitfähig
ind (wie Metalle). Er kann deshalb auch auf die Elektronik
ines unter der Haut eingepflanzten Herzschrittmachers
eagieren. Es gibt aber keinen Anhaltspunkt dafür, dass sol-
he Strahlung in der Schwangerschaft schädlich sein könnte.
as Handgepäck wird dagegen mit Röntgenstrahlen durch-
euchtet. Die Streustrahlung für Vorbeigehende ist aber zu
ernachlässigen.

Wie schädlich ist Bildschirmarbeit in der chwangerschaft? Und was ist mit Fernsehen?

ystematische Studien in den letzten 20 Jahren haben eindeu-
g ergeben, dass Bildschirme keine Gefahr für Schwangere
nd ihre ungeborenen Kinder darstellen – vorausgesetzt, die
Jormvorschriften für Emissionen werden eingehalten. Fast

alle Computerbildschirme sind heute als strahlungsarm einzustufen. Moderne Flachbildschirme für Computer geben nahezu keine Strahlung ab. So ist zum Beispiel berechnet worden, dass eine Schwangere, die 30 Stunden pro Woche vor dem Bildschirm sitzt, höchstens ein Viertel der in der natürlichen Umgebung vorhandenen Strahlung aufnimmt. Dementsprechend schließen die offiziellen Stellungnahmen des Bundesgesundheitsamtes eine Gefährdung der Schwangerschaft durch Bildschirmarbeit aus. Bei vielen Firmen ist es dennoch selbstverständlich, dass eine Schwangere, die sich Sorgen macht, eine Versetzung beantragen kann.
Bei Fernsehgeräten ist die Strahlung zwar in der Regel höher als bei Computerbildschirmen, jedoch wird dies durch den größeren Abstand, den Sie zum Bildschirm einnehmen, wieder ausgeglichen.

? Ich habe gehört, dass Kopierer Röntgenstrahlen aussenden. Darf ich trotzdem in der Schwangerschaft noch Kopierarbeiten erledigen?

Kopiergeräte können elektromagnetische Strahlung abgeben. Dabei handelt es sich aber um nicht-ionisierende Strahlung, die mit Röntgenstrahlen nicht viel gemeinsam hat. Eine Schädigung des ungeborenen Kindes durch den sogenannten Elektrosmog konnte auch in großen Untersuchungen nicht nachgewiesen werden.
Bei Kopiergeräten kommt aber hinzu, dass sie Ozon erzeugen. Das Ozon entsteht nur während des Kopier- oder Druckvorgangs, aber es wird durch das Gebläse im Büroraum verteilt. An ungünstigen Standorten und bei älteren Geräten können auf diese Weise hohe Ozonkonzentrationen auftreten. Diese reizen die Schleimhäute der Nase und der Bronchien und schwächen das Immunsystem des Körpers (siehe ab Seite 97). Allerdings sind bisher keine nachweislich negativen Auswirkungen von Ozonemissionen auf das ungeborene Kind festgestellt worden.

Für geringere Ozonkonzentrationen können Sie durch reichliches Lüften und ausreichende Luftfeuchtigkeit (über 50 Prozent) sorgen – natürlich nur, wenn im Freien nicht gerade hohe Ozonkonzentrationen wegen einer Sommer-Smog-Wetterlage herrschen. Darüber hinaus kann die Ozonemission mit Filtern aus Aktivkohle reduziert werden. Sinnvoll ist die Wahl moderner Kopierer, die sich nach Gebrauch selbst abschalten und so nur noch geringe Elektrosmog- und Ozonemissionen aufweisen. Kopierer sollten ohnehin nicht im Büro, sondern in einem separaten Raum stehen.

TIPP

Wenn Sie einen Job haben, bei dem Sie viel sitzen müssen, ist es wichtig, sich zwischendurch zu bewegen. Stehen Sie auf und gehen Sie herum oder machen Sie zumindest hin und wieder etwas Fußgymnastik. Sorgen Sie zudem für einen ergonomisch gestalteten Arbeitsplatz, damit es nicht zu einseitigen Muskelverspannungen kommt. Auch ein verstellbares Fußbänkchen ist sehr sinnvoll.

? Spricht etwas dagegen, in der Schwangerschaft ein Mikrowellengerät zu benutzen?

Jeder Mikrowellenherd strahlt auch bei gut abgedichteten Türen ein geringfügiges elektromagnetisches Feld ab. Beim gewöhnlichen Einsatz im Haushalt ist der Anteil der entweichenden Mikrowellen aber so gering, dass sich ein Wärmeeffekt in den bestrahlten Körperpartien kaum einstellen kann. Im Tierversuch haben schwache elektromagnetische Felder unterschiedliche Wirkungen auf Zellen und Gewebe auch ohne Wärmebildung gezeigt. Deshalb sollten Sie sich vorsichtshalber nicht für längere Zeit direkt vor dem eingeschalteten Mikrowellenherd aufhalten. Ein Abstand von zwei bis drei Metern reicht aber selbst bei älteren Geräten aus.

? Ist das Kochen mit einem Induktionsherd für Schwangere gefährlich?

Leider gibt es hierzu noch keine wissenschaftlichen Untersuchungen. Eines ist jedoch sicher: Induktionsherde weisen erheblich höhere Magnetfelder auf als vergleichbare Widerstandsherde. Da die Gebärmutter sich sehr nah am Kochfeld befindet, sollten Induktionsherde aus grundsätzlichen Überlegungen heraus nach Möglichkeit in der Schwangerschaft besser gemieden werden.

? Meine Lungen wurden geröntgt. Einige Tage später war der Schwangerschaftstest positiv. Kann die Untersuchung schon meinem Baby geschadet haben?

Da die Röntgenuntersuchung in dieser frühen Phase stattgefunden hat, müssen Sie sich keine Sorgen über eine mögliche Schädigung Ihres ungeborenen Kindes machen. Denn in dieser Zeit gilt noch das »Alles-oder-nichts-Prinzip« (siehe Seite 145).
Erst danach, vom 14. bis zum 56. Tag nach der Befruchtung, ist der Embryo in einer sogenannten sensiblen Phase. Dann werden die meisten Organe gebildet und schädigende Einflüsse können Fehlbildungen verursachen. Zwar ist die Strahlenbelastung durch eine Röntgenaufnahme des Brustkorbs sehr gering, trotzdem sollte in dieser Zeit sicherheitshalber nur aus berechtigten medizinischen Gründen geröntgt werden.

? Einen Monat bevor ich schwanger wurde, musste mein Mann sich röntgen lassen. Hat das eine Bedeutung für die Schwangerschaft?

Ein gesundes Kind kann Ihnen niemand garantieren. Aber es ist extrem unwahrscheinlich, dass aufgrund der diagnostischen Röntgenuntersuchungen bei Ihrem Mann für Ihr Baby

in erhöhtes Risiko entstanden ist. Lediglich bei Bestrahlun-
;en des männlichen Partners zur Krebstherapie wird
:mpfohlen, eine bestimmte Zeit lang keinen ungeschützten
ìeschlechtsverkehr zu haben.

? Wie gefährlich ist für Schwangere eine Röntgenaufnahme beim Zahnarzt?

ßei der üblichen Röntgendiagnostik, etwa bei einer Lungen-
ıufnahme, fallen lediglich Strahlendosen an, die der natür-
ichen kosmischen Strahlung entsprechen. Bei Röntgenauf-
ıahmen im Kieferbereich sind die Strahlen sogar noch
ıiedriger. Unter Einhaltung der üblichen Sicherheitsvorkeh-
ungen (Bleischürze über dem Beckenbereich) ist die Streu-
trahlung zur Gebärmutter auf jeden Fall zu vernachlässigen.
Venn ein medizinischer Grund vorliegt, kann eine Röntgen-
ıntersuchung also durchgeführt werden. Ansonsten sollte
lie Untersuchung aber aus grundsätzlichen Erwägungen auf
lie Zeit nach der Geburt verschoben werden.

? Ich habe gehört, dass viele Lebensmittel bestrahlt werden. Sollte ich in der Schwangerschaft auf solches Essen besser verzichten?

.ebensmittel zu bestrahlen ist heute allgemein üblich. Dass
liese Technik auch gesundheitlich unbedenklich ist, haben
ahrzehntelange wissenschaftliche Untersuchungen auf der
;anzen Welt bestätigt.
\lle Lebensmittel enthalten Mikroorganismen. Auch beste
Hygiene kann dies nicht verhindern, sondern nur das Ausmaß
ler Belastung mindern. Die ionisierenden Strahlen dringen in
lie Nahrungsmittel ein und töten Krankheitserreger wie Sal-
nonellen und Listerien ab. Die Haltbarkeit wird also durch
lie Bestrahlung verlängert, ohne dass die Qualität der Lebens-
nittel verändert wird, was etwa bei tiefgefrorenen Lebensmit-
eln ein sehr großer Vorteil ist.

Darf ich in der Schwangerschaft ohne Bedenken in der Sonne liegen?

Sie müssen Ihren Bauch in der Schwangerschaft nicht mehr vor der Sonne schützen als vorher. Dem ungeborenen Kind schadet die UV-Strahlung der Sonne nicht.
Ein anderer Aspekt ist die mögliche Temperaturerhöhung im Körper bei einem länger dauernden Sonnenbad. Eine Erhöhung der Körperkerntemperatur über 39 °C über längere Zeit könnte dem Ungeborenen in den ersten Schwangerschaftswochen schaden (Hitze, ab Seite 110, und Fieber, siehe Seite 29). Die Mehrheit der Schwangeren ist allerdings ohnehin hitzeempfindlich und hält es nicht sehr lange in der prallen Sonne aus.

Ich lege mich gern auf die Sonnenbank. Darf ich das jetzt noch?

Künstliche Sonne ist in der Schwangerschaft nicht gefährlicher als sonst. Für das Ungeborene sind jedenfalls bei normalem Gebrauch eines Solariums keine Risiken bekannt. Grundsätzlich sollten Sie aber auf der Sonnenbank in der zweiten Schwangerschaftshälfte die Rückenlage wegen möglicher Kreislaufprobleme (Vena-cava-Syndrom, siehe Seite 50) vermeiden. Und ein zu langes Sonnenbad kann im Körperinneren zu einer erhöhten Temperatur führen, die das ungeborene Kind noch nicht ausgleichen kann (siehe vorhergehende Frage).

INFO

Denken Sie beim Sonnenbad nicht nur an Ihr Baby, sondern auch an Ihre eigene Haut. Übermäßige Sonneneinstrahlung erhöht das Hautkrebsrisiko, außerdem bräunt die Haut in der Schwangerschaft in vielen Fällen unregelmäßiger, was sich in Pigmentflecken zeigt.

ie sollten sich aber generell überlegen, ob Sie Ihrer Gesund-
eit zuliebe nicht auf die Bräune verzichten können. Früher
alten Solarien mit überwiegend UVA-Strahlung als ungefähr-
ch. Heute wissen wir aber, dass sowohl die für Sonnenbrand
nd Hautalterung verantwortlichen UVB-Strahlen als auch
ie tiefer eindringenden UVA-Strahlen Hautkrebs auslösen
önnen. Hinzu kommt, dass die Haut einer Schwangeren
vegen der Hormonumstellung mitunter ganz anders auf
onne reagiert als vorher und meist schneller, aber unregel-
näßiger bräunt, oft mit dunklen oder hellen Pigmentflecken
siehe Seite 149).

TIPP

Wie wäre es mit einer Selbstbräunungscreme anstelle des Solariums? Die Inhaltsstoffe sind auch in der Schwangerschaft völlig ungefährlich (siehe Seite 102).

Ist die natürliche Strahlenbelastung in den 3ergen gefährlich?

Neben der Belastung durch künstliche Strahlenquellen, wie
lurch die Röntgendiagnostik, ist der Mensch auch natürlicher
trahlung, wie kosmischer Strahlung oder natürlicher Radio-
ktivität, ausgesetzt – und dies in sehr viel höherem Grad: Die
Gesamtbelastung der Bevölkerung durch ionisierende Strah-
ung ist zu 85 Prozent natürlichen Ursprungs, 14 Prozent sind
nedizinischen Anwendungen und lediglich 1 Prozent sonsti-
gen technischen Ursachen zuzurechnen. Die Intensität der
kosmischen Strahlung nimmt zu, je höher Sie »hinaufsteigen«:
Ein Jahresaufenthalt auf der Zugspitze ergibt beispielsweise
ast den vierfachen Strahlenwert wie ein Jahr auf Helgoland.
Der gelegentliche Aufenthalt in den Bergen erhöht zwar die
ährliche Strahlenbelastung, aber so geringfügig, dass eine
daraus folgende Schädigung des ungeborenen Kindes nicht

vorstellbar ist. Der Aufenthalt in großen Höhen hat für Schwangere jedoch andere Auswirkungen, die bei einer Reise in die Berge berücksichtigt werden sollten (siehe Seite 57).

? Ich möchte nach Kanada fliegen. Schadet die Strahlenbelastung während des langen Flugs meinem Baby?

Die Strahlenbelastung auf Langstreckenflügen ist – wie wissenschaftliche Studien zeigen konnten – viel niedriger als bisher angenommen: Ein einziger Langstreckenflug erhöht die jährliche Strahlenbelastung nur um etwa ein Prozent. Diesbezüglich gibt es also keinen Grund, in der Schwangerschaft auf eine längere Flugreise zu verzichten (siehe Seite 66).

Hitze

? Kann Baden wirklich Wehen auslösen?

Wenn Sie keine Anzeichen für einen vorzeitigen Blasensprung (siehe Seite 133) oder vorzeitige Wehen (siehe Seite 208) haben, dürfen Sie ohne Bedenken ein warmes Bad zur Entspannung nehmen. Warmes Wasser kann zwar tatsächlich schon vorhandene echte, auch vorzeitige Wehen verstärken. Es ist aber sehr unwahrscheinlich, dass ein Vollbad geburtsaktive Wehen auslöst. Unechte Wehen, die sogenannten Vorwehen, würden durch die Entspannung im warmen Wasser sogar schwächer – weshalb ein Vollbad auch als »Wehentest« geeignet ist (siehe Seite 209).

? Wie heiß darf das Badewasser in der Schwangerschaft sein?

Sie dürfen auch in der Schwangerschaft gern baden, aber zu heiß sollte das Wasser nicht sein, weil dann der Blutdruck zu tief absinkt und der Kreislauf zu sehr belastet wird. Empfehenswert ist eine Temperatur von etwa 38 °C. Auf gar keinen all sollte die Badetemperatur über 39 °C liegen, weil dann lie Körperkerntemperatur zu sehr ansteigen kann. Das ungeorene Kind ist noch nicht fähig, seine Körpertemperatur elbst zu regulieren und nimmt dadurch von der Umgebung u viel Hitze auf.

INFO

Wegen der Kreislaufbelastung im warmen Vollbad sollten Sie niemals baden, wenn Sie allein im Haus sind. Auch das Ein- und Aussteigen kann durch das veränderte Körpergefühl gefährlich sein. Vorsicht ist auch geboten, wenn Sie zu Krampfadern neigen. Die Wassertemperatur solllte in dem Fall 38 °C nicht überschreiten.

? Mir hilft eine Wärmflasche so gut gegen Blähungen. Kann das meinem Baby zu heiß werden?

Eine sehr heiße Wärmflasche auf dem Bauch kann gefährlich ein, weil es leicht zu einer Überhitzung in Ihrem Körperinneen kommt. Deshalb sollten Sie auf keinen Fall Wasser einüllen, das wärmer als 40 °C ist. Wenn Sie das beachten, kann lie Körperkerntemperatur kaum ansteigen. Bei den sehr prakischen Kirschkernkissen können Sie mit einem Fieberthermoneter die Temperatur messen.

? Darf ich als Schwangere noch so oft und so lange wie vorher saunieren?

n Finnland besuchen die meisten Frauen auch in der chwangerschaft noch die Sauna. Dort wird argumentiert, lass Schwangere eine Stärkung ihres Immunsystems besonlers nötig haben. Und das vermehrte Schwitzen in der Sauna

könne beim Abtransport der zusätzlichen kindlichen Schlacken oder bei der Ausschwemmung von Wassereinlagerungen helfen. Außerdem erhöht sich die Körperkerntemperatur durch das starke Schwitzen nur um höchstens ein Grad.
Für gelegentliche Saunabesucherinnen gilt: Ein Gang weniger, eine Stufe tiefer und möglichst ein paar Grad weniger, vielleicht in einer Biosauna. Achten Sie auf die Signale Ihres Körpers und brechen Sie den Saunagang ab, wenn Ihnen schwindelig oder übel wird. Wichtig ist zudem, genug zu trinken, da der Körper durch das Schwitzen viel Wasser verliert.
Vor einer Ansteckung mit Pilzen oder anderen Keimen brauchen Sie in der trockenen Hitze der Saunakammer übrigens keine Angst zu haben, denn dort können die Krankheitskeime nicht überleben.
Wenn bei Ihnen schon vorzeitige Wehen auftreten, sollten Sie aber ganz auf die Sauna verzichten. Denn Hitze kann vorzeitige Wehen verstärken.

? Sind Dampfbäder besser geeignet für Schwangere?

Was für das Saunieren gilt (siehe vorhergehende Frage), trifft auch auf Dampfbäder zu. Wer daran gewöhnt ist, darf ruhig weitermachen. Trotzdem sollten Sie sehr bewusst auf Ihren Kreislauf achten. Dampfbäder sind zwar in der Regel nur 45 °C heiß, aber zusammen mit der hohen Luftfeuchtigkeit von 100 Prozent belastet das den Kreislauf noch mehr als die trockene Hitze in der Sauna.

? Darf ich während der Schwangerschaft den Whirlpool benutzen?

Aus hygienischen Gründen sollten Sie als werdende Mutter besser darauf verzichten.
Das warme Wasser im Whirlpool (Jacuzzi) wird meist nicht sehr häufig ausgetauscht und ist daher ein idealer Nährboden

für Krankheitskeime aller Art. Schwangere haben ein verändertes Scheidenmilieu und reagieren aus diesem Grund sehr schnell mit vaginalen Infektionen, die teilweise nicht ungefährlich sind (siehe ab Seite 36).

? Sind Thermalbäder oder Solebäder für Schwangere erlaubt?

Die meisten Thermalbäder sehen Schwangere nicht gern oder untersagen ihnen sogar den Zutritt. Denn in der Schwangerschaft läuft der Organismus sowieso schon auf Hochtouren. Und wenn dann noch warme Luft, warmes Wasser und Bewegung dazukommen, könnte es Kreislaufprobleme geben. Sie dürfen aber das normale Bad oder das Sportbecken eines Thermalbads benutzen.
Für das Solebad gilt dasselbe wie für das Thermalbad: Die Kreislaufbelastung kann zu stark sein. Die zusätzliche Mineralienaufnahme über die Haut spielt für gesunde Schwangere keine große Rolle – zumindest im Vergleich zur Aufnahme über den Magen-Darm-Trakt, wenn Sie beispielsweise Mineralwasser trinken.

? Darf ich im Kosmetikstudio noch eine Körperpackung machen lassen?

Gegen ein »Body Wrapping«, also eine Ganzkörperpackung, ist grundsätzlich nichts einzuwenden, wenn dadurch nicht zu viel Hitze erzeugt wird. Also lassen Sie keine thermoaktiven Packungen, wie zum Beispiel Algen-Thalasso-Therapie und bestimmte Schlammpackungen mit Fango und Moor, machen! Zudem sind Algenpackungen auch wegen der hohen Menge an Mineralstoffen, besonders Jod, nicht ganz unbedenklich und eher zu vermeiden.
Wenn Sie sich nicht sicher sind, weichen Sie lieber auf Teilpackungen aus, die den Organismus nicht belasten, aber die Haut ebenso gut pflegen.

Lärm

Kann die laute Musik bei einem Popkonzert schädlich für mein Baby sein? Ich bin in der 36. Woche.

Der Hörsinn eines Ungeborenen im Bauch der Mutter ist schon 20 Wochen nach der Befruchtung relativ gut entwickelt. Aber durch das Fruchtwasser hört Ihr Baby die Außengeräusche nur gedämpft, weil die Geräusche im Körper der Mutter recht laut sind. Vor allem die mütterliche Stimme, die Darmgeräusche und der Pulsschlag in der großen Körperschlagader stehen im Vordergrund. Musik wird ebenfalls schon vom Fetus wahrgenommen. So sollen Mozartklänge eher beruhigend und Rockmusik eher aufregend wirken. Einige Forscher meinen sogar, ein Säugling könne bei den Liedern, welche die Mutter ihm schon vor der Geburt vorgesungen hat, später besser einschlafen. Auch sollen Ungeborene Vater und Mutter an der Stimme unterscheiden können.
Andererseits kann extrem lauter Lärm von mehr als 90 Dezibel während der Schwangerschaft bei Ihrem Kind zu einem angeborenen Hörverlust im Hochfrequenzbereich führen. Zudem erhöht sich dadurch das Risiko einer Frühgeburt. Ein gelegentlicher Besuch eines Popkonzerts fällt aber nicht in diese Kategorie. Deshalb sollten Sie unbesorgt zu dem Konzert gehen und es genießen! Nach der Geburt wird ein solches Unterfangen schwieriger – oder zumindest teurer, wenn Sie einen Babysitter bezahlen müssen.

Stimmt es, dass Feten Ultraschall als Lärm empfinden?

Ja, Untersuchungen amerikanischer Wissenschaftler haben ergeben, dass die üblichen Ultraschalluntersuchungen vom Ungeborenen als sehr laute Geräusche wahrgenommen werden: Zwar kann es die Ultraschallwellen selbst nicht hören, aber diese lösen Vibrationen im Bauch der Mutter aus.

Der Lärmpegel soll den Frequenzen einer vorbeifahrenden U-Bahn entsprechen. Das Ungeborene trägt dadurch aber keinen Hörschaden davon, wie dieselben Wissenschaftler ausdrücklich betonen.

? In der Gebrauchsanleitung meiner elektrischen Ultraschall-Zahnbürste steht, dass man sie in der Schwangerschaft nicht verwenden darf. Soll ich sie besser nicht mehr benutzen?

Einzelne Hersteller von Ultraschallzahnbürsten raten Schwangeren von deren Benutzung ab. Der Grund: Wissenschaftliche Studien über die Auswirkungen der therapeutischen Ultraschallwellen auf das Ungeborene gibt es bisher nicht und die Hersteller sichern sich so für den noch so unwahrscheinlichen Schadensfall ab.

Dagegen empfehlen einige Zahnärzte Schwangeren ausdrücklich Ultraschallzahnbürsten, weil sie die Zähne sehr sanft und doch gründlich reinigen. Und Schwangere haben ja häufig sehr empfindliches Zahnfleisch und Probleme mit Zahnfleischbluten. Wenn Ihnen aber trotz allem bei der Benutzung der Ultraschallzahnbürste unwohl ist, sollten Sie während der Schwangerschaft Ihre Zähne auf die übliche Weise (normale Zahnbürste mit weichen Borsten, Zahnseide und Zwischenraumbürstchen) pflegen.

Geburtsvorbereitung

In den letzten Wochen der Schwangerschaft dreht sich alles um die bevorstehende Geburt. Sie haben vermutlich alles vorbereitet und den Klinikkoffer gepackt. Nun heißt es warten. Auch wenn Sie noch so gut vorbereitet sind – bei der Geburt werden sich Schmerzen nicht vermeiden lassen. Aber in einem guten Geburtsvorbereitungskurs lernen Sie, mit dem Wehenschmerz umzugehen. Der Kurs beginnt meist um die 30. Schwangerschaftswoche herum und besteht aus Information, Atemübungen, Meditation und Yoga, zumindest stundenweise auch unter Beteiligung der Partner.
Auch die Wahl der Entbindungsklinik ist nicht immer einfach. Das Angebot kann ganz schön verwirrend sein. Hören Sie sich im Freundes- und Bekanntenkreis um und berücksichtigen Sie auch die Empfehlung Ihres Frauenarztes oder Ihrer Frauenärztin bzw. Hebamme. Besichtigen Sie ruhig mehrere Häuser, dann entscheiden Sie, wo Sie persönlich sich wohl und gut aufgehoben fühlen.
Zuletzt machen sich Ungeduld und Nervosität breit und vertreiben die Angst vor der Geburt. Typisch ist der »Nestbau-Instinkt« – aber Gardinenwaschen muss dann doch nicht sein. Nutzen Sie lieber die letzten ruhigen Tage, um die Geburtsanzeigen vorzubereiten, zum Friseur oder zur Kosmetikerin zu gehen, ein Buch zu lesen und ungestörte Stunden zu zweit zu verbringen. Gehen Sie ins Kino, Theater oder in ein schönes Restaurant. Und: Mit Sex kann man sogar sehr wirkungsvoll die Wehen anregen!
Noch ein guter Tipp: Lassen Sie sich von ebenso ungeduldigen Angehörigen und Freunden nicht nerven. Stellen Sie das Telefon ab und den Anrufbeantworter an. Sagen Sie allen, dass Sie keine Nachfragen wünschen. Wenn das Baby endlich da ist, werden es schon alle erfahren.

? Wann sollte ich spätestens mit dem Geburtsvorbereitungskurs beginnen? Bezahlt ihn die Krankenkasse?

Die meisten Kurse dauern etwa sieben Wochen mit je einer Doppelstunde. Damit Sie nicht die letzten, wichtigsten Stunden versäumen, weil Ihr Baby es eilig hat, sollten Sie spätestens in der 30. Woche mit dem Kurs beginnen. Die Krankenkassen bezahlen in Deutschland in der Regel 14 Kursstunden, allerdings meist nur für Sie und nicht für den werdenden Vater.

? Brauche ich denn beim zweiten Kind auch noch einen Geburtsvorbereitungskurs?

Auch wenn Sie meinen, sich an den letzten Kurs noch gut erinnern zu können, und Sie bereits eine Geburt hinter sich haben: Vieles, was im Geburtsvorbereitungskurs vermittelt wird, ist erstaunlich schnell vergessen, vor allem die Atemtechnik. Und ohne fachkundige Anleitung ist es schwer, sie sich wieder anzueignen. Zudem gibt es vielleicht bei einer anderen Kursleiterin andere Schwerpunkte. Oder Sie suchen sich einen Kurs mit alternativen Elementen wie Bauchtanz, Yoga, Aquagymnastik, Haptonomie, Zilgrei oder Shiatsu aus. Nicht zuletzt sind ruhige Stunden, in denen Sie sich ganz auf sich und das Baby im Bauch konzentrieren können, kostbar – vor allem wenn Sie schon ein kleines Kind haben. Auch dem zweiten Baby steht es zu, dass Sie sich ihm wenigstens für zwei Stunden in der Woche intensiv und exklusiv zuwenden.

? Was kann ich tun, damit ein Dammschnitt gar nicht erst nötig wird?

Manche Hebammen empfehlen, einmal in der Woche ein Dampfsitzbad mit Lindenblüten oder Heublumen zu nehmen. Dazu geben Sie die Blüten in einen Topf mit kochendem Was-

ser, stellen den Topf in ein Bidet oder in die Toilette und setzen sich nach einer kurzen Abkühlphase darauf. Auch Himbeerblättertee soll das Gewebe geschmeidiger machen.
Ab der 34. SSW können Sie einmal täglich für zwei bis fünf Minuten eine Dammmassage durchführen. Gehen Sie dazu in die Hocke oder legen Sie sich mit angezogenen Beinen aufs Bett. Reiben Sie dann ein gutes Öl (etwa Weizenkeimöl, Jojoba- oder Johanniskrautöl) ganz fein in das Gewebe zwischen Vagina und After ein. Nun führen Sie zwei Finger drei bis vier Zentimeter tief in die Vagina ein. Versuchen Sie, durch Spreizen der Finger das Gewebe sehr vorsichtig mit Druck nach unten zu dehnen.

INFO

Die Dammmassage kann gefährlich sein, wenn Sie eine Entzündung im Vaginalbereich haben! Fragen Sie deshalb vorher Ihren Arzt und lassen sich grünes Licht geben.

? Dehnübungen für den Beckenboden sollen die Geburt verkürzen. Wie geht das?

Es kann sein, dass Sie die Geburt mit Beckenbodenübungen als leichter oder kürzer erleben. Sicher aber bekommen Sie durch die Übungen ein gutes Gefühl im ganzen Bereich des Beckenbodens. Das ist die beste Voraussetzung für das Training der Beckenbodenmuskulatur nach der Geburt, mit dem Sie einer Gebärmuttersenkung oder Blasenschwäche vorbeugen.
Als Dehnungsübung ist die Hockstellung sehr gut geeignet. Wann immer Sie normalerweise sitzen, zum Beispiel beim Telefonieren, Fernsehen oder Lesen, sollten Sie in die Hocke gehen. Dadurch werden die Beckeninnenseite und das Gewebe um die Scheide locker und elastisch. Nach langsamer Steigerung können Sie täglich bis zu fünf Minuten in dieser Stellung

bleiben, allerdings nur solange es für Sie bequem und entspannend ist. Zu Beginn genügt es auch, auf einem Kissenstapel, einem niedrigen Hocker oder einem Kinderstühlchen zu sitzen und sich so allmählich der Hockstellung zu nähern. Halten Sie den Rücken immer ganz gerade und üben Sie in der Nähe eines Tisches. So können Sie sich bei Gleichgewichtsproblemen am Tischbein festhalten.

TIPP

»Trainieren« Sie Ihren Beckenboden!

Ein gutes Gefühl für die Beckenbodenmuskulatur ist nach der Geburt sehr wichtig, damit die Anspannungsübungen beim Beckenbodentraining richtig ausgeführt werden. Lernen Sie daher schon jetzt Ihren Beckenboden kennen. Im Geburtsvorbereitungskurs ist dies ein wichtiges Thema, denn nach der Geburt sollten Sie konsequente Beckenbodengymnastik machen, damit sich keine bleibende Harninkontinenz entwickelt. Mit regelmäßigem Training ist in den meisten Fällen eine deutliche Besserung der Blasenschwäche zu erreichen. Nur in schweren Fällen von Beckenbodensenkung sind operative Maßnahmen notwendig.

? Ich habe furchtbare Angst, dass ich es nicht mehr ins Krankenhaus schaffe.

Keine Panik! Vor allem bei Erstgebärenden ist eine schnelle Geburt extrem selten, aber wenn, dann verläuft sie in der Regel glatt und ohne Komplikationen.

Eine überstürzte Geburt (auch Sturzgeburt genannt) läuft in weniger als zwei Stunden ab. Sie wird hauptsächlich bei Frauen, die nicht zum ersten Mal gebären und sehr starke Wehen haben, bei Frauen mit kleinem Kind und mit besonders nachgiebigem Gewebe beobachtet. Die Vorwehen sind kaum spürbar und die Presswehen kommen dann sehr plötzlich.

TIPP

Wehencocktails sind Getränke, die über eine Anregung der Darmtätigkeit Wehen auslösen können. Deshalb ist in den meisten Rezepten auch eine ordentliche Portion Rizinusöl enthalten. Das muss aber nicht zu Darmkrämpfen oder Durchfall führen. Die Wehenanregung funktioniert nur bei einer »wehenbereiten« Gebärmutter und bei schon geöffnetem Muttermund.

Der »klassische« Wehencocktail

- 2 cl Rizinusöl
- 200 ml Aprikosen- oder Orangensaft
- eventuell 2 cl Schnaps

Die aromatische Variante

- 1 Stange Zimt
- 10 Nelken
- 1 kleine Ingwerwurzel
- Eisenkrauttee (Verveine)

Teeblätter und Gewürze mit heißem Wasser übergießen und nach Belieben ziehen lassen.

? Ich bin schon »über der Zeit«. Wie kann ich selbst die Wehen anregen?

Die angenehmste Form der Wehenanregung ist Sex: Prostaglandine in der Samenflüssigkeit wirken gegen Ende der Schwangerschaft aufweichend auf den Gebärmutterhals. Und Brustwarzenstimulation führt zu einer Ausschüttung des Wehenhormons Oxytocin (siehe Seite 55).
Wenn keine medizinischen Gründe dagegen sprechen, können Sie auch Folgendes versuchen:

- Trinken Sie Kaffee, schwarzen Tee, Cola oder chininhaltige Getränke (Bitter Lemon, Tonic Water).

Trinken Sie Tee aus Himbeer- und Brombeerblättern, Schafgarbe, Eisenkraut, Wermutkraut oder Frauenmantel.
Verwenden Sie Aromaöle, wie Eisenkraut, Kampfer, Zedernholz, Ysop, Rosmarin, Nelke, Ingwer oder Zimt, als Badezusatz oder geben Sie sie in eine Duftlampe.
Trinken Sie einen »Wehencocktail« (siehe Kasten links).

WAS GEHÖRT IN DEN KLINIKKOFFER?

- Ihre Pflegemittel und Kosmetika, vor allem ein Fettstift gegen trockene Lippen
- Lange T-Shirts und Sweatshirts, dazu Leggins oder bequeme Jogginghosen
- Weiche Bustiers oder reichlich große Still-BHs
- Kochfeste Slips oder Wegwerf-Slips
- Warme Socken und Hausschuhe
- Still-Einlagen und extragroße Binden
- Anziehsachen für Ihr Baby
- Kaugummi, Gummibärchen, Traubenzucker oder Lutscher – das gibt schnelle Energie
- Etwas zu essen für Ihren Partner
- Brille, falls Sie Kontaktlinsen tragen
- Eine CD mit Musik zum Entspannen
- Massagebälle für den Rücken, Massageöl
- Foto- oder Videokamera, Blitzlicht – oder besser einen sehr lichtempfindlichen Film
- Adressbuch mit wichtigen Telefonnummern
- Folgende Papiere: Mutterpass, Personalausweis, Heiratsurkunde und Familienstammbuch oder Geburtsurkunde bei unverheirateten Müttern
- Chipkarte und Kostenübernahmeschein Ihrer Krankenkasse

Besonderheiten und Beschwerden von A bis Z

In der Schwangerschaft verändert sich enorm viel in Ihrem Körper. Bestimmte Hormone werden jetzt in großen Mengen ausgeschüttet. Ihre Organe stellen sich darauf ein und funktionieren plötzlich anders. Außerdem wächst Ihr Kind in der Gebärmutter und braucht Platz. Sie nehmen zu und müssen von Monat zu Monat mehr Gewicht mit sich herumtragen. All dies verursacht so manches Zipperlein!

Wundern Sie sich aber auch nicht, wenn Sie von alledem nichts mitbekommen. Selbst die häufigsten Beschwerden wie Übelkeit, Brustspannen oder Sodbrennen treten höchstens bei drei Viertel aller Schwangeren auf. Dafür plagen Sie sich vielleicht mit Nasenbluten oder Ischiasschmerzen herum, sind ständig müde und leiden unter Krampfadern.

Die Ursachen der meisten Schwangerschaftsbeschwerden können nicht behandelt werden – es sind nun mal die schwangerschaftsbedingten Veränderungen des Körpers. Aber glücklicherweise ist es möglich, viele der typischen Symptome wenigstens zu lindern. Versuchen Sie es zunächst mit den bewährten Hausmitteln.

In diesem Kapitel finden Sie eine Menge Tipps dazu – auch zum Vorbeugen. Probieren Sie möglichst viele davon aus, denn jede Frau ist anders: Was einer Schwangeren hilft, zeigt bei einer anderen keinerlei Wirkung. Erst wenn Sie mit harmlosen Maßnahmen keinen Erfolg haben, dürfen Sie zu den erlaubten Arzneimitteln greifen, die auf den Seiten 78 bis 96 genannt wurden – aber natürlich immer in Absprache mit Ihrem Frauenarzt! Und vielleicht tröstet es Sie, zu wissen, dass die meisten Unannehmlichkeiten und Beschwerden bald nach der Geburt verschwinden.

lter der Mutter

Welche speziellen Risiken gibt es bei einer lteren Schwangeren?

b dem 30. Lebensjahr steigt das statistische Risiko langsam n, ein Kind mit einer zahlenmäßigen Chromosomenstörung u bekommen (siehe ab Seite 235). Frauen ab 35 Jahren vird deshalb eine pränataldiagnostische Untersuchung (eine horionbiopsie oder Fruchtwasseruntersuchung, siehe ab eite 223) angeboten. Ansonsten sind persönliche Faktoren vie Gesundheit und Lebensstil viel wichtiger für einen guten chwangerschaftsverlauf als das tatsächliche Alter der Mutter.)er beste Zeitpunkt, Mutter zu werden, ist ohnehin erst dann, venn die Frau und ihr Partner sich reif genug fühlen, ein ind aufzuziehen.

rotzdem werden Frauen über 35 im medizinischen Sinne als Risikoschwangere« (siehe Seite 181) betrachtet und besonders sorgfältig betreut. So können bestimmte Komplikationen frühzeitig festgestellt und erfolgreich behandelt werden.)azu gehören zum Beisipel der Schwangerschaftsdiabetes siehe Seite 190), Bluthochdruck (siehe Seite 133), die chwangerschaftsvergiftung (Präeklampsie, siehe Seite 192), 1uttermundschwäche (siehe Seite 171) und Plazentakomplikationen (siehe Seite 178). Außerdem werden Kaiserschnitte ei über 40-Jährigen etwas häufiger durchgeführt als bei jüngeren Schwangeren.

sthma

Was muss ich als schwangere Asthmatikein beachten? Kann sich mein Asthma während er Schwangerschaft verschlechtern?

ls Asthmatikerin brauchen Sie eine besonders sorgfältige etreuung in der Schwangerschaft, damit Sie und Ihr Baby usreichend mit Sauerstoff versorgt werden. Die meisten

Asthmamedikamente (siehe Seite 87) schaden Ihrem Baby nicht und Sie können die bewährte Behandlung auch während der Schwangerschaft fortsetzen; besprechen Sie sich mit Ihrem Arzt. Zusätzlich sollten Sie natürlich möglichst alles vermeiden, was Atemnot oder einen asthmatischen Anfall auslösen könnte, wie körperliche Belastung, Infektionen oder allergische Reize.
Bei einigen Schwangeren führt die vermehrte körpereigene Cortisonproduktion zu einer vorübergehenden Besserung der Beschwerden. Bei anderen Frauen verschlimmert sich das Bronchialasthma während der Schwangerschaft. Das Baby wächst und braucht Platz. Dadurch drückt es auf die inneren Organe, was auch gesunde Schwangere schon kurzatmig werden lässt (siehe folgende Frage).
Die meisten schwangeren Asthmatikerinnen werden jedoch keine Veränderung bemerken.

Atemnot

? Ich bin eigentlich sehr sportlich, aber seit Mitte der Schwangerschaft bleibt mir oft die Luft weg. Ist das gefährlich für mein Baby?

Vorübergehende Kurzatmigkeit bei Belastungen wie beim Treppensteigen ist in der Schwangerschaft ganz normal. Ihr Baby wird deshalb nicht schlechter mit Sauerstoff versorgt. Atemnot ist aber trotzdem immer ein Zeichen dafür, dass Sie jetzt nicht mehr so leistungsfähig sind. Treten Sie also etwas kürzer, lassen Sie sich helfen und legen Sie immer mal wieder eine Verschnaufpause ein.
Atembeschwerden in der Schwangerschaft entstehen dadurch, dass das Zwerchfell von der wachsenden Gebärmutter nach oben gedrückt wird und die Lungen deshalb nicht mehr so viel Platz haben, um sich entfalten zu können. Damit Schwangere dennoch genügend Sauerstoff aufnehmen, müssen sie flacher und schneller atmen.

TIPP

Wenden Sie entspannende Atemübungen aus dem Geburtsvorbereitungskurs schon in der Schwangerschaft an. Sie intensivieren damit Ihre Sauerstoffaufnahme und geraten nicht so schnell außer Atem. Wenn Sie nachts unter Atemnot leiden, kann Ihnen schon ein zusätzliches Kopfkissen helfen. Dann liegt der Oberkörper etwas höher und Sie bekommen besser Luft.

Gleichzeitig wird das Herz in der Schwangerschaft stärker belastet (Herzklopfen, siehe Seite 153). Viele Schwangere haben auch eine leichte Blutarmut (Anämie) wegen eines Eisenmangels, sind deshalb körperlich weniger belastbar und werden schneller kurzatmig.
Etwa um die 38. SSW, wenn der Kopf des Kindes sich im kleinen Becken einstellt, lässt der Druck auf den Oberbauch und das Zwerchfell nach und Sie können wieder freier durchatmen. Allerdings verstärkt sich dann der Druck auf die Blase. Atembeschwerden im Ruhezustand sollten Sie auf jeden Fall bei Ihrer nächsten Vorsorgeuntersuchung erwähnen.

Augenveränderungen

? Seit ich schwanger bin, habe ich abends oft gerötete Augen. Was kann ich dagegen tun?

In den letzten Schwangerschaftsmonaten wird weniger Tränenflüssigkeit produziert und gleichzeitig mehr Wasser im Gewebe aufgenommen. Außerdem ändert sich die Zusammensetzung der Tränenflüssigkeit, sodass der Tränenfilm leichter »abreißt«. Das Auge fühlt sich trocken an, die Bindehaut ist gerötet. Künstliche Tränenflüssigkeit aus der Apotheke kann helfen. Bei starken Beschwerden sollten Sie sich augenärztlich untersuchen lassen.

Meine Kurzsichtigkeit hat sich in der Schwangerschaft deutlich verstärkt. Soll ich mir nun eine neue Brille verschreiben lassen oder bessert sich das wieder?

Viele Schwangere berichten über eine mehr oder weniger starke Verschlechterung ihrer Sehschärfe. Kurzsichtige können häufig in der Ferne weniger deutlich sehen, Weitsichtige müssen sich während der Schwangerschaft beim Lesen mehr anstrengen. Kontaktlinsenträgerinnen bemerken das noch früher als Brillenträgerinnen. Auch hier liegt die Ursache in der vermehrten Flüssigkeitsaufnahme im Gewebe. In der Regel gibt sich das schon kurz nach der Geburt wieder. Die Anschaffung einer neuen Brille lohnt sich also nur, wenn sich die Sehschärfe sehr stark verschlechtert hat.

Ich sehe plötzlich Blitze vor den Augen. Was bedeutet das?

Wenn Sie verschwommen oder Blitze vor den Augen sehen, sollten Sie das unbedingt Ihrem Frauenarzt mitteilen. Das sind Symptome, die sehr ernst genommen werden müssen. Sie können ein Anzeichen für eine Augenerkrankung, bei Schwangeren auch für eine Präeklampsie (siehe Seite 192) sein, vor allem in Zusammenhang mit Bluthochdruck und Eiweiß im Urin.

Ich vertrage meine Kontaktlinsen auf einmal gar nicht mehr. Woran liegt das?

Viele Schwangere haben Probleme mit ihren Kontaktlinsen. Da hilft nur, auf die Brille zurückzugreifen. Die Unverträglichkeit entsteht, weil nicht mehr so viel Tränenflüssigkeit produziert wird (siehe Seite 125) und die Augen trockener sind. Zudem nehmen Hornhaut und Augenlinse jetzt mehr Flüssigkeit auf, deshalb ändert sich die Krümmung der Hornhaut.

Folglich sitzt die Kontaktlinse nicht mehr perfekt und das Auge ermüdet im Verlauf des Tages etwas schneller. Typisch sind auch eine erhöhte Lichtempfindlichkeit und ein reduziertes Kontrastempfinden, besonders wenn Sie die Kontaktlinsen schon lange getragen haben.
Falls Sie auf Ihre Kontaktlinsen nicht verzichten wollen, sollten Sie diese so kurz wie möglich tragen und eventuell künstliche Tränenflüssigkeit verwenden.

? Kann ich bei der Geburt meine Kontaktlinsen tragen?

Viele Kliniken empfehlen Kontaktlinsenträgerinnen, während der Entbindung lieber eine Brille zu tragen. Andere sehen überhaupt kein Problem, wenn eine Gebärende auch bei den Presswehen noch Kontaktlinsen trägt. Wie das an der von Ihnen ausgesuchten Entbindungsklinik gehandhabt wird, sollten Sie dort erfragen. Aus augenärztlicher Sicht gibt es hierzu keine eindeutige Stellungnahme.

? Ich bin stark kurzsichtig. Nun habe ich gehört, das sei ein Grund für einen Kaiserschnitt. Stimmt das?

Noch bis vor einigen Jahren wurde angenommen, dass Frauen mit starker Kurzsichtigkeit (Myopie) während der Presswehen ein erhöhtes Risiko für Netzhautablösungen und andere Komplikationen haben. Aus diesem Grund wurde in solchen Fällen häufig ein Kaiserschnitt empfohlen. Eine von Augenärzten durchgeführte Studie konnte jedoch das vermutete Risiko nicht bestätigen. Keine der 58 untersuchten Schwangeren mit unterschiedlichem Grad an Kurzsichtigkeit wies nach einer normalen vaginalen Geburt einen veränderten Augenbefund auf. Aus augenärztlicher Sicht muss deshalb stark kurzsichtigen Schwangeren nicht zum Kaiserschnitt geraten werden.

Ausfluss

? Ich bin in der 10. SSW und habe seit ein paar Tagen vermehrt klaren Ausfluss, aber sonst keine Beschwerden. Ist das normal?

Die Scheide wird unter Östrogeneinfluss stärker durchblutet. Dadurch wird auch mehr natürliche Scheidenflüssigkeit produziert – je weiter Sie in der Schwangerschaft sind, umso mehr. Solange Sie keine Beschwerden wie Juckreiz oder Schmerzen haben und der Ausfluss milchig-farblos ist und nicht unangenehm riecht, brauchen Sie nichts zu unternehmen. Das leicht saure Scheidenmilieu (pH-Wert unter 4) verhindert das Wachstum gefährlicher Keime.
Berichten Sie Ihrem Frauenarzt bei der nächsten Untersuchung von Ihren Beschwerden. Er kann dann sicherheitshalber einen Abstrich durchführen.
Wichtig ist, dass Sie jetzt nicht durch übertriebene Hygiene diese natürliche Schutzfunktion zerstören. Scheidenspülungen und Intimsprays sind tabu. Tragen Sie Slips aus Baumwolle und verzichten Sie auf sehr enge Hosen. Tampons sollten Sie in der Schwangerschaft möglichst nicht benutzen. Die Gefahr einer Scheideninfektion ist zu groß, vor allem wenn der Tampon nicht ständig gewechselt wird. Benutzen Sie lieber Slipeinlagen oder Binden (möglichst ohne Plastikrücken).

INFO

In der späteren Schwangerschaft muss bei plötzlich auftretendem Ausfluss auch immer daran gedacht werden, dass die Fruchtblase nicht mehr intakt sein könnte (vorzeitiger Blasensprung oder Blasenriss, siehe Seite 133). In der Arztpraxis oder in einer Klinik kann rasch untersucht werden, ob es sich um Scheidensekret oder Fruchtwasser handelt. Sie sollten keine Hemmungen haben, kurz nachschauen zu lassen – auch wenn es nur falscher Alarm ist.

Bauchnabel

Mein Bauchnabel ist stark vorgewölbt und ganz blau. Kann sich das entzünden?

In der Schwangerschaft wird der Bauchnabel immer flacher und wölbt sich oft auch nach außen vor. Das sieht etwas unschön aus, bildet sich nach der Geburt aber rasch wieder zurück. Die blaue Stelle ist wahrscheinlich ein durchschimmerndes Blutgefäß, vielleicht sogar eine gestaute Vene, also eine Krampfader.
Die Wahrscheinlichkeit, dass sich Ihr Bauchnabel entzünden könnte, ist sehr gering. Solange Sie keine Schmerzen haben, brauchen Sie sich überhaupt keine Sorgen zu machen.
Wenn Sie allerdings stechende Schmerzen haben, könnte eine Thrombose vorliegen. Dann sollten Sie sich sofort von Ihrem Arzt untersuchen lassen.

Blähungen

Warum haben fast alle Schwangeren solche Probleme mit Blähungen?

Vor allem zu Beginn der Schwangerschaft haben die meisten werdenden Mütter unter schmerzhaften Blähungen zu leiden. Verursacht werden sie hauptsächlich durch den erhöhten Spiegel des Schwangerschaftshormons Progesteron, das beruhigend auf die Muskulatur der inneren Organe wirkt. Deshalb arbeitet der Darm langsamer und es bilden sich vermehrt Gase, die nicht entweichen können. In der Spätschwangerschaft behindert das Kind manchmal die Darmaktivität, was Verstopfungen und Blähungen auslöst.
Ein weiterer Grund für Blähungen liegt darin, dass viele Schwangere ihre Ernährungsgewohnheiten ändern. Die sehr gesunden, vollwertigen Lebensmittel sowie ballaststoffreiche Obst- und Gemüsesorten helfen zwar gegen Verstopfung, verursachen aber gleichzeitig oft Blähungen – eine Zwickmühle!

Außerdem verzehren Schwangere meist mehr eiweiß- und kalziumreiche Milchprodukte. Bei Frauen, die nicht genügend Laktase, ein milchspaltendes Enzym, produzieren, kommt es dann zu Verdauungsschwierigkeiten.

TIPP

So können Sie Blähungen vorbeugen

- Lassen Sie sich beim Essen Zeit und kauen Sie besonders gründlich. Hastige, nervöse Esser schlucken gleichzeitig viel Luft, was Blähungen verursachen kann.
- Bewegen Sie sich ausreichend und regelmäßig. Ideal ist übrigens Bauchtanz!
- Vermeiden Sie gebeugtes Sitzen über längere Zeit, etwa am Schreibtisch.
- Verzichten Sie vor allem auf Hülsenfrüchte sowie Kohl- und Lauchgemüse (Zwiebeln, Knoblauch und Porree). Besser verträglich sind Wurzelgemüse (Karotten), Gurken und Kürbisgewächse (Zucchini), Fenchel, Tomaten und Salate.
- Fette und gebratene Speisen sind ungünstig.
- Essen Sie vorzugsweise Brot vom Vortag.
- Speisen, die viel weißen Zucker enthalten, können Blähungen verursachen.
- Wenn Sie es mögen, verwenden Sie beim Kochen viel Kümmel, Koriander und Anis.
- Trinken Sie viel, aber keine kohlensäurehaltigen Getränke. Sehr gut ist es, schon am Morgen auf nüchternen Magen ein Glas lauwarmes, stilles Wasser zu trinken.
- Essen Sie probiotische Milchprodukte (Joghurt).
- Bestimmte pflanzliche Enzyme (wie in Ananas und Papaya) machen Speisen verträglicher.
- Wenn nichts anderes hilft: Essen und trinken Sie weniger Milchprodukte. Allerdings sollten Sie dann eventuell ein Kalziumpräparat einnehmen. Sie können es auch mit laktosefreien Milchprodukten (aus Soja) versuchen.

TIPP

Das hilft bei starken Blähungen

- Lindernd wirkt heißer Tee, etwa Pfefferminz, Fenchel, Anis oder Melisse. Trinken Sie ihn in kleinen Schlückchen. Auch ein Sud aus zerstoßenen Kümmelsamen wirkt schnell.
- Atmen Sie tief in den Bauch hinein.
- Begeben Sie sich auf alle Viere und gehen Sie in die Knie-Ellenbogen-Haltung. Schieben Sie dann Ihre Arme weit nach vorn, bis Ihr Gesicht den Boden berührt und der Po die höchste Stelle des Körpers ist. So kann die Luft besser entweichen.
- Massieren Sie Ihren Bauch: Beginnen Sie im Bereich des rechten Unterbauches und massieren Sie im Uhrzeigersinn unter dem Rippenbogen entlang zum linken Unterbauch.
- Legen Sie eine nicht zu heiße Wärmflasche (maximal 38 °C) auf Ihren Bauch.
- Wenn alles nicht hilft, kann Ihnen Ihr Frauenarzt ein in der Schwangerschaft erlaubtes Medikament verschreiben (etwa mit dem Wirkstoff Simeticon oder Dimeticon).

Blasenschwäche

? Seit ich schwanger bin, könnte ich jede halbe Stunde zur Toilette laufen. Habe ich eine Blasenentzündung?

Häufiger Harndrang gehört oft zu den ersten Symptomen einer Schwangerschaft – und zwar bei Tag und Nacht. Verantwortlich ist auch hier der erhöhte Spiegel des Hormons Progesteron, das eine entspannende Wirkung auf die Blasenmuskulatur hat. Die verstärkte Durchblutung im Becken regt die Nierentätigkeit an, weshalb mehr Urin produziert wird. Außerdem drückt die zwar noch kleine, aber sich rasch vergrößernde Gebärmutter auf die Harnblase.

Bei vielen Frauen lässt die Blasenschwäche im zweiten Schwangerschaftsdrittel deutlich nach. Das liegt daran, dass die Gebärmutter sich mittlerweile aufgerichtet und nach oben ausgedehnt hat und der Druck auf die Blase nachlässt.
Im letzten Drittel der Schwangerschaft stellt sich der Kopf des Kindes im Becken ein und drückt auf die Harnblase. Der Harndrang nimmt dann wieder zu, denn die Blase fasst nun viel weniger Urin. Zusätzlich entspannt sich die Beckenbodenmuskulatur zur Vorbereitung auf die Geburt. Bei etwa einem Drittel aller Schwangeren führt das gelegentlich zu einem unfreiwilligen Abgang von Urin – vor allem wenn die Bauchmuskulatur angespannt wird, wie beim Laufen, Niesen, Husten oder Pressen.

INFO

Durch die Entspannung der glatten Harnwegsmuskulatur sind Sie während der Schwangerschaft anfälliger für Blasenentzündungen, da Keime leichter die Harnröhre hinaufsteigen können. Anzeichen für einen Harnwegsinfekt sind Schmerzen beim Wasserlassen, Blut im Urin oder Fieber. Nehmen Sie diese Symptome ernst und gehen Sie zum Arzt.
Damit die Harnwege intensiv gespült werden und eine Infektion erst gar nicht entstehen kann, sollten Sie möglichst viel trinken (mindestens zwei Liter am Tag).

? Was kann ich gegen diese lästige Blasenschwäche tun?

Gehen Sie vorsorglich öfter als sonst auf die Toilette und tragen Sie Slipeinlagen. Ganz falsch wäre es, deshalb weniger zu trinken: Sie riskieren eine Blasenentzündung (siehe Kasten)! Trinken Sie im Gegenteil noch mehr als sonst, um die Harnwege gut zu spülen. Zur Vorbeugung einer Harnwegsinfektion haben sich besonders Preiselbeertee oder -saft und

Cranberrysaft (aus dem Reformhaus) bewährt. Beginnen Sie zudem schon früh in der Schwangerschaft mit einem gezielten Beckenbodentraining (siehe ab Seite 118). Damit beugen Sie einer Gebärmuttersenkung und einer bleibenden Blasenschwäche (Harninkontinenz) vor.

Blasensprung, vorzeitiger Blasensprung

? Kann es sein, dass ein Blasensprung gar nicht bemerkt wird?

Manchmal ist der Riss in der Fruchtblase nur sehr klein (Blasenriss) und weit oberhalb vom inneren Muttermund (hoher Blasensprung). Gelegentlich verschließt sich dieses kleine Loch von selbst wieder und Fruchtwasser tritt dann gar nicht erst aus.
In anderen Fällen sickert wenig Fruchtwasser nach und nach aus der Scheide und wird für Urin oder Ausfluss gehalten. Wenn genügend Fruchtwasser nachproduziert wird, fällt bei der Ultraschalluntersuchung gar nicht auf, dass etwas Fruchtwasser abgeht. Es kann dann aber trotzdem unbemerkt zu einer Infektion kommen, weil die Fruchtblase nicht mehr dicht abgeschlossen ist.
Bei dem geringsten Verdacht auf Fruchtwasserverlust oder einen vorzeitigen Blasensprung müssen Sie mit Lackmuspapier oder einem anderen Test (Apotheke) kontrollieren, ob Fruchtwasser in der Scheide ist.

Bluthochdruck

? Warum ist ein zu hoher Blutdruck in der Schwangerschaft gefährlich?

Zu hoch ist der Blutdruck in der Schwangerschaft, wenn der obere (systolische) Druck über 140 und der untere (diastolische) Druck über 90 ist (Hypertonie). Aber auch tiefere

Werte können schon verdächtig sein, wenn der Blutdruck vor der Schwangerschaft eher niedrig war.
Eine Hypertonie, die nicht richtig behandelt wird, ist für Mutter und Kind gefährlich. Durch die verengten Blutgefäße ist die Durchblutung wichtiger Organe, etwa der Plazenta, verschlechtert. Die Kinder von Frauen, die unter Bluthochdruck leiden, sind bei der Geburt deshalb oft untergewichtig. Häufig werden sie auch zu früh geboren. Zusätzlich können sich Komplikationen wie eine Schwangerschaftsvergiftung (Präeklampsie oder Gestose, siehe Seite 192) oder Gerinnungsstörungen und gefährliche Blutungen entwickeln.
Meist entsteht ein leichter Bluthochdruck erst im letzten Schwangerschaftsdrittel. In leichten Fällen genügt körperliche Ruhe und eine gute Kontrolle, um den Bluthochdruck zu behandeln. Nach der Geburt normalisieren sich die Werte wieder. Allerdings entwickeln die betroffenen Frauen oft viele Jahre später eine behandlungsbedürftige chronische Hypertonie.
In schweren Fällen von Bluthochdruck ist eine medikamentöse Behandlung angebracht und die Schwangere muss ihren Blutdruck regelmäßig selbst messen. Der Frauenarzt überwacht mit Ultraschalluntersuchungen das Wachstum des Kindes. Wenn die kindlichen Lungen reif genug sind, sollte die Geburt bereits in der 38. SSW oder früher eingeleitet werden.

Blutungen

? Ist eine Blutung in der Frühschwangerschaft ein schlechtes Zeichen?

Das kommt auf die Stärke der Blutung an. Leichtere Schmierblutungen sind recht häufig, auch bei völlig intakten Schwangerschaften, die ohne Komplikationen weitergehen (siehe ab Seite 187). Entscheidend für die Schwangerschaft ist der Nachweis, dass sich in der Gebärmutterhöhle ein Embryo mit Herzaktionen befindet. In diesem Fall ist eine Kontrolle der

lormonwerte im Blut nicht erforderlich. Diese können ohne-
in enorme Schwankungen zeigen.
ine stärkere Blutung kann eine drohende Fehlgeburt (siehe
eite 142) ankündigen, muss es aber nicht. Auch hier ist der
lachweis eines Embryos mit Herzaktionen entscheidend.
onsultieren Sie Ihren Frauenarzt.

INFO

Strenge Bettruhe bei Blutungen in der Frühschwangerschaft scheint keinen besonderen Einfluss auf den Erhalt der Schwangerschaft zu haben, wie wissenschaftliche Untersuchungen zeigen konnten. Stärkere körperliche Belastungen sind aber unbedingt zu vermeiden.

3rustveränderungen

? Meine Brüste sind so viel größer geworden, lass sie wahrscheinlich bald platzen. Jede 3erührung tut weh. Bleibt das so während der ;anzen Schwangerschaft?

)ie Brüste verändern sich während der Schwangerschaft
norm, vor allem wenn dies Ihre erste Schwangerschaft ist.
chon kurz nach dem Ausbleiben der Regel bemerken die
neisten Frauen, dass ihr Busen größer, geschwollen und fester
st – und gleichzeitig sehr empfindlich. Oberflächliche Blut-
efäße scheinen bläulich durch die Haut. All das sind Symp-
ome des veränderten Hormonhaushalts. Östrogen und HPL
Humanes Plazenta-Laktogen), später auch Prolaktin fördern
lie Entwicklung der Milchdrüsen und bereiten sie auf ihre
ufgabe nach der Geburt vor. Das Wachstum hält auch in
len restlichen Schwangerschaftswochen noch an. Aus einem
3- wird häufig ein D-Körbchen oder sogar mehr. Jede Brust
viegt kurz vor der Geburt im Durchschnitt fast ein Pfund

mehr als vor der Schwangerschaft. In der Regel lassen die Empfindlichkeit und das Spannungsgefühl aber nach den ersten zwölf Wochen wieder deutlich nach.

Bei schmerzenden Brüsten kann ein Vollbad oder ein warmer Umschlag mit Lavendel sehr entspannend sein. Damit Sie sich wohler fühlen und um das Bindegewebe zu stützen, sollten Sie sich gleich zu Beginn der Schwangerschaft einen gut sitzenden Büstenhalter mit breiten Trägern anschaffen. Dieser leistet unter Umständen auch nachts gute Dienste.

? Ich bin jetzt schon in der 9. SSW und spüre immer noch keine Veränderungen an meiner Brust. Stimmt etwas nicht?

Solange sich Ihr Baby im Ultraschall zeitgerecht entwickelt, ist das durchaus nicht beunruhigend. Genauso wie ein Drittel aller Frauen keine Übelkeit in der Schwangerschaft kennt, gibt es auch Schwangere, deren Brust sich kaum verändert. Trotzdem werden Sie Ihr Baby genauso gut stillen können!

? Meine Brustwarzen sondern eine gelblich-weiße Flüssigkeit ab. Kann das in der 24. Woche schon Vormilch sein?

Bei vielen Schwangeren tritt ab dem Ende des zweiten Schwangerschaftsdrittels, selten auch schon früher, eine gelblich-weiße Flüssigkeit aus den Brustwarzen aus, die sogenannte Vormilch (Kolostrum). Sie dient Ihrem Baby als Nahrung in den ersten Tagen nach der Geburt, ist reich an Eiweiß, Abwehrkörpern und Vitaminen und leichter verdaulich als die reife Muttermilch. Wenn Sie Flecken in der Kleidung vermeiden wollen, stecken Sie sich schon jetzt Stilleinlagen in den Büstenhalter.

Durchfall

? Ist etwa auch Durchfall typisch in der Schwangerschaft?

Durchfall gehört eigentlich nicht zu den typischen Schwangerschaftsbeschwerden. Die Schwangerschaftshormone bewirken eher das Gegenteil, nämlich Verstopfung (siehe Seite 207). Sehr weicher Stuhl oder Durchfall kann sehr viele Ursachen haben. Oft steckt Aufregung oder Stress dahinter, seltener eine Nahrungsmittelallergie. Ist Durchfall mit Erbrechen kombiniert, kann auch eine Lebensmittelinfektion (siehe ab Seite 43) oder eine Magen-Darm-Grippe die Ursache sein. Dauert der Durchfall nur kurze Zeit, brauchen Sie sich um Ihr Baby keine Sorgen zu machen: Es wird trotzdem noch gut genug ernährt. Wichtig ist allerdings, dass Sie nicht zu viel Flüssigkeit verlieren. Denn dann kommt es nicht nur zu Kreislaufstörungen, es gehen gleichzeitig auch wichtige Mineralstoffe verloren. Wenn der Durchfall länger als drei Tage dauert oder mit Fieber einhergeht, lassen Sie die Ursache von Ihrem Arzt abklären. In den letzten Schwangerschaftswochen kann Durchfall übrigens eines der ersten Anzeichen für den unmittelbar bevorstehenden Wehenbeginn sein.

TIPP

So schützen Sie sich auf Auslandsreisen vor Durchfall

- Essen Sie nur frisch zubereitete, gekochte oder durchgebratene Speisen. Vorsicht bei Fisch- und Muschelgerichten!
- Essen Sie nur selbst geschältes Obst und keine fertigen Obstsalate.
- Meiden Sie Speiseeis, Sahnetorten und Milch.
- Verwenden Sie nur abgekochtes Wasser.
- Trinken Sie nur industriell abgefüllte Getränke. Achten Sie darauf, dass die Flaschen original verschlossen sind.
- Verzichten Sie auf Eiswürfel in Getränken.

TIPP

Das hilft bei Durchfall

- Am ersten Tag sollten Sie nur viel trinken, vor allem stilles Wasser oder Apfelsaft, mit Wasser zubereiteten Kakao oder Kräutertees.
- Am zweiten Tag kommen einige Scheiben trockener Zwieback und ein paar Salzstangen dazu, eventuell etwas warme Bouillon.
- Ab dem dritten Tag sind erlaubt: Bananenbrei, geraspelte Äpfel (leicht braun werden lassen), Magerquark, Naturjoghurt, getrocknete Heidelbeeren, Zartbitterschokolade (nur ein paar Stücke, damit die Laune wieder steigt).
- Vermeiden Sie insbesondere in den ersten beiden Tagen eiweißreiche, fetthaltige, sehr süße oder saure und generell schwer verdauliche Nahrung.
- Auch in der Schwangerschaft sind Kohle- und spezielle Hefetabletten erlaubt.

Eileiterschwangerschaft

? Ab wann kann ich sicher sein, dass bei mir keine Eileiterschwangerschaft vorliegt?

Ein außerhalb der Gebärmutter (extrauterin) eingenistetes Ei ist im Ultraschall nicht immer leicht zu erkennen. Normalerweise bestehen durch die Hormonwirkung eindeutige Schwangerschaftszeichen, aber in der Gebärmutter ist kein Fruchtsack zu sehen. In seltenen Fällen sammelt sich etwas Flüssigkeit in der Gebärmutterhöhle – und das sieht dann aus wie ein leerer Fruchtsack (»Pseudofruchtsack«). Wenn Ihr Frauenarzt solch einen leeren Fruchtsack ohne einen Embryo sieht, wird er kontrollieren, ob an anderer Stelle, vor allem an den Eileitern, eine Verdickung mit einer Fruchtblase und eventuell sogar ein Embryo sichtbar sind.

Eine Eileiterschwangerschaft kann erst dann sicher ausgeschlossen werden, wenn ein Embryo und eine Fruchtblase in der Gebärmutter nachgewiesen werden. Das sollte spätestens ab der 7. SSW möglich sein.

? Muss bei einer Eileiterschwangerschaft immer auch der Eileiter entfernt werden?

Früher wurde bei einer Eileiterschwangerschaft radikal operiert, damit es nicht zu einem Durchbruch der Eileiter kommen konnte, der das Leben der Schwangeren gefährden würde. Heute wird meist vorsichtig abgewartet, weil sich viele Eileiterschwangerschaften ohne Komplikationen von selbst praktisch »auflösen«.
Dann gibt es noch die Möglichkeit, mit Medikamenten oder dem Einspritzen von bestimmten Lösungen in den Eileiter einen Abgang auszulösen. Sollte dennoch eine Operation notwendig werden, kann diese sehr schonend, etwa mit der sogenannten Schlüsselloch-Chirurgie (Laparaskopie), ausgeführt werden, sodass die Chancen auf eine weitere Schwangerschaft sehr gut sind.

Epilepsie

? Wie wird die Schwangerschaft einer Epileptikerin betreut?

Anfallsfreiheit ist das wichtigste Ziel bei der Betreuung einer schwangeren Epileptikerin. Deshalb muss der Blutspiegel regelmäßig kontrolliert werden. In vielen Fällen ist es notwendig, die Dosis der Medikamente zu erhöhen, weil in der Schwangerschaft das Blutvolumen ansteigt und ein Verdünnungseffekt eintritt. Empfohlen wird außerdem

- eine höhere Folsäure-Einnahme, vor allem zu Beginn der Schwangerschaft,
- die AFP-Bestimmung um die 16. SSW,

- eine besonders eingehende Ultraschalluntersuchung um die 20. SSW,
- die Gabe von Vitamin K an die Schwangere in den letzten Schwangerschaftswochen und an das Neugeborene zur Vermeidung kindlicher Hirnblutungen,
- ein EEG vor der Geburt.

Werden diese Vorkehrungen getroffen, dann verlaufen die allermeisten Schwangerschaften von Epileptikerinnen ganz normal wie andere Schwangerschaften auch.

? Ich bin Epileptikerin. Muss ich bei der Geburt etwas Besonderes beachten?

Auch die Entbindung verläuft bei Epileptikerinnen meist komplikationslos. Wenn keine anderen Gründe dagegen sprechen, wird eine vaginale Geburt angestrebt, es wird also nicht automatisch zu einem Kaiserschnitt geraten. Die Geburtshelfer werden aber in der Austreibungsphase etwas bereitwilliger die Zange oder Saugglocke einsetzen, damit Sie nicht zu stark pressen müssen.

Achten Sie selbst darauf, in den Wochen vor der Geburt ausreichend zu schlafen. Denn eine Geburt dauert in der Regel mehrere Stunden und Schlafentzug begünstigt das Auftreten von Anfällen während der Wehen. Besprechen Sie auch, welche Form der Schmerzerleichterung für Sie am besten geeignet ist. Wenn für Sie Hecheln gefährlich werden könnte, informieren Sie das geburtshilfliche Team darüber, damit es Sie in dieser Phase besonders aufmerksam beobachtet. Es kann sinnvoll sein, Ihnen vorsorglich einen intravenösen Zugang zu legen, damit im Notfall (bei einem Krampfanfall) schnell gehandelt und ein Kaiserschnitt vorgenommen werden kann.

Überlegen Sie sich außerdem genau, in welcher Klinik Sie Ihr Baby entbinden wollen: Sicherheitshalber sollte eine intensivmedizinische Betreuung für Sie und für Ihr Kind zur Verfügung stehen.

Essgelüste

? Auf einmal habe ich ganz seltsame Essgelüste, vor allem auf Scharfes. Woran liegt das?

Die während der Schwangerschaft auftretenden Gelüste nach bestimmten Speisen oder Speisekombinationen werden häufig als Einbildung abgetan. Sie treten jedoch bei fast jeder schwangeren Frau zu irgendeinem Zeitpunkt auf. Und sie können sich von Tag zu Tag ändern!
Die zu Beginn der Schwangerschaft in ungewohnter Höhe produzierten Hormone verändern Ihren Geschmacks- und Geruchssinn. Oft haben Sie einen merkwürdigen Geschmack im Mund, sodass Sie bestimmte Dinge nicht mehr essen mögen. So kann es vorkommen, dass Sie Gerichte, die Sie bisher besonders mochten, im wahrsten Sinn des Wortes »nicht mehr riechen können«.

INFO

Falls Sie unstillbares Verlangen nach etwas besonders Ausgefallenem, nicht Essbarem entwickeln, etwa nach Erde, Kohle, Holz oder Metall, kann dahinter eine Unterversorgung mit bestimmten Mineralstoffen stecken. Diese ungewöhnlichen Gelüste nennt man »Picae«. Das Pica-Syndrom ist zwar ein seltenes, aber seit Urzeiten bekanntes Phänomen in der Schwangerschaft. Sprechen Sie mit Ihrem Frauenarzt darüber.

Wundern Sie sich auch nicht, wenn Sie plötzlich einen unbändigen Appetit auf bestimmte Nahrungsmittel entwickeln, die vor Ihrer Schwangerschaft nicht gerade zu Ihren Lieblingsspeisen zählten. Vielleicht möchte Ihr Körper Sie damit darauf hinweisen, dass Sie die in diesen Lebensmitteln enthaltenen Nährstoffe benötigen. So kommt die sprichwörtliche Lust auf saure Gurken daher, dass der Speichel durch den erhöhten Spiegel des Hormons Östrogen etwas süßer schmeckt.

Dadurch entsteht Appetit auf Herzhaftes oder Saures, was gut ist, denn saure Speisen enthalten oft große Mengen Vitamin C. Das benötigen Sie in der Schwangerschaft vermehrt, auch als Hilfsstoff bei der Eisenaufnahme.

Fehlgeburt

? Seit dieser Woche habe ich ganz plötzlich keines der typischen Schwangerschaftszeichen mehr. Geht es meinem Baby trotzdem gut?

Gegen Ende des ersten, spätestens im zweiten Schwangerschaftsdrittel ist es ganz normal, wenn die lästigen Beschwerden wie Übelkeit allmählich schwächer werden und aufhören. Sie werden meist durch bestimmte Hormone hervorgerufen, die entweder nach den ersten drei Monaten in geringerer Menge produziert werden oder an die sich Ihr Körper inzwischen gewöhnt hat.
Die frühen Schwangerschaftszeichen können dann ganz plötzlich nicht mehr spürbar sein. Das ist zunächst einmal noch kein Grund zur Beunruhigung. Wenn Sie aber stattdessen ziehende Schmerzen oder Blutungen aus der Scheide haben, kann sich so in seltenen Fällen eine Fehlgeburt ankündigen. Gehen Sie dann auf jeden Fall zu Ihrem Frauenarzt.
Bei einem sogenannten verhaltenen Abort (missed abortion) stirbt der Embryo unbemerkt. Sie haben dann womöglich keine Blutungen oder Schmerzen und bemerken erst viel später, dass sich Ihre Gebärmutter nicht vergrößert hat oder Sie sich nicht mehr schwanger fühlen.

? Ich hatte schon eine Fehlgeburt. Wie kann ich verhindern, dass es erneut dazu kommt?

Die Ursache einer frühen Fehlgeburt kann nur in den seltensten Fällen festgestellt werden. Häufig sind es zufällig aufgetretene Chromosomenstörungen oder hormonelle Ungleich-

;ewichte, die eine Fehlgeburt auslösen. Aber darüber hinaus ;ibt es unzählige andere Gründe. Da in den allermeisten ?ällen ein zufälliges, spontanes Ereignis vorliegt, ist nicht von ·iner Wiederholung aus derselben Ursache auszugehen. Erst ıach drei Fehlgeburten wird von den meisten Fachleuten ·ine aufwendige Suche nach einer gemeinsamen Ursache für ;innvoll erachtet.

;ie selbst können nicht viel mehr tun, als auf eine gesunde .ebensführung mit möglichst wenig seelischem und körper-ichem Stress zu achten.

TIPP

Nehmen Sie Folsäure (gibt es in der Apotheke) ein, wenn Sie planen, schwanger zu werden. Die Einnahme von Folsäure schon vor einer Schwangerschaft und in ihren ersten zwölf Wochen scheint unter anderem einen günstigen Einfluss auf die ungestörte Entwicklung der Schwangerschaft und des Babys zu haben.

·ruchtwassermenge

? Ich habe zu wenig Fruchtwasser. Was kann łas bedeuten – und kann ich etwas tun, damit es vieder mehr wird?

\usreichend Fruchtwasser ist wichtig für die fetale Lungen-eifung. Deshalb wird bei jeder Ultraschalluntersuchung ·peziell darauf geachtet. Wenn die Fruchtwassermenge ver-ingert ist, muss möglichst rasch die Ursache abgeklärt und, alls nötig, Fruchtwasser künstlich aufgefüllt werden.

Häufige Ursachen für zu wenig Fruchtwasser sind ein nicht .usreichend funktionierender Mutterkuchen (Plazentainsuffi-ienz, siehe ab Seite 178) und ein unbemerkter Fruchtwasser-erlust durch einen vorzeitigen Blasensprung (siehe Seite 133).

Dadurch können eine gefährliche Fruchtwasserinfektion und vorzeitige Wehen (siehe Seite 208) ausgelöst werden.
In seltenen Fällen entsteht ein Fruchtwassermangel, weil das Kind eine Nieren- oder Harnwegsfehlbildung hat und zu wenig Urin produziert oder in die Fruchthöhle ableitet. Eine sehr sorgfältige Ultraschalluntersuchung kann solche Anomalien entdecken. Dann wird Ihr Baby eventuell noch vor der Geburt behandelt. Meist kann aber bei entsprechender Kontrolle noch abgewartet und die Fehlbildung nach der Geburt endgültig korrigiert werden.
Ist das Fruchtwasser vermindert, weil eine Plazentainsuffizienz vorliegt, kann körperliche Schonung helfen. Liegt eine andere Ursache vor, können Sie selbst nichts zur Behandlung beitragen. Eine ärztliche Überwachung, eventuell in einer Klinik, ist dann erforderlich. Zusätzliche Flüssigkeitsaufnahme hilft leider nicht.

? Was steckt dahinter, wenn zu viel Fruchtwasser vorhanden ist? Im Ultraschall ist sonst alles in Ordnung.

Zu viel Fruchtwasser ist nicht selten und zunächst einmal nur ein Symptom, dessen Ursache abgeklärt werden muss. In 90 Prozent der Fälle wird dabei nichts Ernstes gefunden. Dann besteht die größte Gefahr darin, dass es durch die erhöhte Spannung der Gebärmutterwand zu vorzeitigen Wehen (siehe Seite 208) und in der Folge zu einer Frühgeburt kommen kann.
Nur sehr selten wird eine vermehrte Fruchtwassermenge durch eine kindliche Fehlbildung verursacht, beispielsweise durch einen Verschluss der kindlichen Speiseröhre. Dies kann aber bei einer gezielten Untersuchung des Babys sofort nach der Geburt erkannt und dann rasch operiert werden. Wenn ein solcher Fall zu erwarten ist, sollten Sie für die Entbindung eine Klinik wählen, in der die entsprechende Betreuung für Sie und Ihr Kind gesichert ist.

Frühschwangerschaft

? Warum heißt es, in den ersten zwölf Wochen der Schwangerschaft könne dem Kind am meisten passieren?

Im ersten Schwangerschaftsdrittel werden alle Organe des Kindes angelegt und zum Teil auch ausgebildet. Anschließend reifen sie nur noch. Die größte Gefahr für die Organentwicklung des Kindes besteht zwischen dem 14. und 55. Tag nach der Empfängnis, also nach der Einnistung der befruchteten Eizelle in der Gebärmutter. Der mütterliche und der kindliche Kreislauf werden zu diesem Zeitpunkt bereits miteinander verbunden.

Zwar gibt es die sogenannte Plazentaschranke, die schädliche Stoffe auf dem Weg zum Kind aufhalten soll. Außerdem arbeitet der mütterliche Organismus sehr effektiv, um Schadstoffe abzubauen, bevor sie das Kind erreichen können. Aber bestimmte Stoffe im mütterlichen Blut (wie Drogen, Nikotin, Medikamente und Alkohol, siehe ab Seite 74) können die Plazentaschranke trotzdem überwinden, die Organentwicklung stören und das Kind schädigen. In schweren Fällen kann es auch zu einer Fehlgeburt (siehe ab Seite 142) kommen.

DIE »ALLES-ODER-NICHTS-REGEL«

Von der Befruchtung bis in die frühe Phase der Einnistung in der Gebärmutter, das heißt in den zwei Wochen vor Ausbleiben der Regelblutung, besteht der Embryo noch aus relativ wenigen und undifferenzierten Zellen. Unterliegt der Embryo in dieser Zeit einem sehr schädlichen Einfluss, führt dies zu einer frühen Fehlgeburt. Ist der Einfluss weniger stark, kann die Funktion der geschädigten Zellen vollständig von anderen Zellen mit übernommen werden. Der Embryo kann sich dann normal weiterentwickeln. Man bezeichnet diesen Mechanismus auch als »Alles-oder-nichts-Prinzip«.

Gebärmutter

? Seit meiner letzten Geburt habe ich eine leichte Gebärmuttersenkung. Was muss ich in dieser Schwangerschaft beachten?

Es kann sein, dass Sie noch stärker als in der ersten Schwangerschaft an einer Blasenschwäche (siehe ab Seite 131) leiden, vielleicht sogar an einer leichten Harninkontinenz (unwillkürlicher Abgang von Urin). Bei der Geburt selbst sind jedoch durch eine Gebärmutter- oder Beckenbodensenkung keine besonderen Komplikationen zu befürchten. Im Gegenteil: Je lockerer der Beckenboden ist, umso leichter wird im Prinzip die Entbindung.
Besuchen Sie aber unbedingt einen Geburtsvorbereitungskurs (siehe Seite 117). Dort werden Ihnen spezielle Übungen für die Schwangerschaft gezeigt, die den Beckenboden nicht nur lockern, sondern Ihnen auch mehr Körperbewusstsein vermitteln (siehe ab Seite 118).

? Ist eine nach hinten abgeknickte Gebärmutter ein Risikofaktor in der Schwangerschaft?

Die Gebärmutter (Uterus) neigt sich normalerweise nach vorn zum Schambein hin, sie kann aber auch nach hinten »abgeknickt« sein. Im Verlauf der Schwangerschaft streckt sich jedoch die Gebärmutter, und auch ein nach hinten gerichteter Uterus sieht dann genauso aus wie ein nach vorn gerichteter. Mit echten Komplikationen während der Schwangerschaft ist nicht zu rechnen.
Eine nach hinten gerichtete Gebärmutter kann jedoch im ersten Schwangerschaftsdrittel Kreuzschmerzen verursachen. Auch wird mehr Druck auf die Harnblase ausgeübt, sodass Sie häufiger zur Toilette gehen müssen. Sie sollten viel trinken und die Blase immer vollständig entleeren, damit es nicht zu einem Rückstau von Urin und als Folge zu einer Harnwegsentzündung kommt.

eruchs- und Geschmacksempfinden

Mir wird schon übel, wenn ich mein Lieb-ingsparfum nur entfernt rieche. Geht das allen chwangeren so?

ie Schwangerschaftshormone führen besonders in den ers-
en Wochen zu einer erhöhten Empfindlichkeit gegenüber
estimmten Aromen. Unangenehme Gerüche lösen dann sehr
iel leichter Übelkeit aus, aber auch bisher geliebte Düfte kön-
en auf einmal Ekel verursachen. Bisherige Lieblingsspeisen
chmecken plötzlich nicht mehr, dagegen hat man unbändige
ust auf Gerichte, die man bisher nicht besonders mochte
Essgelüste, siehe Seite 141). Denn das Essen schmeckt ganz
nders, vor allem weil die Zusammensetzung des Speichels
erändert ist. Oft liegt ein störender, unangenehmer metalli-
cher Geschmack auf der Zunge.
ieses veränderte Geruchs- und Geschmacksempfinden hat
en Vorteil, dass Schwangere ein besseres Gefühl dafür haben,
as für sie und ihr Baby schädlich sein kann. Viele Frauen
inden schon im ersten oder zweiten Monat der Schwanger-
chaft den Geruch von Kaffee, Wein, Bier oder Zigaretten
nerträglich. Auch verdorbene Speisen und Getränke werden
chneller wahrgenommen.

ämatom

Im Ultraschall ist neben der Fruchtblase ein ämatom zu sehen. Was bedeutet das?

s ist schwer zu beurteilen, wie sich dieser Bluterguss weiter-
ntwickelt. Sehr wahrscheinlich wird er sich in nächster
eit von selbst auflösen. Sie können den Prozess am besten
nterstützen, wenn Sie sich schonen, nicht schwer heben,
einen Sport treiben und möglichst viel sitzen oder liegen.
ır Frauenarzt wird das Hämatom sehr sorgfältig durch Ultra-
challuntersuchungen überwachen.

Hämorrhoiden

? Ich habe in den letzten Wochen Hämorrhoiden bekommen. Bilden sie sich nach der Geburt zurück?

Gegen Ende der Schwangerschaft führt hartnäckige Verstopfung (siehe Seite 207) häufig zu Hämorrhoiden. Der Druck der Gebärmutter und des kindlichen Köpfchens auf die Blutgefäße des Enddarms und die viel größere Blutmenge im Körper kommen noch hinzu. Es entstehen stark hervortretende oder sogar blutende Krampfadern (Varizen, siehe Seite 167) im Afterbereich. Starker Juckreiz und stechende Schmerzen lassen schon einfaches Sitzen, aber besonders die Darmentleerung zur Tortur werden.
Die Hämorrhoiden bilden sich normalerweise kurz nach der Geburt zurück. Sie können dies mit regelmäßiger Beckenbodengymnastik (siehe ab Seite 118) unterstützen.

TIPP

Das hilft bei Hämorrhoiden in der Schwangerschaft

- Beugen Sie mit ballaststoffreicher Ernährung, viel Flüssigkeit sowie regelmäßiger Bewegung Verstopfungen vor.
- Vermeiden Sie alles, was den Druck im Beckenbereich erhöht, wie Pressen oder schweres Heben – das sollten Sie jetzt ohnehin anderen überlassen.
- Lauwarme oder kühle Sitzbäder mit Kamille, Arnika, Beinwell, Brennnessel oder Eichenrinde lindern die Schwellungen und den Juckreiz.
- Geben Sie Lavendelöl auf die Haut oder cremen Sie sie mit einer Calendula- oder Hamamelissalbe ein.
- Legen Sie eine Kompresse auf, die mit Quark oder mit geriebener roher Kartoffel bestrichen ist.
- Wickeln Sie eine Eiskompresse oder auch Tiefkühlerbsen in ein Tuch und legen Sie diese Eispackung auf die schmerzhaften Stellen.

- Reinigen Sie nach jedem Stuhlgang den Analbereich gründlich mit lauwarmem Wasser.
- Ihr Frauenarzt kann Ihnen eine Salbe oder Zäpfchen zur Linderung von Schmerzen oder Juckreiz verschreiben.

Haut- und Haarveränderungen

? Woher kommen diese dunklen Flecken auf der Haut? Sind das bleibende Veränderungen?

Die hormonell bedingte, stärkere Färbung bestimmter Hautgebiete ist in der Schwangerschaft ganz typisch. Sie tritt vor allem an den Brustwarzenhöfen, an der Vulva, an den Oberschenkeln und in den Achselhöhlen sowie an schon vorher vorhandenen Hautmalen wie Leberflecken oder Sommersprossen auf. Bei dunkelhaarigen Frauen ist die Pigmentveränderung noch deutlicher ausgeprägt als bei blonden. Und bei nahezu allen Schwangeren taucht unterhalb des Bauchnabels ein senkrechter dunkler Strich auf, die »Linea nigra«. Außerdem gibt es die sogenannte Schwangerschaftsmaske (Chloasma), die sich im vierten oder fünften Monat in Form von unregelmäßigen Pigmentierungen im Gesicht zeigt. All diese Erscheinungen verschwinden normalerweise nach und nach, sobald Sie entbunden haben.

TIPP

Da die Haut jetzt sehr sonnenempfindlich ist, sollten Sie so wenig wie möglich in die direkte Sonne gehen und eine Tagescreme mit hohem Lichtschutzfaktor verwenden. Das gilt auch für die künstliche Sonne im Solarium (siehe Seite 108). Leichte Pigmentierungen lassen sich unter einem gut deckenden Make-up verstecken. Auf keinen Fall sollten Sie ein Bleichmittel verwenden.

? Seit einigen Wochen habe ich sehr trockene, raue Haut. Was kann ich außer Eincremen noch dagegen tun?

Gerade gegen Ende der Schwangerschaft wird die Haut oft sehr trocken. Versuchen Sie es mit Trockenbürsten, damit abgestorbene Hautschichten entfernt werden und die Haut besser durchblutet wird. Gönnen Sie sich anschließend ein warmes Vollbad, am besten zwischen 36 und 38 °C warm und nicht länger als 20 Minuten. Verzichten Sie aber in der Schwangerschaft auf aggressive Schaumbäder, weil sie die ohnehin eher trockene Haut zu sehr auslaugen würden. Cremeschaumbäder mit rückfettenden Substanzen sind viel hautfreundlicher. Auch Badeöle wirken rückfettend, weil sie einen dünnen Ölfilm auf der Haut hinterlassen.
Cremen Sie sich danach mit einer harnsstoffhaltigen Hautcreme ein. Wirkt dies alles nicht, wenden Sie sich am besten an einen Hautarzt.

? Ich dachte, in der Schwangerschaft verschwinden Pickel und Mitesser. Aber meine Haut ist noch fettiger geworden.

Es ist nicht eindeutig vorhersehbar, wie die Haut auf die veränderte Hormonsituation in der Schwangerschaft reagiert. Trockene Haut kann fettiger werden. Und Frauen, die früher mit unreiner Haut oder Akne zu kämpfen hatten, haben plötzlich die reinste Pfirsichhaut.
Durch die Schwangerschaftshormone wird mehr Wasser in der Haut eingelagert, und das macht sie praller und fester. Kleine Fältchen fallen weniger auf. Die stärkere Durchblutung der Haut lässt auch kleine Unreinheiten verschwinden. Andererseits erhöhen die Talg- und Schweißdrüsen ihre Aktivität, wodurch Akne entstehen oder sich verschlimmern kann. Seien Sie generell vorsichtig mit neuen Pflegeprodukten: Schwangere reagieren leichter mit einer Allergie.

? Verschlechtern sich chronische Hautkrankheiten in der Schwangerschaft?

Das lässt sich nicht so pauschal beantworten. Erfahrungsgemäß bessern sich während der Schwangerschaft eine schwere Akne und in der Hälfte der Fälle eine Schuppenflechte (Psoriasis). Viele Schwangere bemerken aber auch keine Veränderung. Und gelegentlich kann sich eine Psoriasis sogar verschlechtern.

Auch bei einer Neurodermitis lässt sich nicht vorhersagen, wie sich die Veränderung des Hormonhaushalts in der Schwangerschaft auf die Haut auswirkt.

? Ist es normal, dass meine Haare jetzt, in den ersten Schwangerschaftswochen, so schnell nachfetten?

Der hohe Östrogenspiegel in der Schwangerschaft fördert die Talgproduktion der Kopfhaut. Deshalb kommt es häufig zu fettigen, spannungslosen Haaren. Dagegen hilft nur häufigeres Haarewaschen. Im zweiten Schwangerschaftsdrittel wird sich Ihr Körper mit großer Wahrscheinlichkeit an die neue Situation gewöhnt haben. Dann wird Ihr Haar wahrscheinlich sogar schöner sein als zuvor.

TIPP

Benutzen Sie ein mildes Shampoo für die tägliche Haarwäsche und lassen Sie Ihr Haar möglichst an der Luft trocknen. Falls Sie unbedingt föhnen müssen, stellen Sie das Gerät auf die niedrigste Temperaturstufe und halten Sie reichlich Abstand zu den Haaren, denn heiße Luft stimuliert die Talgdrüsen. Schaumfestiger oder Gel kann die Haare schwer machen, benutzen Sie besser Föhnlotion oder Haarspray, um die Haare in Form zu bringen.

? Es heißt, jede Schwangerschaft koste »einen Zopf und einen Zahn«. Kann ich etwas gegen den Haarausfall nach der Geburt tun?

Etwa ab der zweiten Hälfte der Schwangerschaft werden Sie feststellen, dass Ihr Haar dicker und glänzender geworden ist. Nach der Geburt wird sich das hormonell bedingt wieder ändern. Durch den starken Östrogenabfall gehen Ihnen dann plötzlich vermehrt die Haare aus. Das ist normal und bedeutet nicht, dass Sie nach der Geburt weniger Haare haben als vor der Schwangerschaft. Ihr Haarvolumen kehrt lediglich auf den ursprünglichen Stand zurück.

Heißhunger

? Ich habe manchmal richtige Heißhungerattacken und kann mich dann nicht mehr beherrschen. Wenn das so weitergeht, nehme ich bestimmt zu viel zu!

In der Schwangerschaft wird vermehrt Insulin (ein Hormon, das den Zuckergehalt des Blutes reguliert) produziert. Es kommt deshalb immer wieder zu einem starken Abfall des Blutzuckerspiegels und damit zu Heißhungergefühlen. Dann möchten Sie am liebsten gleich eine ganze Tafel Schokolade oder ein großes Stück Sahnetorte essen. Dadurch schießt der Blutzuckerspiegel zwar schnell in die Höhe – nur leider hält das Sättigungsgefühl nicht lange vor. Schnell ansteigende Blutzuckerspiegel sinken auch ebenso schnell wieder ab. Um diesen Kreislauf zu durchbrechen, sollten Sie täglich fünf oder sechs kleinere Mahlzeiten zu sich nehmen. Sie sind besser verträglich als drei große und lassen Heißhunger gar nicht erst aufkommen. So wird kontinuierlich eine geringe Menge – und nicht mehr ab und zu eine große Dosis – Insulin in den Blutkreislauf abgegeben. Das beugt zudem Übelkeit vor, die durch starke Blutzuckerschwankungen begünstigt wird.

TIPP

Süß, aber gesund

Zu herkömmlichen Süßigkeiten gibt es leckere Alternativen, die den Blutzucker für einige Zeit wirkungsvoll normalisieren:

- Vollwertiges Getreidemüsli
- Honig oder Vollrohrzucker
- Gesüßte Früchte- und Müsliriegel
- Trockenfrüchte wie Feigen, Aprikosen, Rosinen
- Nüsse

Herzklopfen

? Ist es normal, dass ich jetzt starkes Herzklopfen habe?

Herzklopfen oder Herzrasen sind an sich nichts Beunruhigendes, denn in der Schwangerschaft vergrößert sich das Blutvolumen um bis zu 40 Prozent. Das Herz muss deshalb mehr leisten und schlägt nicht nur stärker, sondern auch schneller: Der Puls ist um etwa zehn Schläge pro Minute erhöht. Bei Blutarmut (meist wegen Eisenmangel, siehe ab Seite 15) sind diese Symptome noch ausgeprägter. Wenn die Herzbeschwerden nur ab und zu auftreten und Sie ansonsten relativ normal belastbar sind, besteht kein Grund zur Sorge.

In der Spätschwangerschaft ist das Herzklopfen oft besonders stark, wenn Sie abends im Bett liegen. Wenn Sie auf dem Rücken liegen, kann die große Hohlvene, die das verbrauchte Blut zum Herzen zurückführt, durch das Gewicht Ihres Kindes etwas zusammengedrückt werden (Vena-cava-Syndrom, siehe Seite 194). Auch dann reagiert das Herz zunächst mit einem schnelleren und stärkeren Herzschlag, um trotzdem noch genug Blut weiterzupumpen. Versuchen Sie, in der sogenannten stabilen Seitenlage zu schlafen, abgestützt mit mehreren Kissen (siehe Seite 50).

Wenn Sie allerdings deutliches Herzstolpern, also Rhythmusstörungen, spüren, sollten Sie sich ärztlich untersuchen lassen.

Hitzewallungen

? Nachts wache ich häufig schweißgebadet auf. Und auch tagsüber kann ich Hitze überhaupt nicht mehr vertragen.

Die meisten Schwangeren beklagen sich über ein verändertes Temperaturempfinden. In der Frühschwangerschaft ist ihnen eher zu kalt, in der Spätschwangerschaft eher zu heiß. Beides ist normal – und irgendwie müssen Sie sich damit abfinden. Hitzewellen und Schweißausbrüche entstehen dadurch, dass jetzt mehr Blut durch den Körper zirkuliert. Der Stoffwechsel arbeitet auf Hochtouren, deshalb wird mehr Wärme erzeugt. Die Blutgefäße der Haut erweitern sich und geben Wärme nach außen ab.

TIPP

Das hilft gegen Hitzewellen und Schweißausbrüche

- Trinken Sie viel, um die verlorene Flüssigkeit zu ersetzen. Lauwarmer Apfelsaft sowie Früchte-, Malven-, Salbei- oder Melissentee kühlen und verringern die Schweißproduktion.
- Verzichten Sie auf folgende Lebensmittel: scharfe Gewürze, Knoblauch, Lauch, rohe Zwiebeln, Hafer, Buchweizen, Essig, Kaffee, Kakao, Schwarztee, Grüntee, Fencheltee, Alkohol (!), gegrilltes oder scharf angebratenes Fleisch sowie Lammfleisch.
- Wenn Sie Lust auf Saures haben, verzichten Sie auf Essiggurken und Ähnliches, denn Essig hat nur vordergründig eine kühlende Wirkung. Wird er zur innerlichen Anwendung benutzt, wärmt er auf.

ie können nichts weiter tun, als dünne, lockere Kleidung, nöglichst aus Baumwolle oder Leinen, zu tragen. Günstig ind mehrere dünne Schichten, damit Sie je nach Temperatur Kleidungsstücke an- oder ausziehen können. Kühlen Sie sich nit Duschen und kalten Wassergüssen über die Unterarme ab. Wenn Sie nachts mit brennenden, heißen Füßen aufwachen, können Sie sich einen Eimer mit kaltem Wasser neben das Bett stellen und bei Bedarf die Füße eintauchen. Sind die Beine abgekühlt, können Sie leichter wieder einschlafen.

schiasschmerzen

? Sind Ischiasschmerzen typisch in der Schwangerschaft?

Der Ischiasschmerz gehört zwar nicht zu den »klassischen« Schwangerschaftsbeschwerden, ist aber auch nicht selten. Vor allem gegen Ende der Schwangerschaft, wenn sich die Gebärmutter etwas gesenkt hat, kann der Kopf des Kindes auf den schiasnerv drücken. Dann spüren Sie den typischen Schmerz, der von der Leistengegend über die Hinterseite des Oberschenkels und manchmal sogar bis zu den Fußspitzen ausstrahlt. Dies kann begleitet sein von Kribbeln oder Taubheitsgefühlen (siehe Seite 200), Empfindungsstörungen oder sogar Lähmungserscheinungen.

Wichtigste Sofortmaßnahme bei Ischiasschmerzen ist die Entlastung der Wirbelsäule, etwa durch Abstützen auf ein Möbelstück. Danach legen Sie sich vorsichtig hin. Bewährt hat sich die Stufenbettlagerung, das heißt, Sie legen sich auf den Rücken, beugen Hüft- und Kniegelenk im rechten Winkel und lagern die Unterschenkel auf einem dicken Kissenstapel, einem Hocker oder einem Stuhl. So werden die Lendenwirbel entlastet. Eine Wärmflasche oder Einreiben mit durchblutungsfördernder Salbe oder Gel kann auch helfen. Auch sehr praktisch ist ein flaches Heizkissen, das Sie sich einfach unter den Rücken legen können.

Zur Schmerzlinderung gibt es verschiedene Arzneimittel, die auch in der Schwangerschaft erlaubt sind (siehe Seite 90). Paracetamol ist dabei das Mittel der ersten Wahl. Ibuprofen und Acetylsalicylsäure sollten im letzten Drittel der Schwangerschaft nicht mehr eingesetzt werden. Bei extremen Schmerzen ist auch eine Spritze (Injektion) mit bestimmten Schmerzmitteln erlaubt.
Bevor die Ischiasschmerzen als rein schwangerschaftsbedingt abgetan werden, sollte von neurologischer oder orthopädischer Seite her ausgeschlossen werden, dass etwas Ernsthaftes dahintersteckt.

Juckreiz

? Vor allem am Bauch könnte ich mich ständig kratzen. Geht das allen Schwangeren so?

Am Schwangerschaftsjuckreiz sind nicht nur die Hormone schuld. Auch die Überdehnung der Haut spielt eine Rolle, besonders in der zweiten Hälfte der Schwangerschaft. Außerdem wird die Haut durch die vermehrte Schweißbildung in den großen Hautfalten gereizt, zum Beispiel unter den größer gewordenen Brüsten oder in der Leistengegend. Trockene Haut ist besonders stark betroffen. Viele Schwangere bemerken auch, dass ihre Handflächen und Fußsohlen gerötet sind, brennen und jucken.

? Meine Haut juckt wie verrückt, außerdem habe ich einen Ausschlag. Was kann ich tun?

Bei anhaltendem und großflächigem Juckreiz mit Ausschlag und Wundsein sollten Sie auf jeden Fall Ihren Frauenarzt informieren.
Zeigen sich auf der Haut juckende Quaddeln, Papeln oder Bläschen, leiden Sie wahrscheinlich an einer Schwangerschaftsdermatose (PUP-Syndrom). Unter entsprechender

Behandlung (antihistaminhaltige Salbe oder mittelstarke Cortisoncreme) heilt diese schnell wieder ab.
Möglicherweise liegt aber auch ein schwangerschaftsbedingter Gallenstau (Cholestase) vor. Das ist eine seltene, aber schwere Leberfunktionsstörung, die vorzeitige Wehen auslösen und unter der Geburt zu einer gefährlichen Blutgerinnungsstörung führen kann. Eventuell wird Ihnen Ihr Arzt dann gegen den Juckreiz ein Medikament verschreiben.

TIPP

Das hilft bei Juckreiz

- Tragen Sie bequeme Kleidung.
- Ernähren Sie sich fettarm.
- Trinken Sie Tee aus Schafgarbe oder Pfefferminze.
- Schwimmen tut der gereizten Haut gut.
- Verwenden Sie keine Seife, denn sie trocknet die Haut aus. Nehmen Sie nur klares Wasser zum Waschen.
- Benutzen Sie einen Badezusatz mit Meersalz, Kieselerde, Natron, Maisstärke, Molke oder Kleie oder ein spezielles Ölbad.
- Reiben Sie sich nach dem Duschen mit einem in Apfelessig getränkten Waschlappen ab, brausen Sie sich dann entweder kurz ab oder lassen Sie den Essig einfach auf der Haut.
- Betupfen Sie die juckenden Stellen mit Tüchern, die Sie in Essig getaucht haben. Bei juckenden Füßen können Sie einen mit Essig getränkten Waschlappen oder Essigsocken über die Füße ziehen.
- Cremen Sie sich nach dem Waschen sorgfältig mit einer harnstoffhaltigen Emulsion ein.
- Vermeiden Sie Bürstenmassagen, auch wenn diese für kurze Zeit Erleichterung bringen. Danach ist der Juckreiz umso stärker.
- Manchmal hilft eine Tannin- oder Ichthyol-Lotion oder Mentholsalbe aus der Apotheke.

Kaiserschnitt

? Wie hoch ist die Chance, nach einem früheren Kaiserschnitt normal zu gebären?

In vielen Fällen spricht nach einem Kaiserschnitt nichts gegen eine vaginale Entbindung. Ausschlaggebend ist, warum er gemacht wurde. Besteht derselbe Grund immer noch, etwa wenn das mütterliche Becken zu eng ist, kann ein geplanter Kaiserschnitt sinnvoll sein. Wurde der Kaiserschnitt dagegen aus einem Grund durchgeführt, der sich nicht wiederholen muss, wie eine sehr lange Geburtsdauer, eine Wehenschwäche oder Verschlechterung der kindlichen Herztöne, dann kann dieses Mal eine Geburt auf normalem Wege versucht werden. Die beste Aussicht auf eine komplikationslose vaginale Geburt haben Frauen, die vorher einen Kaiserschnitt wegen Beckenendlage des Kindes hatten. In zwei von drei Fällen hat die Schwangere nach einem vorherigen Kaiserschnitt eine ganz normale vaginale Entbindung.

? Kann bei einer normalen Entbindung meine alte Kaiserschnitt-Narbe reißen?

Ein Riss der Gebärmutterwand unter dem Druck der Wehen ist sehr selten. Bei einem Querschnitt, wie er meist beim Kaiserschnitt durchgeführt wird, liegt das Risiko für einen späteren Gebärmutterriss unter einem Prozent, für das weniger gefährliche Auseinanderklaffen liegt es bei zwei bis vier Prozent. Wichtig ist eine gute CTG-Überwachung und die Kontrolle auf Blutungen. Schmerzen sind nicht immer ein Anzeichen für einen Riss der alten Narbe, denn der ist häufig völlig schmerzlos. Aus diesem Grund ist heutzutage auch eine Geburt unter Periduralanästhesie (PDA, Betäubung der unteren Körperhälfte) möglich, weil ein Riss dadurch nicht verschleiert würde. Dabei muss die Geburt sehr sorgfältig überwacht werden, möglichst in einer Klinik, die auf Notfälle gut vorbereitet ist.

? Wann ist der beste Zeitpunkt für einen geplanten Kaiserschnitt?

Diese Frage lässt sich nicht allgemeingültig beantworten. Es hängt hauptsächlich davon ab, wie es dem Kind geht. Vor der 32. SSW werden Kinder mit einem Gewicht unter 1500 g in der Regel mit Kaiserschnitt geholt, weil es in diesem Fall die schonendere Art der Geburt ist. Nur wenn der Muttermund schon geöffnet ist und die Fruchtblase sich vorwölbt, dann kann auch eine frühe Frühgeburt sanft auf natürlichem Weg erfolgen.

Wenn die Versorgung des Kindes außerhalb der Gebärmutter besser gewährleistet ist als innerhalb, zum Beispiel bei einer schweren Plazentainsuffizienz (siehe ab Seite 178), bei einer vorzeitigen Ablösung der Plazenta oder wenn eine Fruchtwasserinfektion durch vorzeitigen Blasensprung (siehe Seite 133) droht, ist ein Kaiserschnitt praktisch jederzeit möglich.

Geht es dem Kind gut und ist der Grund für einen Kaiserschnitt zum Beispiel ein zu enges Becken oder eine ungünstige Kindslage, dann wird in der Regel bis zum Beginn der 39. SSW abgewartet.

? Wer entscheidet darüber, ob ein Kaiserschnitt gemacht wird? Kann ich ihn als Schwangere einfach verlangen?

Ja, das ist grundsätzlich möglich. Sie haben das Recht auf eine eigene Entscheidung und auch auf einen »Wunsch-Kaiserschnitt«. Allerdings hat auch der Arzt das Recht, einen Kaiserschnitt zu verweigern, wenn er keine offensichtliche medizinische Berechtigung dafür sieht. Denn juristisch gesehen gilt ein solcher Kaiserschnitt wie jede Operation als Körperverletzung. Das Thema sollten Sie in Ruhe mit Ihrem Frauenarzt oder dem Ärzteteam der Entbindungsklinik besprechen. Oft können Ängste durch ein vertrauensvolles Gespräch ausgeräumt werden.

Kalte Füße

? Was kann ich gegen kalte Füße tun?

Kalte Füße sind eher ein Problem in der Frühschwangerschaft. Später sorgt die gute Hautdurchblutung dafür, dass Sie hitzeempfindlicher sind und die Füße mitunter sogar brennen. Auf jeden Fall sind kalte Füße unangenehm. Sie können schlechter einschlafen und fühlen sich, als ob eine Erkältung naht. Versuchen Sie die Tipps im folgenden Kasten.

TIPP

Das hilft bei kalten Füßen

- Laufen Sie in der Wohnung möglichst mit sehr dicken Socken, aber ohne Schuhe umher.
- Achten Sie auf bequeme Schuhe. Enge Schuhe vermindern die Durchblutung und verstärken das Kältegefühl.
- Sitzen Sie nicht mit übereinandergeschlagenen Beinen, auch das behindert die Durchblutung.
- Massieren Sie die Füße mit beiden Händen und ein wenig Massageöl. Oder noch besser: Lassen Sie es Ihren Partner tun!
- Mit einem Massageball oder Massageroller können Sie die Füße ganz nebenbei massieren: Rollen Sie im Sitzen mit den Füßen einfach darauf hin und her.
- Nehmen Sie vor dem Schlafengehen ein aufsteigendes Fußbad: Stellen Sie Ihre Füße in eine Schüssel mit etwa 35 °C warmem Wasser und gießen Sie nach und nach heißeres Wasser dazu. Zum Schluss sollte die Temperatur ca. 41 °C betragen. Insgesamt sollte das Fußbad 15 bis 20 Minuten dauern.
- Versuchen Sie ein Senfbad: Dafür geben Sie pro Liter warmes Wasser einen Teelöffel Senfpulver in das Fußbad. Danach die Füße gut abtrocknen und warme Socken anziehen. Vorsicht bei empfindlichen oder entzündeten Füßen!

Kindsbewegungen

? Ab wann spüre ich die Bewegungen meines Kindes?

Etwa um die 22. SSW herum haben die meisten Schwangeren schon die Bewegungen ihres Babys gespürt: ein Gefühl, das häufig als Kitzeln, Blubbern, Platzen von Seifenblasen oder als Flattern von Schmetterlingen beschrieben wird. Manche Schwangere vergleichen es mit Darmbewegungen und Blähungen.

Frauen, die zum ersten Mal schwanger sind, bemerken selten vor der 20. SSW die ersten Bewegungen ihres Babys, manchmal sogar erst in der 25. SSW. Bis zur 24. SSW sind regelmäßige Bewegungen eher die Ausnahme und es können Tage vergehen, an denen Sie gar nichts spüren.

Frauen, die bereits eine Schwangerschaft hinter sich haben, nehmen meist schon in der 18. Woche oder sogar noch früher Kindsbewegungen wahr, denn sie können aus ihrer Erfahrung das »komische Gefühl« besser einordnen. Schwangere, die Zwillinge erwarten, spüren die Kindsbewegungen ebenfalls früher, meist heftiger und vor allem an vielen unterschiedlichen Stellen in ihrem Bauch.

Das Wahrnehmen der Kindsbewegungen ist auch abhängig von der Lage des Mutterkuchens, der Fruchtwassermenge und der Dicke der Bauchdecke. Ihre eigene Aktivität sowie die Ihres Kindes und Ihre Fähigkeit, in Ihren Körper »hineinzuhören«, spielen ebenfalls eine Rolle.

? Mein Mann ist ungeduldig: Wann kann er endlich die Tritte von außen spüren?

Von außen können Sie (oder der werdende Vater) die »Turnübungen« Ihres Kindes erst um die 25. Woche herum (Durchschnittswert) fühlen. Ab dem Zeitpunkt können Sie auch schon manchmal mit bloßem Auge sehen, wie Ihre Bauchdecke sich ausbeult und verformt.

? Ich glaube, mein Kind bewegt sich zu wenig. Jedenfalls spüre ich es nicht zehnmal am Tag, wie es sein soll.

Zehn Kindsbewegungen pro Tag sind ein Durchschnittswert, der oft erst um die 30. Woche erreicht wird. Dann sind die Kindsbewegungen auch so deutlich, dass die werdende Mutter sie spürt, selbst wenn sie gerade nicht darauf achtet. Danach werden die Kindsbewegungen allerdings wieder seltener, was viele Schwangere sehr beunruhigt. Dazu besteht aber normalerweise kein Grund. Meistens schläft das Kind dann mehr, und wenn es wach ist, ist es nicht mehr so aktiv. Schließlich hat es ja kaum noch Platz zum Turnen!
Im Laufe der Schwangerschaft bekommen Sie ein gutes Gefühl dafür, wann Ihr Baby schläft oder wach ist. Deshalb wissen Sie auch selbst am allerbesten, wenn sich irgendetwas verändert, das auf eine Komplikation hindeuten könnte. Und wenn Sie sich Sorgen machen, weil Sie einen ganzen Tag lang keine Tritte gespürt haben und Ihr Baby sich auch durch einen kleinen Stoß von außen nicht aufwecken lässt, können Sie ja sicherheitshalber einfach mal nachschauen lassen: Das Ultraschallbild zeigt nicht nur kleine Bewegungen, die Sie gar nicht spüren können, sondern auch ganz deutlich den Herzschlag.

Kindslage

? Mein Baby sitzt in der 30. SSW immer noch gemütlich mit dem Kopf nach oben. Wie hoch ist die Wahrscheinlichkeit, dass es sich noch dreht?

In der 30. SSW liegen noch 15 Prozent aller Kinder in der Beckenendlage (Steißlage). Die meisten drehen sich innerhalb der nächsten Wochen, sodass nur fünf Prozent aller Kinder tatsächlich auch aus dieser Lage geboren werden. Je weiter die Schwangerschaft fortschreitet, umso unwahrscheinlicher ist allerdings eine spontane Wendung. Aber grundsätzlich kann sich das Kind sogar noch bis kurz vor dem Geburtstermin in die Schädellage (Kopflage) drehen.

TIPP

So helfen Sie Ihrem Baby in die richtige Startposition

- Ein sehr einfacher Wendungsversuch ist die »indische Brücke«. Dabei handelt es sich um eine Lagerungsübung, mit der Sie ab der 32. SSW beginnen können. Sie legen sich dazu auf den Rücken. Die Unterschenkel ruhen waagerecht auf einem Couchtisch oder niedrigen Stuhl. Unter das Becken legen Sie ein Kissen, damit das Becken höher als der Brustkorb liegt. Diese Übung wird ein- bis zweimal am Tag für etwa 10 bis 15 Minuten durchgeführt.
- Die »sanfte Lichtwende« nutzt das Phänomen, dass einige Babys durch Lichteinfluss ihre Lage verändern. Dazu müssen Sie allerdings einschätzen können, wohin Ihr Baby schaut. Setzen Sie dann eine lichtstarke Taschenlampe in Blickrichtung Ihres Babys auf den oberen Teil Ihres Bauches auf und führen Sie sie langsam nach unten. Diesen Vorgang können Sie mehrmals hintereinander wiederholen.
- Die »Zilgrei-Methode« ist eine spezielle Atemtechnik mit leichter Massage. Sie müssen sie unter Anleitung einüben. Während des Einatmens schieben die über dem Schambein verschränkten Finger den Bauch nach oben und halten ihn in der Atempause fest. Während des Ausatmens sinken Hand und Bauch wieder nach unten.
- Auch die »Moxibustion« müssen Sie sich erst von Ihrer Hebamme zeigen lassen, können sie danach aber allein zu Hause durchführen. Sie entstammt der Traditionellen Chinesischen Medizin und besteht aus der Wärmebehandlung eines bestimmten Akupunkturpunktes am kleinen Zeh mit der sogenannten Moxa-Zigarre. Die Moxibustion sollte einmal täglich für 10 bis 20 Minuten an beiden kleinen Zehen durchgeführt werden.

Mehrere Untersuchungen haben übrigens gezeigt, dass sich ein bisschen »Nachhilfe« durchaus lohnen kann (siehe Kasten auf Seite 163). Auch die Akupunktur wird zur Wendung von Beckenendlagen mit sehr gutem Erfolg eingesetzt.
Haben all diese Methoden bis zum Ende der 37. Woche keinen Erfolg gehabt, bleibt nur noch die Hoffnung, dass sich das Kind doch noch von selbst dreht oder das geburtshilfliche Team die äußere Wendung (siehe folgende Frage) schafft. Sollte dies nicht der Fall sein gibt es eine Geburt aus Beckenlage oder einen Kaiserschnitt.

? Wie funktioniert die »äußere Wendung«? Wie hoch sind die Erfolgschancen?

Zunächst einmal muss abgeklärt werden, ob ein Wendungsversuch überhaupt sinnvoll ist. Das Kind darf nicht zu schwach, aber auch nicht zu groß sein, die Fruchtwassermenge sollte normal sein und es sollten keine weiteren Risikofaktoren vorliegen.
Die äußere Wendung wird erst ab dem Beginn der 38. SSW unter wehenhemmenden Medikamenten und der Bereitschaft für einen Kaiserschnitt-Notfall durchgeführt. Der Arzt versucht mit den Händen durch Druck auf die Bauchdecke das Kind zur Rolle vorwärts oder rückwärts zu bewegen. Während des Manövers wird das Kind mit Ultraschall und Herzton-Wehenschreiber (CTG) überwacht. Die Risiken sind für Sie und Ihr Baby gering, eine äußere Wendung ist auch nach einem früheren Kaiserschnitt möglich.
Mindestens die Hälfte aller Kinder lassen sich so dauerhaft in die Schädellage wenden. Die Erfolgschancen sind größer, wenn dies nicht Ihr erstes Kind ist. War ein erster Versuch erfolglos, kann nach einem oder zwei Tagen ein weiterer Versuch gestartet werden, der ebenfalls noch sehr gute Chancen hat. Wenn die äußere Wendung den Ärzten erst einmal gelungen ist, dreht sich das Baby nur in drei bis fünf Prozent der Fälle wieder zurück.

Kopfschmerzen

? Ich bin eigentlich kein »Kopfschmerzentyp«. Aber seit ich schwanger bin, habe ich mindestens einmal pro Woche damit zu kämpfen. Was kann ich tun?

Viele Schwangere haben in den ersten Monaten häufig Kopfschmerzen, weil die Nase verstopft ist, sie übermüdet oder im Nacken verspannt sind. Auch Stress, Hunger und eine erhöhte Koffeinempfindlichkeit können zu einer größeren Schmerzempfindlichkeit beitragen. Andererseits geht es manchen Frauen, die normalerweise unter Migräne leiden, in der Schwangerschaft vorübergehend deutlich besser.
Es gibt eine ganze Reihe von Hausmitteln, mit denen Sie sich bei leichten Kopfschmerzen selbst helfen können (siehe Kasten). Eine sehr gute Wirkung hat auch die Akupunktur, die Sie allerdings von einem Fachmann durchführen lassen müssen. Andere Schmerzmittel als Paracetamol sollten Sie nur nach Absprache mit Ihrem Frauenarzt einnehmen (siehe Seite 90).

TIPP

Das hilft bei Kopfschmerzen

- Ein Spaziergang an der frischen Luft
- Eine kalte Dusche
- Eine Ruhepause in einem abgedunkelten Raum
- Eine warme Kompresse über Augen und Kieferhöhlen
- Ein Eisbeutel auf Stirn, Schläfen oder Nacken
- Etwas Pfefferminzöl auf der Stirn
- Eine Schultermassage
- Eine verbesserte Körperhaltung mit lockeren Schultern und geradem Rücken
- Autogenes Training
- Paracetamol entsprechend der Packungsbeilage (eine bis zwei Tabletten alle vier Stunden)

INFO

Bekommen Sie in der zweiten Hälfte der Schwangerschaft ungewöhnlich starke Kopfschmerzen, die über einen längeren Zeitraum andauern oder von Brechreiz begleitet sind, sollten Sie augenblicklich Ihren Frauenarzt benachrichtigen. Es könnte ein zu hoher Blutdruck (siehe Seite 133) oder sogar eine Schwangerschaftsvergiftung (Präeklampsie, siehe Seite 192) dahinterstecken.

Krampfadern

Bekommen denn alle Schwangeren Krampfadern?

Nein, nicht alle, aber immerhin etwa die Hälfte aller Schwangeren bekommt Krampfadern. Die Blutgefäße sind durch die Schwangerschaftshormone erweitert und der venöse Rückfluss zum Herzen ist gestört. So staut sich das Blut in den Venen der unteren Körperhälfte, die auf der Haut die unregelmäßigen, bläulich durchscheinenden Krampfadern (Varizen) bilden.

In den meisten Fällen liegt eine erbliche Bindegewebsschwäche vor. Aber auch übergewichtige und ältere Schwangere sowie Frauen, die Mehrlinge erwarten oder schon mehrere Kinder haben, gehören zur Risikogruppe. Langes Stehen oder Sitzen und wenig Bewegung fördern zusätzlich die Entstehung von Krampfadern. Trotzdem können Sie selbst viel zur Vorbeugung tun (siehe Kästen auf Seite 167 und 168).

Von einer operativen Entfernung oder Sklerosierung der Krampfadern während der Schwangerschaft wird abgeraten. Ein solcher Eingriff ist in der Regel nicht notwendig, denn in den meisten Fällen bilden sich die erweiterten Venen nach der Geburt wieder zurück.

TIPP

Das können Sie vorbeugend gegen Krampfadern tun

- Bringen Sie Ihre Muskelpumpe durch intensive, gleichmäßige Bewegung wie Gehen, Radfahren und Schwimmen in Schwung. Häufiges und schnelles Stoppen, wie zum Beispiel beim Tennis oder Squash, ist eher ungünstig.
- Lauwarm-kalte Wechselduschen stärken die Venen, heißes Wasser ist ungünstig.
- Unterstützen Sie den venösen Rückstrom des Blutes, indem Sie die Beine mehrmals täglich hochlegen und nachts mit hochgelagerten Beinen schlafen. Stellen Sie das Fußende des Bettes um 10 bis 15 cm hoch oder legen Sie ein Kissen oder einen Keil darunter.
- Benutzen Sie bei sitzenden Tätigkeiten einen Fußschemel.
- Beugen Sie Verstopfung vor: Ernähren Sie sich ballaststoffreich mit wenig tierischem Eiweiß (siehe Seite 207).
- Behalten Sie Ihr Gewicht im Auge. Denn exzessive Gewichtszunahme fördert die Entstehung von Krampfadern.
- Achten Sie darauf, dass Ihre Kleidung nirgends einschnürt.
- Flache Absätze trainieren die Wadenmuskulatur besser als Stöckelschuhe.
- Tragen Sie eine leichte Stützstrumpfhose, vor allem wenn Sie viel stehen oder längere Zeit sitzen müssen, etwa auf längeren Auto- und Flugreisen.
- Heiße Vollbäder sind bei Krampfadern ungünstig. Dasselbe gilt für Sauna und Solarium sowie für die Haarentfernung mit Heißwachs.

In Krampfadern bilden sich leichter Venenentzündungen und Thrombosen, die sehr gefährlich werden können. Achten Sie auf Schmerzen, Schwellungen und Rötungen an den Beinen. Bei sehr starken Krampfadern wird Ihr Arzt Ihnen Kompressionsstrümpfe, venenaktive Salben und eventuell Heparinspritzen verschreiben.

? Ich habe Krampfadern an den Schamlippen. Was bedeutet das für die Geburt?

In den letzten Schwangerschaftswochen drückt der Kopf des Babys auf die Beckenvenen. Das venöse Blut wird gestaut, was manchmal zu Krampfadern im Scheidenbereich führen kann. Die Haut ist gereizt und juckt, ein dumpfer Schmerz oder Schweregefühl kann auftreten. Meist bilden sich diese Krampfadern drei bis vier Wochen nach der Geburt wieder vollständig zurück.
Bei der Geburt wird das geburtshilfliche Team wegen der Blutungsgefahr aus den Krampfadern darauf achten, dass ein eventuell notwendiger Dammschnitt an den Venen vorbei geführt wird. Kommt es dennoch zu Blutungen, sind diese in der Regel aber gut zu unterbinden. Ein Kaiserschnitt ist aus diesem Grund normalerweise nicht nötig. Wenn Sie eine Wassergeburt anstreben, darf das Wasser nicht wärmer als 34 °C sein.

TIPP

Das hilft bei Krampfadern

- Bei ausgeprägten Krampfadern sollten Sie schon ganz früh individuell angepasste Kompressionsstrümpfe tragen. Möglicherweise verordnet Ihnen Ihr Arzt auch Medikamente.
- Kühlen Sie die betroffenen Gebiete mit kalten Umschlägen oder Waschungen mit Obstessig.
- Cremen Sie sich die Beine mit pflanzlichen Salben, Gels oder Cremes ein, etwa mit Rosskastanie, Zypresse, Weinlaub, Arnika, Calendula, Myrte, Wacholder, Hamamelis oder Mäusedorn. Dies ist besonders wohltuend, wenn die Salben im Kühlschrank aufbewahrt werden.
- Ein anderes Hausmittel sind Quarkumschläge. Dazu wird kalter Magerquark auf ein Baumwoll- oder Leinentuch gestrichen und um das Bein gewickelt. Einwirken lassen, bis der Quark von der Haut bröckelt.

Bei Krampfadern im Scheidenbereich helfen ebenfalls kühle Auflagen (siehe Kasten links). Bestreichen Sie eine Binde mit Gel oder Salbe, die Sie im Kühlschrank gelagert haben. Dann legen Sie die Binde an und machen es sich im Bett oder auf dem Sofa gemütlich: Das Becken und die Beine sollten durch ein dickes Kissen unterstützt etwas erhöht liegen.

Müdigkeit

? Warum bin ich nur immer so müde? Ich bin doch erst ganz am Anfang der Schwangerschaft!

Dass Sie sich gerade im ersten Schwangerschaftsdrittel sehr müde fühlen, ist ganz typisch. Der Bauch ist zwar noch nicht zu sehen, aber trotzdem vollbringt Ihr Körper Höchstleistungen. In den ersten drei Monaten schafft er das Versorgungssystem für Ihr Baby. Und Ihr Organismus muss sich an viele neue Anforderungen der Schwangerschaft gewöhnen. Das Herz pumpt mehr Blut schneller durch Ihren Körper und Sie atmen häufiger. Der Blutdruck sinkt. An vielen unterschiedlichen Stellen Ihres Körpers wirken Unmengen von Hormonen und verursachen Veränderungen, wie eben Müdigkeit und andere typische Schwangerschaftsbeschwerden.
Die ganz normale Müdigkeit kann durch ständige Übelkeit und Erbrechen noch verstärkt werden, weil dem Körper in der Schwangerschaft nicht mehr so viel hochwertige Energie zur Verfügung steht.
Außerdem trägt Eisenmangel oft zur Müdigkeit bei. Viele Frauen nehmen generell zu wenig Eisen auf, vor allem wenn sie starke Monatsblutungen haben oder sich vegetarisch ernähren (siehe Seite 10). In der Schwangerschaft steigt der Eisenbedarf dann noch enorm an. Wenn nicht deutlich mehr von diesem wichtigen Mineralstoff zugeführt wird, zeigen sich die ersten Symptome eines Eisenmangels: Müdigkeit, Nervosität, Herzklopfen, Atemnot, Blässe, brüchige Nägel, eingerissene Mundwinkel. Wenn Sie diese Symptome bei sich

bemerken, lassen Sie sich von Ihrem Frauenarzt ein Eisenpräparat verschreiben (siehe ab Seite 15).
Ein kleiner Trost: Ab dem vierten Schwangerschaftsmonat fühlen sich die meisten Frauen dann richtig fit. Aber leider nicht sehr lange, denn in den letzten drei Monaten, wenn sie eine beträchtliche Last zu tragen haben, ermüden sie wieder schneller. Das hat einerseits mit dem Gewicht zu tun, das sie nun mit sich herumtragen müssen. Andererseits wird der Schlaf dann öfter gestört durch die Suche nach einer bequemen Schlafposition, häufige nächtliche Toilettengänge und die Angst vor der Geburt.

TIPP

Das hilft gegen Müdigkeit

- Kämpfen Sie nicht gegen die Erschöpfung an, sondern versuchen Sie auch tagsüber, wann immer es geht, sich etwas auszuruhen.
- Denken Sie daran, dass Ihr Arbeitgeber verpflichtet ist, Ihnen kurze Ruhepausen, etwa in einem Liegeraum, zu ermöglichen.
- Gehen Sie abends früher schlafen – am besten nach einem entspannenden Bad.
- Verzichten Sie darauf, den Haushalt perfekt zu führen. Vieles kann erst einmal liegen bleiben. Sie haben die schönste Entschuldigung der Welt!
- Wenn Sie berufstätig sind, nehmen Sie sich nach Möglichkeit einige Tage Urlaub und erholen Sie sich.
- Achten Sie auf gesunde Ernährung.
- Essen Sie häufiger, aber nur kleine Mahlzeiten, damit Ihre Energiereserven immer gefüllt sind.
- Gehen Sie regelmäßig spazieren, atmen Sie ganz bewusst und genießen Sie die Umgebung.
- Treiben Sie regelmäßig Sport (siehe ab Seite 56) – das regt Ihren Kreislauf an und sorgt für einen zusätzlichen Energieschub.

- Nehmen Sie Hilfe von anderen Menschen an. Geben Sie am Arbeitsplatz Aufgaben an andere ab. Sie können sich in einigen Wochen revanchieren.
- Wenn Sie schon Kinder haben: Organisieren Sie jemanden, der ab und zu etwas mit den Kindern unternimmt.
- Wenn Sie zum ersten Mal schwanger sind: Sie müssen nicht ständig auf Achse sein. Genießen Sie Ihre vorerst letzte Chance, sich nur um sich selbst zu kümmern.

Muttermundschwäche

? Ist es gefährlich, wenn der Muttermund nicht ganz geschlossen ist?

Bei einer Muttermundschwäche (Zervixinsuffizienz, siehe folgende Frage) öffnet sich der Muttermund nicht erst bei der Geburt, sondern schon vorzeitig, manchmal schon zu Beginn des zweiten Schwangerschaftsdrittels. Das kann gefährlich werden, weil sich Keime leichter ansiedeln, die dann zu einer Fehlgeburt oder Frühgeburt führen können.
Die Gründe für eine Zervixinsuffizienz sind in den meisten Fällen unbekannt.

? Ich habe eine Muttermundschwäche. Was kann getan werden, um eine Frühgeburt zu verhindern?

Wenn Sie noch keine vorzeitigen Wehen haben, kann konsequente körperliche Schonung in den meisten Fällen eine Frühgeburt verhindern. Wichtig ist zusätzlich, Infektionen im Scheidenbereich zu vermeiden, indem der pH-Wert im sauren Bereich gehalten wird. Teststäbchen oder Testhandschuhe erhalten Sie in der Apotheke. Schon vorhandene Infektionen müssen sorgfältig behandelt werden (siehe ab Seite 36).
Eine Muttermundschwäche, die sich schon sehr früh in der

Schwangerschaft zeigt, kann mit einem Muttermundverschluss (Cerclage) behandelt werden. Dabei wird der Gebärmutterhals unter Narkose ungefähr im vierten Schwangerschaftsmonat zugenäht, das heißt, ein Kunststoffbändchen wird mit wenigen Stichen um die Zervix gelegt und wie bei einem Tabaksbeutel zugezogen. Das Bändchen wird erst eine oder zwei Wochen vor dem Entbindungstermin entfernt. Statt des Bändchens kann auch ein Cerclage-Pessar, das ist ein Ring aus weichem Gummi, ohne Narkose einfach über den Muttermund gestreift werden.

Leider kann ein Muttermundverschluss vorzeitige Wehen und eine Frühgeburt nicht mit absoluter Sicherheit verhindern. Allerdings können damit unter günstigen Voraussetzungen einige Wochen Zeit gewonnen werden. Vor allem Frauen, die in einer früheren Schwangerschaft schon einmal eine Muttermundschwäche hatten, kann auf diese Weise geholfen werden. Zusätzlich können Medikamente vorzeitigen Wehen und einer Scheideninfektion vorbeugen. Sprechen Sie mit Ihrem Arzt darüber.

Myome

? Müssen Myome in der Schwangerschaft eigentlich entfernt werden, damit sie bei der Geburt nicht stören?

Myome sind gutartige Geschwulste, die in der Muskelschicht der Gebärmutter auftreten. Früher wurde angenommen, dass sie empfindlich auf die Östrogeneinwirkung in der Schwangerschaft reagieren und in dieser Zeit stärker wachsen. Das konnte in sorgfältigen Studien aber nicht bestätigt werden. Heutzutage werden Myome in der Schwangerschaft kaum noch entfernt, denn in der Regel verusachen sie in der Schwangerschaft und bei der Geburt keine Komplikationen. Wenn ein Myom so schnell wächst, dass es die Gebärmutterwand sehr stark dehnt, oder wenn ein »gestieltes« Myom sich

am Stiel dreht und nicht mehr ausreichend mit Blut versorgt wird, entstehen deutliche Schmerzen. Es besteht jedoch kein Grund zur Beunruhigung. Normalerweise ist es ausreichend, wenn etwa alle vier Wochen im Ultraschall kontrolliert wird, ob und wie stark das Myom in der Gebärmutter wächst.
Sehr selten liegt das Myom an einer Stelle, wo es zu einem Geburtshindernis werden kann. Ihr Frauenarzt wird das aber mithilfe von Ultraschalluntersuchungen sorgfältig beobachten.

Nasenbluten

? Warum blutet meine Nase auf einmal so oft? Wie kann ich dem vorbeugen?

Nasenbluten tritt in der Schwangerschaft häufig auf. Die Blutgefäße in der jetzt stärker durchbluteten Nasenschleimhaut werden leichter verletzt, oft schon bei zu kräftigem Naseputzen. Aber auch die größere Blutmenge im Körper trägt zu verstärktem Nasenbluten bei.
Die Blutung sieht meist dramatischer aus, als sie wirklich ist, denn der Blutverlust ist minimal. Wenn Sie aus der Nase bluten, sollten Sie sich leicht nach vorn beugen und die Nasenflügel für fünf bis zehn Minuten zusammendrücken. Zusätzlich können Sie kalte Tücher auf die Stirn und in den Nacken legen. Die Kälte bewirkt, dass sich die Blutgefäße zusammenziehen und die Blutung aufhört. Gelangt Blut in den Rachen, sollten Sie es nicht schlucken, sondern ausspucken, damit Ihnen nicht übel wird. Halten die Blutungen länger als 20 Minuten an, suchen Sie vorsichtshalber einen Arzt auf.
Zur Vorbeugung sollten Sie viel trinken und die Nasenschleimhaut durch eine pflegende Salbe oder Nasenöl feucht halten. Naseputzen ist nur sinnvoll, wenn Sekret produziert wurde, jedoch nicht, wenn die Nasenschleimhaut nur angeschwollen ist. Vor allem einige Stunden nach dem Nasenbluten können sich durch den erhöhten Druck beim Schnäuzen angetrocknete Blutkrusten lösen und eine erneute Blutung auslösen.

Häufiges Nasenbluten kann aber auch ein Symptom von Bluthochdruck sein. Deshalb sollten Sie es bei der nächsten Vorsorgeuntersuchung erwähnen.

Niedriger Blutdruck

? Mein Blutdruck war immer schon niedrig. Aber seit ich schwanger bin, ist es noch schlimmer. Was kann ich dagegen tun?

Viele Frauen haben vor allem zu Beginn der Schwangerschaft Kreislaufprobleme. Bei den meisten Schwangeren sinkt der »untere« (diastolische) Wert des Blutdrucks um 5 bis 10 mmHg (Millimeter Quecksilbersäule). Der Grund: Die Blutgefäße sind durch die Hormonwirkung erweitert und das Blut versackt schneller in den Beinen.
Schwindel, Müdigkeit, Antriebslosigkeit und leichte Übelkeit sind ohnehin typische Beschwerden in der Frühschwangerschaft. Frauen, die schon vor der Schwangerschaft einen niedrigen Blutdruck (Hypotonie) hatten, sowie sehr schlanke Frauen leiden besonders stark darunter.

INFO

Wenn Sie Ohnmachtsanfälle haben, sollten Sie zum Arzt gehen. Denn das ist ein Zeichen dafür, dass auch die Versorgung Ihres Kindes nicht optimal ist. Vielleicht wird Ihr niedriger Blutdruck auch durch eine Blutarmut verstärkt, die behandelt werden muss.

Vor allem morgens beim Aufstehen, bei längerem Stehen, bei plötzlichem Aufstehen aus dem Sitzen, bei heißem Wetter oder in überheizten Räumen macht sich der niedrige Blutdruck unangenehm bemerkbar. Das Gehirn wird nicht mehr ausreichend durchblutet. Das führt zu Ohrensausen und

chwindel, es wird einem flau im Magen und schwarz vor
en Augen. Zusätzlich schlägt das Herz schneller und stärker,
m den niedrigeren Blutdruck auszugleichen. Einerseits zeigt
ies, dass Sie sich körperlich nicht zu stark belasten sollten.
ndererseits können Sie niedrigen Blutdruck am besten
urch dosierte und regelmäßige Bewegung auf Trab bringen
siehe die folgenden Tipps).

TIPP

Das hilft bei niedrigem Blutdruck

- Wechselwarme Duschen oder zumindest ein kalter Guss nach der warmen Dusche
- Trockenbürsten
- Duschgels oder Badezusätze mit Zusatz von Rosmarin oder Lavendel
- 10 bis 15 Tropfen Kampferöl auf einem Stück Würfelzucker im Mund zergehen lassen
- Spaziergänge an der frischen Luft
- Schwimmen
- Viel trinken

Ödeme

Ich habe abends immer geschwollene Beine, mein Urin und Blutdruck sind aber in Ordnung. Ist das trotzdem gefährlich?

Vassereinlagerungen (Ödeme) ohne Blutdruckerhöhung
nd Eiweiß im Urin sind unangenehm und müssen über-
vacht werden. Sie schaden Ihrem Kind aber nicht. Das Blut-
olumen nimmt in der Schwangerschaft zu, das Blut wird
ünner und die Wände der Blutgefäße werden durchlässiger.
Gewebswasser kann deshalb leichter aus den Blutgefäßen
n das umliegende Gewebe übertreten.

Zwei Drittel aller Schwangeren bemerken bei warmem Wetter und abends, dass die Füße schwerer und die Fesseln dicker werden und manchmal auch unangenehm kribbeln. Viele Frauen kaufen sich in der Schwangerschaft deshalb etwas größere Schuhe.
Wasseransammlungen machen sich übrigens nicht nur an den Beinen bemerkbar, sondern gelegentlich auch an den Händen. Manche Schwangere können ihren Ehering nicht mehr vom Finger abziehen, in anderen Fällen können Ödeme sogar zum Karpaltunnel-Syndrom führen (siehe Taubheitsgefühle, Seite 200).

INFO

Wird bei den Vorsorgeuntersuchungen festgestellt, dass Sie zusätzlich zu den Ödemen Eiweiß im Urin und einen zu hohen Blutdruck haben, steckt wahrscheinlich eine beginnende Schwangerschaftsvergiftung (Präeklampsie, siehe Seite 192) dahinter. Diese muss unbedingt sorgfältig überwacht und behandelt werden.

? Mein Gesicht ist seit Beginn der Schwangerschaft leicht aufgedunsen, irgendwie rundlicher. Sind das auch Ödeme und muss ich etwas dagegen tun?

Vermehrte Wassereinlagerungen im Gewebe müssen sich nicht nur an den Beinen bemerkbar machen. Oft sind auch die Hände (Taubheitsgefühle, siehe Seite 200) und mehr oder weniger stark auch das Gesicht betroffen. Bei den meisten Schwangeren führt das zu einem weicheren und strahlenden Aussehen – die Haut sieht prall und fest aus und kleine Fältchen verschwinden. Ist die Wassereinlagerung etwas stärker, kann das Gesicht aber auch etwas aufgedunsen aussehen. Erwähnen Sie die Gesichtsödeme bei Ihrem nächsten Vorsorgetermin. Ihr Frauenarzt wird dann besonders sorgfältig abklären, ob etwas Ernsthaftes, wie eine Präeklampsie (siehe Seite 192) oder eine Nierenerkrankung, dahintersteckt. In der Regel sind die Schwellungen im Gesicht aber ganz harmlos. Versuchen Sie zur Linderung kühlende Masken, kalte Kompressen und abschwellende Augencremes. Auf keinen Fall sollten Sie jetzt weniger trinken oder sich salzarm ernähren.

TIPP

So können Sie Ödemen vorbeugen

- Vermeiden Sie langes Stehen.
- Legen Sie die Beine möglichst oft hoch.
- Schlagen Sie die Beine beim Sitzen nie übereinander.
- Trainieren Sie die Wadenmuskulatur durch viel Bewegung, wie Schwimmen, Spazierengehen und Radfahren. Wenn Sie am Schreibtisch sitzen, wackeln Sie zwischendurch mit den Zehen oder rollen mit den Füßen über einen Massageball oder -roller.
- Brausen Sie die Beine nach dem Duschen kalt ab. Das verengt die Gefäße und fördert ihre Spannkraft.
- Empfehlenswert sind Stützstrumpfhosen. Beginnen Sie mit einer ganz leichten Ausführung, vielleicht reicht das bei Ihnen schon. So können Sie auch sehr wirkungsvoll Krampfadern vorbeugen (siehe Seite 167).
- Tragen Sie flache Schuhe, denn hohe Absätze verhindern die venenaktive Arbeit der Wadenmuskulatur.
- Ihre Kleidung sollte locker anliegen und auf keinen Fall die Durchblutung der Beine behindern.
- Vermeiden Sie sehr salzhaltige Nahrungsmittel, wie Anchovis, Salzheringe, Oliven, gesalzene Nüsse, Chips oder Laugengebäck.
- Trinken Sie viel – auch wenn das paradox erscheint!
- Achten Sie auf Ihr Gewicht: Jedes Pfund zu viel belastet auch Ihre Beine.

TIPP

Das hilft bei schweren Beinen

- Folgende Tees wirken entwässernd – trinken Sie aber nicht mehr als zwei Tassen pro Tag: Brennnessel, Birkenrinde, Zinnkraut, Schachtelhalm, Eisenkraut, Johanniskraut und Löwenzahn.
- Auch Molke, grüner Tee und Roibostee wirken leicht entwässernd. Davon dürfen Sie ruhig mehr trinken.
- Einige Gemüsesorten, wie Porree, Spargel, Sellerie, Petersilie, Pellkartoffeln und Salatgurken, und Obstsorten, wie Ananas, Sauerkirschen, Äpfel und Birnen, schwemmen aus.
- Auch eine Reismahlzeit wirkt entwässernd. Ganze Reistage sind nach neueren Erkenntnissen jedoch eher schädlich.
- Nehmen Sie ein warmes Bad, am besten mit einem Zusatz von Meersalz.
- Kalte Beingüsse und Wadenwickel, zum Beispiel mit Pfefferminztee oder einer Salzlösung (ein Esslöffel Salz in einer Tasse Wasser auflösen), wirken sehr gut gegen das Spannungsgefühl.
- Einreiben mit Franzbranntwein oder Kampferspiritus (aus der Apotheke) ist angenehm.
- Massieren Sie Ihre Beine mit einem kühlenden Gel oder einer Salbe mit Rosskastanienextrakt. Auch die Massage mit einem Massageball tut Ihren Beinen wohl.

Plazentakomplikationen

? Woran ist zu sehen, ob der Mutterkuchen richtig funktioniert?

Bei jeder Ultraschalluntersuchung wird auch immer die Plazenta mit beurteilt. Falls die Plazenta oder das Kind zu klein ist oder zu wenig Fruchtwasser vorhanden ist, wird mit gezielten Methoden weiter gesucht, woran das liegt. Mit einem

sogenannten Doppler-Ultraschall (siehe Kasten auf Seite 222) kann die Durchblutung der Nabelschnur und der größeren Blutgefäße von Plazenta und Kind beurteilt werden. Bei einer Plazentainsuffizienz sind häufig die Blutgefäße zu eng oder verkalkt, wodurch das Kind in der Gebärmutter nicht mehr optimal versorgt wird.
Das höchste Risiko für eine Plazentainsuffizienz haben Schwangere mit Diabetes und Bluthochdruck, Raucherinnen sowie Schwangere, die Mehrlinge erwarten oder den Geburtstermin schon überschritten haben.

? Mein Frauenarzt hat eine tief liegende Plazenta festgestellt. Ist das gefährlich?

Wenn der Mutterkuchen (Plazenta) vor dem inneren Muttermund liegt (Placenta praevia totalis), ist der Geburtsweg versperrt. Die Spätschwangerschaft muss dann sehr genau überwacht werden. Eine normale Geburt ist nicht möglich, denn sie würde zu lebensgefährlichen Blutungen führen. In einem solchen, sehr seltenen Fall muss immer ein Kaiserschnitt durchgeführt werden.

INFO

Eine tief liegende Plazenta ist relativ häufig und sowohl Schwangerschaft als auch Geburt verlaufen meist komplikationslos. Die Wahrscheinlichkeit ist ziemlich groß, dass der Mutterkuchen bis zur Geburt noch nach oben »wandert«, denn die Gebärmutter wächst stärker als der Mutterkuchen (Plazenta).
Aus großen Ultraschallstudien ist bekannt, dass bei 5 Prozent aller Schwangeren im zweiten Schwangerschaftsdrittel die Plazenta noch über dem inneren Muttermund liegt. Im letzten Drittel der Schwangerschaft ist das dagegen nur noch bei 0,5 Prozent aller Schwangeren der Fall.

Eine Plazenta, die nur teilweise in den Geburtskanal hineinragt (Placenta praevia partialis) oder an dessen Rand liegt (Placenta praevia marginalis), ist weniger gefährlich. Aber auch hier kann es je nach Lage zu gefährlichen Blutungen gegen Ende der Schwangerschaft kommen und eine Schnittentbindung lässt sich mitunter nicht vermeiden.

Rhesus-Unverträglichkeit

? Ich bin Rhesus-negativ und schwanger. Meine Frauenärztin sagt, das sei heute überhaupt kein Problem mehr. Stimmt das denn?

Tatsächlich ist die Rhesus-Unverträglichkeit seit der Einführung der Anti-D-Prophylaxe (vorbeugendes Rhesus-Antiserum) und der verbesserten Vorsorgeuntersuchungen nur noch eine extrem seltene Komplikation.
Theoretisch kann eine Rhesus-negative Frau von einem Rhesus-positiven Partner schwanger werden, gegen dessen »fremdes«, Rhesus-positives Blut sie Antikörper bildet. Diese Rhesus-Unverträglichkeit entsteht aber erst, wenn schon ein Blutkontakt zwischen Mutter und Kind stattgefunden hat, in der Regel bei der Geburt des ersten Kindes, selten auch bei Fehlgeburten, Schwangerschaftsabbrüchen oder Eingriffen wie der Amniozentese (siehe Seite 224). Wenn kleine Mengen kindlichen Blutes in den Blutkreislauf der Mutter gelangen, bildet diese gegen die »fremden« Zellen Antikörper, ist also sensibilisiert. Kommt es nun bei einer zweiten Schwangerschaft zu einem Blutkontakt, bildet die Mutter sofort massiv Antikörper.
Um dies zu verhindern, wird der Frau vorsorglich innerhalb von 72 Stunden eine Spritze mit »Anti-D«-Antikörpern gegeben, die eine Sensibilisierung im mütterlichen Immunsystem verhindert. Dadurch wird der neutrale Zustand von vor der ersten Schwangerschaft hergestellt und einer schweren Rhesus-Unverträglichkeit beim nächsten Kind vorgebeugt.

ippenschmerzen

Sind Rippenschmerzen in den letzten chwangerschaftswochen normal oder ein larmzeichen?

ormalerweise sind die Schmerzen harmlos, denn im letzten chwangerschaftsdrittel drückt die große Gebärmutter die ippen von unten zusammen. Oft werden die Schmerzen uch direkt durch die Bewegungen Ihres Kindes ausgelöst, enn es Sie »tritt« oder »boxt«.

ypischerweise sind die Schmerzen schlimmer auf der rechten eite und wenn Sie sitzen. Sie können nur durch lockere Kleiung und eine aufrechte Haltung vor allem beim Sitzen etwas egen die Schmerzen tun. Ein Trost: Sie werden erträglicher der verschwinden ganz, wenn das Kind vor der Geburt mit inem Köpfchen tiefer in das Becken eintritt.

isikoschwangerschaft

Bin ich schon eine »Risikoschwangere«, enn ich eines der Kriterien auf der Liste von eite 5 im Mutterpass erfülle?

ach dieser Liste müsste die Mehrzahl aller werdenden ütter als Risikoschwangere eingestuft werden. Ganz so hlimm ist es aber glücklicherweise nicht. Die Kriterien im utterpass sind sehr weit gefasst und bedeuten eigentlich ur, dass die normalen Vorsorgeuntersuchungen besonders rgfältig durchgeführt und bei Bedarf durch weiter gehende ests ergänzt werden sollten.

elbst die häufigsten Komplikationen treten nur bei einem hr kleinen Teil der Schwangeren auf: Bluthochdruck (etwa hn Prozent), Frühgeburt (etwa sieben Prozent), Mangelersorgung des Kindes (etwa sechs Prozent), Diabetes mellitus etwa fünf Prozent) und Schwangerschaftsvergiftung (Präklampsie, etwa zwei Prozent). Die moderne Geburtsmedizin,

in der Geburtshelfer und Neugeborenenmediziner erfolgreich zusammenarbeiten, hat heute viele Möglichkeiten, mit all diesen Besonderheiten umzugehen.
Eine gesunde Schwangere, die sich vernünftig ernährt, nicht raucht, keinen Alkohol trinkt und regelmäßig alle Vorsorgeuntersuchungen wahrnimmt, wird mit sehr hoher Wahrscheinlichkeit auch ein gesundes Kind zur Welt bringen.

Rückenschmerzen

? Ich bin erst in der 10. SSW, habe aber schon ständig Rückenschmerzen. Liegt das an meiner abgeknickten Gebärmutter?

Das kann eine Ursache sein. Wenn die Gebärmutter nach hinten, also in Richtung Kreuzbein, zeigt, entsteht dort vor allem zu Beginn der Schwangerschaft ein starker Druck. Schlafen Sie daher, solange es noch geht, in der Bauchlage, eventuell mit Kissen abgestützt.

TIPP

Das hilft bei Rückenschmerzen

- Nehmen Sie zur Entspannung ein warmes Vollbad (maximal 39 °C).
- Heiße oder kalte Wärmflaschen können helfen.
- Legen Sie sich in der Seitenlage hin und beugen Sie den Rücken zum Katzenbuckel. Stützen Sie sich mit Kissen zwischen den Knien und unter dem Bauch ab.
- Tragen Sie mehrmals täglich Pfefferminzöl auf die verspannten Partien auf.
- Massieren Sie den schmerzenden Bereich mit einigen Tropfen Aromaöl (Jasmin, Mandarine, Rosmarin) in Jojobaöl – oder bitten Sie Ihren Partner darum. Aber Vorsicht: Eine Massage im Kreuzbeinbereich kann möglicherweise zu Kontraktionen der Gebärmutter führen!

- Bei starken Rückenproblemen kann eventuell ein Stützmieder (Umstandsmieder) Abhilfe schaffen.
- Lassen Sie sich physiotherapeutisch oder osteopathisch behandeln.
- Wenn nichts hilft: Paracetamol dürfen Sie auch in der Schwangerschaft einnehmen (siehe Seite 90).

---

n der späteren Schwangerschaft werden Rückenschmerzen
her durch die ungewohnte Belastung der Wirbelsäule und
urch schlechte Haltung ausgelöst. Dies umso mehr, weil die
elenke als Vorbereitung auf die Geburt durch das Hormon
rogesteron lockerer geworden sind. Muskeln und Bänder
verden im gesamten Beckenbereich extrem beansprucht.
urch den übergroßen, schweren Bauch neigen Schwangere
u einer falschen Körperhaltung: Der Bauch wird nach vorn
estreckt und ein Hohlkreuz gebildet. Dadurch wird die
ückenmuskulatur überanstrengt.
eim Hexenschuss (Lumbago) ist der Schmerz auf den
ücken beschränkt und strahlt nicht aus wie beim Ischias-
chmerz (siehe Seite 155). Der Hexenschuss tritt in der Regel
ei schon vorgeschädigten Bandscheiben auf. In sehr schweren
ällen von Bandscheibenvorfall kann sogar eine Operation
vährend der Schwangerschaft sinnvoll sein.

TIPP

So können Sie Rückenschmerzen vorbeugen

- Wenn Sie etwas aufheben wollen, gehen Sie in die Knie. Der Rücken bleibt dabei gerade, die Gesäßmuskeln werden angespannt. Schwere Lasten sollten Sie in der Schwangerschaft möglichst anderen überlassen.
- Wenn Sie sich setzen, dann immer ohne Last, also erst hinsetzen, dann ein Kind auf den Schoß nehmen.
- Vermeiden Sie langes Stehen.
- Legen Sie häufiger die Füße hoch.

- Sitzen Sie aufrecht mit gerader Rückenlehne und bleiben Sie nicht zu lange in derselben Sitzposition. Bewegen Sie sich auf dem Stuhl oder stehen Sie zwischendurch auf und gehen Sie ein paar Schritte. Auch das Sitzen im Schneidersitz ist gut für den Rücken.
- Zwischendurch tut Rückenstretching gut: Ziehen Sie mit erhobenen Armen die Wirbelsäule lang.
- Machen Sie im Liegen auf der Seite einen Katzenbuckel, um das Hohlkreuz zu entlasten.
- Achten Sie auf eine harte, feste Matratze im Bett.
- Verzichten Sie auf hochhackige Schuhe. Flache Absätze sind rückenschonender.
- Regelmäßige Bewegung ist wichtig, am besten Rückenschwimmen und Schwangerschaftsgymnastik. Auch Yoga ist für Schwangere mit Rückenproblemen ideal.

Schambeinlockerung

? Ich habe seit der 35. Woche eine Schambeinlockerung. Was bedeutet das für die Geburt?

Die Schambeinlockerung entsteht manchmal bei der Geburt, seltener schon in der späten Schwangerschaft. Bei sehr schwachem Bindegewebe kommt es dabei zu einem Auseinanderweichen der Knochen an der Schambeinfuge und zu einer Instabilität im Becken.

Die Schambeinlockerung verursacht starke Schmerzen bei jeder Bewegung, vor allem beim Gehen und Sitzen. Entsprechend müssen Sie sich auf starke Schmerzen beim Durchtritt des kindlichen Köpfchens während der Geburt vorbereiten und sich überlegen, ob Sie von vornherein eine Betäubung wünschen (PDA). Empfohlen wird strikte Bettruhe vor und nach der Geburt, bis die Schmerzen erträglicher werden, was meist rund zwei Wochen nach der Entbindung der Fall ist. Sie dürfen in der Schwangerschaft erlaubte Schmerzmittel nehmen (siehe Seite 90). Außerdem ist eine ausreichende Kazium- und Vitamin-D-Zufuhr wichtig. In schweren Fällen kann ein spezieller orthopädischer Stützgürtel (Umstandsmieder) angepasst werden.

Schlaflosigkeit

? Bis zur Geburt sind es noch zwei Monate und ich kann jetzt schon nicht mehr richtig schlafen, obwohl ich todmüde bin ...

Gegen Ende der Schwangerschaft haben viele Frauen Schlafprobleme, obwohl sie sich ständig müde fühlen. Schwangere schlafen nicht so tief und werden bei jeder falschen Bewegung ihres schwer gewordenen Körpers wach. Eine bequeme Schlafposition gibt es oft nur noch für Minuten. Dann meldet sich entweder das Baby mit heftigen Bewegungen oder der eigene Körper mit Schweißausbrüchen, Sodbrennen, kribbelnden Händen, Wadenkrämpfen, Harndrang, Hunger oder Durst. Und schließlich ist das Wiedereinschlafen durch stundenlanges Grübeln über die Geburt und die Zeit danach fast unmöglich …
Im Kasten finden Sie Tipps, die Ihnen bei Schlafloskeit helfen können (siehe auch Müdigkeit, ab Seite 169).

TIPP

Das hilft bei Schlaflosigkeit

- Legen Sie sich, wenn möglich, auch tagsüber hin – immer dann, wenn Sie sehr müde sind.
- Unternehmen Sie einen kleinen Abendspaziergang mit Ihrem Partner. Das schaukelt auch Ihr Baby in den Schlaf.
- Essen Sie abends nur leicht und nicht zu stark gewürzt.
- Nehmen Sie vor dem Schlafengehen ein warmes Bad. Beruhigende Badezusätze sind Melissen-, Rosmarin-, Lavendel-, Veilchen- und Baldrianöl.

- Trinken Sie vor dem Zubettgehen ein Glas warme Milch mit Honig oder einen warmen Kräutertee. Beruhigend wirken Melisse, Orangenblüten, Baldrian, Passionsblume und Hopfen. Manche Schwangere schwören auf ein Glas alkoholfreies Bier.
- Trinken Sie nach 16 Uhr keine koffeinhaltigen Getränke mehr.
- Lassen Sie sich von Ihrem Partner massieren.
- Kuscheln Sie mit Ihrem Partner, tauschen Sie Zärtlichkeiten aus. Das baut Spannungen ab.
- Sanfte Musik, Fernsehen oder ein nicht zu spannendes Buch machen schläfrig.
- Sehr beruhigend kann es auch sein, wenn Ihr Partner Ihnen vorliest.
- Lernen Sie Entspannungsübungen, wie progressive Muskelrelaxation oder autogenes Training.
- Sorgen Sie für optimale Schlafbedingungen. Das Schlafzimmer sollte gut gelüftet und eher kühl sein, außerdem dunkel und ruhig.
- Tragen Sie ein leichtes Nachthemd, damit Ihnen nachts nicht zu heiß wird.
- Falls Sie kalte Füße haben, tragen Sie auch beim Schlafen Socken. Legen Sie sich ein heißes Kirschkernkissen oder eine Wärmflasche an die Füße, das wärmt und entspannt.
- Schlafen Sie auf der Seite. Betten Sie sich in verschiedenen Positionen auf zusätzliche Kissen, um eine bequeme Lage für sich selbst und Ihr Baby zu finden. Benutzen Sie schon jetzt ein sogenanntes Stillkissen (eine gekrümmte lange »Kissenwurst«), mit dem Sie Ihren Bauch nach Bedarf unterpolstern können.
- Wenn Sie in der Nacht aufwachen und nicht mehr einschlafen können, bleiben Sie nicht im Bett liegen. Stehen Sie auf, lesen Sie oder schalten Sie den Fernseher ein. Sie können auch Kreuzworträtsel lösen, stricken, nähen oder Ihrem ungeborenen Kind einen langen Brief schreiben. Meistens kommt der Schlaf dann von selbst.

- Wenn Sie Angst vor der Geburt haben: In einem Geburtsvorbereitungskurs (siehe ab Seite 117) erhalten Sie Gelegenheit, Ihre Fragen zu stellen und über Unsicherheiten zu sprechen. Vor allem merken Sie dann, dass Sie mit Ihren Sorgen nicht allein sind.
- Die Entbindungsstation der von Ihnen gewählten Klinik führt sicher Informationsabende für werdende Eltern durch. Hier können Sie die Räumlichkeiten, die Hebammen und Geburtshelfer kennenlernen, Fragen stellen und so die Angst vor dem Unbekannten reduzieren.
- Wenn Sie sich Sorgen über die Zukunft mit Ihrem Kind machen: Sprechen Sie mit jemandem, der Ihr Vertrauen genießt und Ihre Gedanken ernst nimmt. Versuchen Sie nicht, Ihre Ängste und Sorgen einfach zur Seite zu schieben. Sie auszusprechen hilft Ihnen dabei, sich damit auseinanderzusetzen, und nimmt den Druck.
- Auf Schlaftabletten sollten Sie zunächst einmal verzichten. Wenn keins der Hausmittel mehr hilft, wenden Sie sich an Ihren Frauenarzt.

Schmierblutungen

? Ich habe hin und wieder leichte Schmierblutungen, aber bis jetzt (13. Woche) war bei den Untersuchungen immer alles in Ordnung. Muss ich mir trotzdem Sorgen machen?

Schmerzlose leichte Schmierblutungen kommen in der Frühschwangerschaft recht häufig vor, schätzungsweise bei etwa einem Viertel aller Schwangeren. Die meisten dieser Schwangerschaften laufen danach ungestört weiter.
Manche werdenden Mütter haben einen zu niedrigen Spiegel des Gelbkörperhormons (siehe Seite 91) und bluten deshalb vorübergehend in den ersten Wochen. Auch später in der Schwangerschaft kann es noch zu Schmierblutungen oder

leichten Blutungen (siehe Seite 134) kommen, und zwar meist um die Zeit herum, wenn normalerweise Ihre Regelblutung eingesetzt hätte. Gegen Ende der Schwangerschaft wird der leicht blutige Abgang des Schleimpfropfs häufig als Schmierblutung angesehen.
Die Verletzung feiner Blutgefäße am Muttermund, etwa nach dem Geschlechtsverkehr (siehe folgende Frage), sowie eine entzündete oder versprengte Gebärmutterschleimhaut am äußeren Muttermund sind weitere harmlose Ursachen für Blutungen in der Schwangerschaft.
Oft sind leichte Blutungen nur ein Zeichen dafür, dass Sie sich etwas mehr schonen sollten. Nach ein paar Tagen Ruhe ist fast immer alles wieder in Ordnung.

INFO

Blutungen während der Schwangerschaft, egal ob mit oder ohne Schmerzen, sind zwar sehr oft harmlos, können aber auch ein Warnzeichen für eine ernsthafte Störung sein: Eine Fehlgeburt (siehe ab Seite 142) oder eine Plazentakomplikation (siehe ab Seite 178) kann sich zum Beispiel so ankündigen. Eine ärztliche Kontrolle ist deshalb immer sinnvoll.

? Nach dem Geschlechtsverkehr hatte ich (16. SSW) neulich eine leichte Blutung. Was hat das zu bedeuten?

In der Schwangerschaft ist das Gewebe in der Scheide und am äußeren Muttermund sehr stark durchblutet. Beim Geschlechtsverkehr, aber auch nach einer vaginalen Untersuchung kann es daher durch die Verletzung feiner Blutgefäße am Muttermund zu kurzfristigen und harmlosen Schmierblutungen kommen. Dies ist die wahrscheinlichste Erklärung für Ihre Blutung. Sicherheitshalber können Sie aber Ihren Frauenarzt nachsehen lassen.

Schnarchen

? Seit einigen Wochen schnarche ich nachts. Heißt das, dass mein Baby nicht genug Luft bekommt?

Schwangere Frauen schnarchen oft im Schlaf, denn ihre Nasenschleimhäute sind stärker durchblutet und deshalb angeschwollen. Das Schnarchen kann zwar störend für Ihren Partner sein, für Sie oder Ihr Kind ist es aber nicht gefährlich. Trotzdem: Wenn Sie sich tagsüber müde und abgespannt fühlen, weil Sie sich nachts nicht ausreichend erholt haben, sollten Sie unbedingt etwas unternehmen. Schaffen Sie ein kühles Schlafklima mit ausreichend hoher Luftfeuchtigkeit, damit die Schleimhäute nicht austrocknen. Manchmal hört das Schnarchen auch auf, wenn Sie den Kopf hoch lagern oder auf der Seite schlafen. Benutzen Sie ein Nasenspray mit physiologischer Kochsalzlösung, ein kochsalzhaltiges Gel oder ein Nasenöl, um die Nasenschleimhaut zu befeuchten. Sie können auch ein Nasenpflaster gegen das Schnarchen versuchen, das Sie in der Apotheke kaufen können.

Schwangerschaftsabbruch

? Vor drei Jahren hatte ich eine Abtreibung. Nun mache ich mir Sorgen, dass meine jetzige Schwangerschaft dadurch gefährdet ist.

Nach einem einmaligen, fachgerecht durchgeführten Schwangerschaftsabbruch vor mehreren Jahren ist das Risiko einer Fehlgeburt oder anderer Komplikationen nicht erhöht. Nach mehreren Abbrüchen kann es allerdings sein, dass der Muttermund nicht mehr so fest geschlossen bleibt. Unbehandelt kann das unter Umständen zu einer Fehl- oder Frühgeburt führen (siehe Seite 142). Sprechen Sie dann mit Ihrem Arzt über die Möglichkeiten, etwas gegen die Muttermundschwäche zu unternehmen (siehe Seite 171).

Schwangerschaftsdiabetes

? Wird mein Schwangerschaftsdiabetes nach der Geburt wieder völlig verschwinden?

Nach der Geburt werden Sie wahrscheinlich zunächst einmal keine Blutzuckerprobleme haben. Trotzdem sollten Sie Ihren Blutzuckerspiegel gelegentlich kontrollieren lassen.
Es ist inzwischen erwiesen, dass etwa die Hälfte der Frauen mit Schwangerschaftsdiabetes innerhalb von zehn Jahren einen Typ-II-Diabetes (den sogenannten Altersdiabetes) entwickelt. Diese Diabetesform lässt sich in der Regel durch eine entsprechende Ernährungsumstellung oder durch die Einnahme von Tabletten gut behandeln. Doch je besser der Schwangerschaftsdiabetes eingestellt war, umso seltener tritt diese Spätfolge auf.
Die Wahrscheinlichkeit, einen Schwangerschaftsdiabetes in der nächsten Schwangerschaft zu bekommen, liegt übrigens bei etwa 40 bis 50 Prozent.

? Ich versuche, meinen Schwangerschaftsdiabetes mit Diät und Bewegung in den Griff zu bekommen. Was passiert, wenn ich das nicht schaffe?

Ein Schwangerschaftsdiabetes kann oft schon mit einer unkomplizierten Ernährungsumstellung erfolgreich behandelt werden. Was Sie bei der Diät beachten müssen, wird Ihr Frauenarzt oder eine Diätberaterin genau mit Ihnen besprechen. Um den Blutzuckerspiegel zu senken, müssen Sie vor allem Kalorien reduzieren, indem Sie viele, aber sehr leichte Mahlzeiten zu sich nehmen. Auch regelmäßige körperliche Bewegung ist wichtig.
Wenn all diese Maßnahmen nicht helfen, müssen Sie Insulin spritzen, denn »Blutzuckertabletten« sind in der Schwangerschaft nicht erlaubt. Wichtig zur Kontrolle sind natürlich die Blutzuckermessungen mehrmals wöchentlich und bestimmte

zusätzliche Untersuchungen in der Arztpraxis. Sie werden auch deutlich häufiger zu den Vorsorgeuntersuchungen bei Ihrem Frauenarzt gehen müssen, ab der 35. SSW wahrscheinlich sogar wöchentlich.

Schwangerschaftsstreifen

? Ich habe gehört, dass nichts gegen Schwangerschaftsstreifen hilft. Stimmt das?

Es gibt leider kein Allheilmittel zur Verhinderung von Schwangerschaftsstreifen. Aber weil sie auch mit der teuersten Kosmetik nicht wieder rückgängig zu machen sind, lohnt es sich, von Beginn der Schwangerschaft an bis drei Monate nach der Geburt vorbeugend aktiv zu werden. Sehen Sie diese Extraportion Körperpflege als Streicheleinheit für sich selbst und Ihr ungeborenes Baby.

Die ungeliebten Schwangerschaftsstreifen entwickeln sich meistens ab dem sechsten Monat. Grund ist die starke Überdehnung der Haut innerhalb weniger Monate, wodurch die elastischen Fasern geschädigt werden. Vor allem Busen, Bauch, Po und Oberschenkel wachsen während der Schwangerschaft und sollten daher am besten täglich nach dem Duschen mit einem Hautöl massiert werden. Mildes Mandelöl, Jojobaöl oder Vitamin-E-reiches Weizenkeimöl versorgt die Haut mit Feuchtigkeit und Vitaminen und macht sie elastisch und weich. Die optimale Wirkung erzielen Sie, wenn Sie nach der Ölmassage kalt duschen. Das strafft die Haut und kurbelt den Kreislauf an.

Achten Sie zusätzlich auf Vitamin-E-reiche Ernährung und darauf, nicht zu viel an Gewicht zuzunehmen. Wissenschaftliche Studien haben gezeigt, dass Frauen, die vor und während der Schwangerschaft Sport treiben (siehe ab Seite 56), wie Schwimmen oder Gymnastik, deutlich seltener Dehnungsstreifen bekommen. Regelmäßige Bewegung ist also eine sehr wirkungsvolle Vorbeugung!

? Beugen Massagen wirklich Schwangerschaftsstreifen vor?

Es gibt zahlreiche spezielle Produkte zur Vorbeugung von Schwangerschaftsstreifen zu kaufen. Viele Hautärzte meinen allerdings, dass die begleitende durchblutungsfördernde Massage wichtiger sei als der eigentliche Wirkstoff in den Präparaten. Und diese Massagen können Sie auch ohne Creme oder Gel anwenden.
Eine zarte Trockenbürstenmassage sowie Knet- und Zupfmassagen können das Bindegewebe lockern, seine Durchblutung fördern und so Schwangerschaftsstreifen vorbeugen. Bei der Zupfmassage wird die Haut Stück für Stück mit zwei Fingern hochgehoben, etwas durchgeknetet und anschließend losgelassen. Führen Sie die Massage ab dem dritten Monat zweimal täglich durch.
Kräftigere Massagen sollten Sie zwei Wochen vor dem errechneten Geburtstermin nicht mehr machen, da sie vorzeitige Wehen auslösen könnten.

Schwangerschaftsvergiftung

? Ich habe Eiweiß im Urin. Muss ich jetzt mit einer Schwangerschaftsvergiftung rechnen?

Die Nieren funktionieren in der Schwangerschaft etwas anders und halten die Eiweißmoleküle nicht mehr so gut zurück. Dadurch kann die Eiweißmenge ansteigen und manchmal vermehrt über den Urin ausgeschieden werden. Wird bei der Schwangerschaftsvorsorge Eiweiß im Urin festgestellt, sind sorgfältige Kontrollen wichtig. Meistens handelt es sich aber um eine harmlose, vorübergehende Erscheinung. Ein erhöhter Eiweißwert im Urin gehört zwar mit Ödemen und Bluthochdruck zu den Symptomen einer Schwangerschaftsvergiftung (Präeklampsie), ist aber häufig erst als letztes Krankheitszeichen erkennbar.

? Woran kann ich merken, dass ich Präeklampsie-gefährdet bin?

Manche Frauen bemerken überhaupt keine Symptome, auch wenn sie an einer Schwangerschaftsvergiftung leiden. Deshalb ist es gut, dass bei jeder Vorsorgeuntersuchung Blutdruck und Urin kontrolliert werden.
Oft führt die Präeklampsie nur zu leichten Symptomen, die mit einfachen Maßnahmen in den Griff zu bekommen sind (siehe Kasten). Das können zum Beispiel Wassereinlagerungen (Ödeme, siehe Seite 175) an den Händen, im Gesicht und an den Füßen sein. Auch ein erhöhter Blutdruck (Bluthochdruck, siehe Seite 133) ist ein typisches Symptom.
In schweren Fällen kommen eine plötzliche Gewichtszunahme, Kopfschmerzen, Übelkeit, Erbrechen, Schmerzen im rechten Oberbauch und Sehstörungen bis hin zu Schwindel sowie Lichtempfindlichkeit, Schläfrigkeit, Verwirrtheit und Rastlosigkeit dazu.
Wenn Sie eines oder mehrere dieser Symptome bemerken, sollten Sie umgehend Ihren Frauenarzt darüber informieren.

TIPP

Das hilft bei einer leichten Schwangerschaftsvergiftung

- Ernähren Sie sich ausgewogen, eiweißreich, kalorienreich und keineswegs salzarm.
- Meist sind körperliche Ruhe und zusätzlich blutdrucksenkende Mittel notwendig.
- Nehmen Sie keine Entwässerungsmittel (auch keine Tees) ohne ärztliche Anordnung ein.
- Wenn Sie in einer früheren Schwangerschaft bereits eine Präeklampsie hatten oder es schon sehr früh in der Schwangerschaft Hinweise darauf gibt, kann die Behandlung mit Acetylsalicylsäure in niedriger Dosierung günstig sein. Sprechen Sie mit Ihrem Arzt darüber.

Schwindel

? Mir wird jetzt so oft schwindelig, wenn ich aufstehe. Kann das für mein Baby gefährlich werden?

Die veränderte Hormonsituation in der Schwangerschaft hat viele Auswirkungen auf Ihren Körper. Auch Schwindelgefühle gehören dazu.
In der Frühschwangerschaft sind Blutzuckerspiegel und Blutdruck oft zu niedrig (Niedriger Blutdruck, siehe Seite 174), was Schwindel verursacht. Dann sollten Sie möglichst schnell etwas essen und den Blutdruck durch Trockenbürsten, Wechselduschen und Bewegung ankurbeln. Auf Ihr Baby hat das keine Auswirkungen.
In den letzten Wochen kann Schwindel dadurch hervorgerufen werden, dass Blut in den Beinen versackt, was zu einer verminderten Durchblutung des Gehirns führt. Besonders bei längerem Stehen oder heißem Wetter sowie in überheizten Räumen (etwa nach dem Baden) wird Schwangeren deshalb leicht schwindelig. Das ist unangenehm, aber nicht besorgniserregend. Ihr Körper gleicht diesen kurzfristigen Schwindel immer zugunsten der Gebärmutterversorgung aus, sodass Ihr Baby gar nichts davon mitbekommt.
Viele Hochschwangere fühlen sich schwindelig, wenn sie auf dem Rücken liegen. Beim sogenannten Vena-cava-Syndrom (siehe Seite 50, 153) ist der Rückstrom des Blutes zum Herzen hin beeinträchtigt, weil die Gebärmutter auf die große Hohlvene drückt. Starker Schwindel, Übelkeit und Herzklopfen sind die Folgen. Auch das Ungeborene bekommt dann auf Dauer nicht mehr genug sauerstoffreiches Blut. Schwangere sollten deshalb in den letzten Wochen vor der Geburt besser in der Seitenlage schlafen.
Achtung: Schwindel kann auch ein Anzeichen für Blutarmut und Bluthochdruck sein! Deshalb sollten Sie Ihren Frauenarzt informieren, wenn Sie in der zweiten Hälfte der Schwangerschaft häufiger Schwindelanfälle haben.

TIPP

Das hilft bei Schwindel

- Vermeiden Sie längeres Stehen.
- Wenn Sie sich aus einer liegenden oder sitzenden Position erheben, tun Sie dies langsam. Nach dem Schlafen setzen Sie sich erst auf die Bettkante, bevor Sie aufstehen.
- Sollte Ihnen im Stehen schwindelig werden, setzen Sie sich langsam hin und sorgen Sie für frische Luft. Falls Ihr Bauch es noch zulässt: Beugen Sie den Kopf zwischen Ihren Knien so weit wie möglich nach unten. Sie können sich auch auf die linke Seite legen – nicht auf den Rücken. Wenn Sie liegen, sollten die Füße etwas höher gelagert sein als der Kopf. Auf diese Weise wird das Gehirn besser durchblutet.
- Liegen und schlafen Sie ausschließlich in Seitenlage. Damit Sie bequem liegen, stützen Sie sich mit vielen Kissen ab.
- Wenn Sie nach einem warmen Bad aus der Wanne steigen, sollte jemand zum Helfen in der Nähe sein.
- Tragen Sie leichte Kleidung, damit Ihnen auch bei heißem Wetter nicht zu warm wird. Ideal ist es, wenn Sie mit mehreren Schichten Ihre Kleidung dem jeweiligen Wärmegefühl anpassen können.
- Essen Sie regelmäßig kleine Mahlzeiten, damit Ihr Blutzuckerspiegel konstant bleibt.

Sodbrennen

? Warum leiden gerade Schwangere so oft an Sodbrennen?

Zumindest in den letzten Wochen der Schwangerschaft leiden die meisten Schwangeren unter Sodbrennen oder saurem Aufstoßen. Sodbrennen (Magenbrennen) bezeichnet ein dumpfes, drückendes, oft auch brennendes Gefühl hinter dem Brustbein und in der Speiseröhre, das nicht selten als »Herzschmer-

zen« gedeutet wird. Auch hartnäckiger Husten und ständige Heiserkeit, Schluckbeschwerden, ein permanenter unangenehmer Geschmack im Mund und Halsschmerzen gehören zu den typischen Symptomen. Im Liegen sind die Beschwerden besonders stark. Auch beim Husten oder Bücken und Heben schwerer Gegenstände, also wenn die Bauchmuskulatur angespannt wird, macht sich Sodbrennen stärker bemerkbar.
Sodbrennen wird in der Schwangerschaft zweifach gefördert: Einerseits drückt das heranwachsende Baby auf den Magen. Andererseits entspannt sich durch das Hormon Progesteron der Schließmuskel am oberen Magenausgang, der das Aufsteigen der Magensäure normalerweise verhindert. So kann Magensäure in die Speiseröhre gelangen und Sodbrennen ist die Folge. Progesteron bewirkt auch, dass die Nahrung länger als üblich im Magen verbleibt, also stärker mit Magensäure angedaut wird und deshalb beim Hochfließen noch unangenehmer ist.
Erst nach der Entbindung können Sie damit rechnen, dass das Sodbrennen nachlässt. Bis es so weit ist, versuchen Sie es mit den folgenden Tipps.

TIPP

Das beugt Sodbrennen vor

- Essen Sie häufiger und kleinere Mengen, also lieber fünf bis sechs kleine Mahlzeiten statt drei große.
- Trinken Sie erst eine halbe Stunde nach dem Essen etwas, und zwar Fenchel-, Melisse- oder Kamillentee in kleinen Schlucken. Wenn Sie während des Essens trinken, dehnt sich der Magen zu weit aus.
- Verzichten Sie auf Nahrungsmittel, welche die Produktion von Magensäure fördern:
  Zitrusfrüchte, Kohlgemüse, Hülsenfrüchte, essighaltige Salatsaucen, Tomaten, Zwiebeln, hart gekochte Eier, frisches Brot, Kaffee, schwarzer Tee, kohlensäurehaltige Getränke sowie Schokolade und andere Süßigkeiten.

- Sitzen Sie beim Essen möglichst aufrecht, essen Sie langsam und kauen Sie gründlich.
- Alkohol und Zigaretten fördern das lästige Sodbrennen. Aber hoffentlich konsumieren Sie beides ohnehin nicht mehr.
- Sehr reife Früchte sowie Obst und Gemüse mit harten, faserigen Strukturen (wie manche Apfelsorten oder Sellerie) sind ungünstig bei Sodbrennen.
- Meiden Sie stark gewürzte, sehr fetthaltige oder gebratene Speisen.
- Eiweißreiche Kost soll dabei helfen, die Magensäure zu neutralisieren und den oberen Magenausgang besser zu verschließen.
- Manchen Schwangeren hilft Bierhefe, die zum Beispiel in das Müsli gemischt werden kann.
- Gönnen Sie sich nach den Mahlzeiten eine Ruhepause. Aber warten Sie nach dem Essen einige Stunden, bevor Sie sich zum Schlafen hinlegen.
- Um nächtliches Sodbrennen zu vermeiden, hilft es meist schon, wenn Sie im Bett den Oberkörper durch Kissen unterstützt etwas höher lagern.

T TIPP

Das hilft bei Sodbrennen

- Trinken Sie einen kräftigen Schluck kaltes Wasser. Empfohlen wird auch Weißkohlsaft und sehr kalte Milch.
- Trinken Sie Kamillentee, in dem Sie etwas Heilerde oder Natron aufgelöst haben.
- Zwischendurch kleine Portionen frische Ananas oder Papaya haben sich bewährt.
- Kauen Sie langsam und so lange wie möglich eines der folgenden Lebensmittel: Kümmelsamen, geschälte Mandeln oder Nüsse, trockene Haferflocken, ein Stück Vollkornbrot oder Lakritze (nicht bei hohem Blutdruck, siehe Seite 133). Das neutralisiert die Magensäure.

- Auch Pfefferminz- oder Salbeibonbons, Naturjoghurt oder ein Teelöffel mittelscharfer Senf oder Meerrettich sollen gegen Sodbrennen helfen.
- Manche Schwangere schwören auf einen Esslöffel Kondensmilch – besonders praktisch für unterwegs sind die Portionsdöschen.
- Probieren Sie, ob Ihnen eine langsam und sorgfältig gekaute Reiswaffel hilft.
- Der Saft einer roh geraspelten Kartoffel, eventuell gemischt mit etwas Apfelsaft, soll auch helfen.
- Heilerde und Kieselsäure-Gel aus dem Reformhaus wirken häufig gegen Sodbrennen.
- Medikamente gegen Magenübersäuerung sind kurzfristig auch in der Schwangerschaft erlaubt.

Speichelfluss

? Ich habe ständig zu viel Speichel im Mund, besonders wenn mir übel ist. Hat das etwas mit der Schwangerschaft zu tun?

Die stark vermehrte Produktion von Speichel ist eine sehr früh auftretende, harmlose, aber lästige Begleiterscheinung, vor allem in Verbindung mit Übelkeit. Die genauen Ursachen sind unbekannt. Sie können sich nur damit trösten, dass die Beschwerden meist nach den ersten zwölf Wochen, spätestens aber nach der 20. Woche nachlassen.
Manchen Frauen hilft es, Pfefferminzbonbons zu lutschen, wodurch die Speichelproduktion reduziert werden soll. Zumindest lässt sich der Speichel so besser schlucken. Allgemein ist es gut, etwas gegen die Übelkeit (siehe ab Seite 202) zu tun, das reduziert dann oft auch die Speichelproduktion. In der Apotheke gibt es adstringierende Mundspülungen. In schweren Fällen kann Ihr Arzt Ihnen ein Anticholinergikum (Atropin) in geringer Dosierung verschreiben.

Als homöopathisches Mittel hat sich Pulsatilla bewährt. Sprechen Sie darüber mit Ihrem Arzt oder einem homöopathisch geschulten Apotheker.

Stimmungsschwankungen

? Ich fange schon beim kleinsten Anlass an zu weinen. Geht das anderen Schwangeren auch so?

Stimmungsschwankungen sind eine ganz normale Erscheinung in der Schwangerschaft. Schließlich wirken die Hormone auch auf die seelische Befindlichkeit! Die meisten werdenden Mütter bemerken, dass sie sensibler reagieren – auf Ängste, Kritik, Streit, Überforderung. Trotz großer Freude auf das Baby kommen ganz plötzlich die Tränen – für die bestürzte Umgebung mehr oder weniger grundlos. Zur Beruhigung sei gesagt, dass sich die emotionale Instabilität normalerweise bald wieder bessert. Ab dem zweiten Schwangerschaftsdrittel fahren die Gefühle nicht mehr Achterbahn. Für die meisten Schwangeren beginnt dann eine Zeit der Ruhe und Gelassenheit.

Tauschen Sie sich mit anderen Schwangeren und Freundinnen über Ihre Gefühle aus und lassen Sie auch Ihren Partner daran teilhaben.

? Nun bin ich endlich schwanger – aber wo bleibt die Euphorie?

Wenn nach der Aufregung – schwanger oder nicht schwanger – das Ergebnis endlich feststeht, ist es gut möglich, dass plötzlich die Sorgen die Freude über die Schwangerschaft verdrängen. Das lässt sich zum einen auf die Hormonflut schieben, mit der ein schwangerer Körper überschüttet wird. Dafür spricht, dass die erwarteten Glücksgefühle normalerweise spätestens nach einigen Wochen dann doch noch kommen. Aber

Angst vor der Verantwortung, vor dem endgültigen Verlust der Unabhängigkeit, vor der Veränderung des Körpers und der Unberechenbarkeit der Geburt – das sind Gefühle, die auch ohne Hormone in einer so entscheidenden Phase des Lebens auftauchen würden. Am Anfang der ersten Schwangerschaft kann sich niemand das Leben mit einem Kind in seiner vollen Konsequenz vorstellen, aber Sie können sicher sein: Sie wachsen bestimmt in diese Rolle hinein. Vertrauen Sie darauf!

Taubheitsgefühle

? Warum haben Schwangere so häufig schmerzende, eingeschlafene oder gefühllose Hände?

Ab dem fünften oder sechsten Monat oder auch erst gegen Ende der Schwangerschaft macht sich bei vielen Frauen vor allem nachts ein unangenehmes Phänomen bemerkbar. Es beginnt mit einem tauben, pelzigen Gefühl und Prickeln in der Handfläche, am Daumen, Zeige- und Mittelfinger, meistens nur in einer Hand, manchmal auch in beiden. Die Handfläche schmerzt, bisweilen auch der Unterarm oder sogar die Schulter, und der Daumen ist kraftlos. Typischerweise treten die Beschwerden vier bis fünf Stunden nach dem Einschlafen auf und der kleine Finger bleibt verschont. Morgens sind die Finger steif und werden erst langsam wieder beweglich.
Hier handelt es sich um das sogenannte Karpaltunnel-Syndrom, das normalerweise durch eine Überlastung des Handgelenks ausgelöst wird. In der Schwangerschaft liegt die Ursache aber eher in der hormonell bedingten Wassereinlagerung im Gewebe. Der Tunnel für Sehnen und Nerven am Handgelenk wird dadurch enger und klemmt einen der Armnerven ein.
Nach der Geburt werden Sie damit höchstwahrscheinlich keine Beschwerden mehr haben. Sollte es doch noch so sein, ist in seltenen Fällen eine kleine Operation erforderlich, um den Druck auf den Nerven zu nehmen.

TIPP

Das hilft beim Karpaltunnel-Syndrom

- Schlafen Sie am besten in der Seitenlage.
- Stellen Sie das Handgelenk während der Nacht ruhig. Dazu gibt es eine Bandage mit gepolsterter Schiene, die Ihr Arzt Ihnen verschreiben kann.
- Strecken Sie die Arme nach oben und bewegen Sie die Finger.
- Schütteln Sie die Hände kräftig aus.
- Massieren Sie die Finger von den Fingerspitzen in Richtung Handgelenk, damit die Gewebeflüssigkeit abtransportiert wird, wie bei einer Lymphdrainage.
- Vermeiden Sie Tätigkeiten, bei denen das Handgelenk über längere Zeit gebeugt oder gestreckt wird, zum Beispiel Arbeit an der Computertastatur oder Radfahren.
- Machen Sie kurze Güsse mit kaltem oder lauwarmem Wasser von den Händen bis zum Unterarm.
- Eine leichte Entwässerung, etwa mit Kräutertees aus Brennnessel, Schachtelhalm, Eisenkraut, Birkenblättern oder Löwenzahn, kann die Beschwerden mildern.
- Essen Sie Nahrungsmittel, die Flüssigkeit entziehen, zum Beispiel Äpfel, Reis, Pellkartoffeln mit Schale, Salatgurke und Spargel.
- Ihr Frauenarzt kann Ihnen ein harntreibendes Medikament verschreiben.
- Auch Akupunktur kann helfen. Sie muss allerdings von Experten ausgeführt werden und wirkt oft erst nach einigen Behandlungen.
- Bei anhaltenden Schmerzen werden Cortison oder örtliche Betäubungsmittel direkt in die Handfläche gespritzt.
- Überprüfen Sie immer wieder, ob Ihre Ringe noch passen, und nehmen Sie sie rechtzeitig ab, da auch die Finger sehr stark anschwellen können.
  Enge Ringe verschlimmern die Beschwerden.

Übelkeit

? Woher kommt eigentlich die Übelkeit am Anfang der Schwangerschaft?

Darüber gibt es viele Theorien. Übelkeit oder Brechreiz werden vermutlich hauptsächlich durch das Hormon HCG (Human Chorionic Gonadotropin) in der Frühschwangerschaft ausgelöst. Etwa bis zur 12. Woche verdoppelt sich der Blutspiegel des HCG alle zwei Tage, danach fällt er rasch ab. Andere Hormone wiederum senken den Blutdruck und den Blutzuckerspiegel – darum ist die Übelkeit oft morgens am stärksten. Aber sie kann genauso gut plötzlich am Nachmittag auftreten und manchen Schwangeren ist sogar während des ganzen Tages übel.

Auch die erhöhte Geruchsempfindlichkeit spielt eine Rolle. Ein bestimmter Geruch (häufig Zigarettenrauch oder Parfüm) oder nur der Gedanke an eine bestimmte Speise kann schon Übelkeit auslösen.

Ein weiteres Hormon, das »Sättigungshormon« Cholecystokinin (CCK), wird ebenfalls während der ersten drei Schwangerschaftsmonate vermehrt gebildet. Es verzögert die Magenentleerung, was eine zusätzliche Erklärung für das Gefühl von Übelkeit sein könnte.

Sicher ist nur, dass nicht bei jeder Schwangeren dieselbe Ursache vorliegt – und deshalb unterschiedliche Maßnahmen erfolgreich sind. Jede Schwangere muss ausprobieren, was bei ihr persönlich am besten wirkt.

In den allermeisten Fällen hören Übelkeit oder Brechreiz am Ende des ersten Schwangerschaftsdrittels auf. Selten leiden Frauen während der gesamten Schwangerschaft unter Übelkeit. Und nur bei etwa einem Viertel aller ganz normalen Schwangerschaften tritt dieses unangenehme Symptom gar nicht oder nur sehr schwach auf. Bei einer Mehrlingsschwangerschaft kann die Übelkeit übrigens stärker sein.

Mit den Tipps auf den folgenden zwei Seiten können Sie der Schwangerschaftsübelkeit vorbeugen und sie lindern.

TIPP

Das beugt Übelkeit vor

- Essen Sie kurz vor dem Schlafengehen noch eine Kleinigkeit – oder sogar mitten in der Nacht.
- Essen Sie morgens, ein paar Minuten vor dem Aufstehen, eine Scheibe trockenen Toast, Knäckebrot, eine Reiswaffel oder Zwieback. Trinken Sie dazu Kräutertee in kleinen Schlucken.
- Stehen Sie langsam auf, denn ein abrupter Wechsel der Körperhaltung fördert den Brechreiz.
- Wenn Ihnen morgens beim Zähneputzen übel wird, benutzen Sie eine kleine Kinderzahnbürste. Wenn auch das den Würgereiz nicht verhindert, so können Sie vorübergehend die Zähne mit dem Zeigefinger und ganz wenig Zahnpasta säubern.
- Essen Sie häufig etwas, mindestens alle zwei Stunden – aber nur kleine Portionen. So verhindern Sie einen Blutzuckerabfall.
- Essen Sie mehr kohlenhydratreiche Speisen, wie Bananen, Kartoffeln oder Reis.
- Vermeiden Sie stark gewürzte, sehr fetthaltige und saure Speisen sowie Süßigkeiten.
- Gekochtes Gemüse und eingemachtes Obst werden besser vertragen als frische, rohe Produkte.
- Trinken Sie viel, mindestens zwei Liter pro Tag – aber nicht während des Essens. Zu empfehlen sind Kräutertees (Pfefferminze, Fenchel, Hagebutte, Malve und Kamille), Säfte und Wasser.
- Verzichten Sie auf Kaffee, Alkohol und Zigaretten – aber das sollte ohnehin selbstverständlich sein.
- Müdigkeit verstärkt die Übelkeit! Gönnen Sie sich viele Ruhepausen und liegen Sie immer mit etwas erhöhtem Oberkörper.
- Ein Spaziergang an der frischen Luft tut gut.

Wenn Ihre Übelkeit länger andauert und mit übermäßigem Erbrechen mehrmals am Tag einhergeht, müssen Sie zum Arzt gehen. Denn dann ist für Sie und Ihr Kind die Versorgung mit den wichtigen Nährstoffen, Flüssigkeit und Elektrolyten nicht mehr gewährleistet.

TIPP

Das hilft bei ständiger Übelkeit

- Trinken Sie Malzbier, koffeinfreie Cola oder Orangensaft (Vorsicht, wenn Sie unter Sodbrennen leiden!).
- Löffeln Sie mild gesalzene Fleischbrühe.
- Essen Sie Kartoffelbrei in kleinen Portionen.
- Versuchen Sie es mit Ingwer: Kekse mit Ingwer, kandierter Ingwer, Ingwertee und Ingwertabletten.
- Lutschen Sie Pfefferminzbonbons.
- Riechen Sie an einer aufgeschnittenen Zitrone oder Grapefruit. Oder geben Sie ein Aromaöl, wie Basilikum, Kardamom, Fenchel, Lavendel, Melisse, Pfefferminze, Rose oder Sandelholz, auf ein Taschentuch und schnuppern Sie immer wieder daran.
- Kauen Sie gründlich Mandeln oder Erdnüsse.
- Manchen Schwangeren hilft es auch, Kaugummi zu kauen. Der Geschmack ist egal.
- Versuchen Sie es mit Akupunktur oder Hypnose. Beides muss natürlich von einem Fachmann ausgeführt werden.
- Die Massage des Akupressurpunktes Nei-Kuan kann helfen. Er befindet sich mitten auf dem Unterarm, drei Fingerbreit unter der Handgelenksfalte. Mit Akupressur-Armbändern (»Sea-Band«, aus Drogerie oder Apotheke) wird dieser Punkt permanent stimuliert.
- Manchen Frauen helfen homöopathische Mittel, zum Beispiel Nux vomica.
- Bestimmte Medikamente gegen Übelkeit sind auch in der Schwangerschaft erlaubt (siehe Seite 88).

Vaterschaft

? Kann schon in der Schwangerschaft die Vaterschaft festgestellt werden? Und wenn ja, ab wann?

Durch eine Chorionzotten-Untersuchung kann die Vaterschaft schon sehr früh in der Schwangerschaft eindeutig festgestellt werden (Chorionbiopsie, siehe Seite 223). Dabei werden dem Mutterkuchen winzige Gewebeproben entnommen und auf Übereinstimmungen mit dem Erbgut des potenziellen Vaters untersucht. Von diesem muss also zum Vergleich genetisches Material zur Verfügung stehen – einzelne Haare oder eine benutzte Zahnbürste würden schon ausreichen. Diese Methode ist sehr aufwendig, teuer und für die Schwangerschaft nicht ungefährlich, weil durch den Eingriff eine Fehlgeburt ausgelöst werden kann. Deshalb wird sie meist nur nach Vergewaltigungen eingesetzt oder wenn aus anderen Gründen ohnehin eine Pränataldiagnostik (siehe ab Seite 233) erfolgt.

Wenn die Schwangerschaft unabhängig von der Vaterschaft ausgetragen werden soll, ist eine Bestimmung nach der Geburt anhand von Blutproben sinnvoller. Erste Hinweise kann bereits ein Vergleich der Blutgruppen von Mutter, Kind und möglichem Vater geben. Ist das Ergebnis nicht eindeutig, wird mit aufwendigeren Methoden weiter untersucht.

Vergesslichkeit

? Ich bin auf einmal so vergesslich und unkonzentriert. Ist das etwa auch eine Begleiterscheinung der Schwangerschaft?

Fast alle Schwangeren klagen über Vergesslichkeit – und das scheint keine Einbildung zu sein. Forscher haben Hinweise dafür gefunden, dass die Gehirnmasse von Frauen im letzten Schwangerschaftsdrittel etwas »schrumpft« – nach der Ent-

bindung aber wieder zunimmt. Aus psychologischen Studien ist schon lange bekannt, dass Schwangere eine reduzierte Wahrnehmung haben und sowohl ihr Kurz- als auch ihr Langzeitgedächtnis und ihre Konzentrationsfähigkeit etwas eingeschränkt sind.
Theorien über die Ursache dieses Phänomens gibt es viele, aber keine ist bisher unumstritten. Nehmen wir es als gute Laune der Natur, werdende Mütter nicht mit den Nebensächlichkeiten des Lebens zu belasten! Schließlich müssen sie sich in diesen Monaten auf die allerwichtigste Aufgabe der Welt konzentrieren: ein Kind in sich wachsen zu lassen und auf die Welt zu bringen.

Verstopfte Nase

? Seit ich schwanger bin, habe ich ständig eine verstopfte Nase. Bekommt mein Kind noch genug Sauerstoff?

Auch ohne Erkältung leiden viele schwangere Frauen unter einer ständig verstopften Nase. Der Grund: In der Schwangerschaft sind alle Schleimhäute stärker durchblutet und oft geschwollen. An den Atemwegen kann das besonders störend sein, denn wenn nicht ausreichend Sauerstoff eingeatmet wird, sind häufig Konzentrationsstörungen, Müdigkeit und Kopfschmerzen die Folgen. Normalerweise kommt es dadurch jedoch nicht zu einer Minderversorgung des ungeborenen Kindes.
Mit Vaseline, einer einfachen Hautpflegecreme oder einem Nasenspray (entweder physiologische Kochsalzlösung oder ein niedrig dosiertes Schnupfenspray für Säuglinge) können Sie Ihre Nasenschleimhaut anfeuchten und vor dem Austrocknen schützen. Stellen Sie Luftbefeuchter auf und inhalieren Sie abends mit Fichtennadel- oder Minzöl. Nachts kann es helfen mit etwas höher gebettetem Kopf zu schlafen (siehe auch Schnarchen, Seite 189).

Verstopfung

? Warum haben Schwangere immer so viel Mühe mit der Verdauung?

Verstopfung ist eine der häufigsten Schwangerschaftsbeschwerden, meist aber harmlos. Durch die entspannende Wirkung des Hormons Progesteron auf die Darmmuskulatur wird der Darminhalt langsamer transportiert. Das ist einerseits günstig, weil wichtige Nährstoffe noch besser verwertet werden können. Andererseits wird aber auch dem Darminhalt mehr Flüssigkeit entzogen und er wird fester. In den letzten Wochen der Schwangerschaft kann außerdem das Kind auf den Darm drücken und damit eine ungestörte Darmpassage behindern.

Schwangere, die ein Eisenpräparat oder wehenhemmende Medikamente einnehmen müssen, leiden oft besonders stark unter Verstopfung.

Bis zu drei Tagen ohne Stuhlgang sind allerdings noch nicht besorgniserregend. Erst wenn die Verstopfung länger anhält und Schmerzen und Beschwerden beim Stuhlgang oder sogar Hämorrhoiden (siehe Seite 148) verursacht, sollten Sie dringend etwas dagegen tun.

TIPP

Das beugt Verstopfung vor

- Achten Sie auf ballaststoffreiche Kost (Vollkornbrot, rohes Gemüse und Obst).
- Bananen und Schokolade sind ungünstig, weil sie die Verstopfung fördern, ebenso Weißmehlprodukte.
- Trinken Sie viel, täglich mindestens drei Liter.
- Vermeiden Sie schwarzen Tee (auch Eistee!).
- Nehmen Sie die verordneten Eisentabletten nach den Mahlzeiten mit viel Flüssigkeit ein.
- Bewegen Sie sich ausreichend und regelmäßig.

TIPP

Das hilft schnell bei Verstopfung

- Kauen Sie getrocknete Pflaumen oder Feigen, trinken Sie viel dazu.
- Trinken Sie morgens auf nüchternen Magen ein Glas lauwarmes Wasser, eventuell mit Zitronensaft.
- Trinken Sie einen Sud aus Rosenblättern, Eibischwurzeln, Malve und Quecke.
- Nehmen Sie vor den Mahlzeiten einen Esslöffel Olivenöl ein.
- Mischen Sie Leinsamen und Weizenkleie unter die Speisen (zum Beispiel in Joghurt). Trinken Sie aber viel dazu, sonst wird die Verstopfung noch schlimmer!
- Rohes Sauerkraut zwischendurch und Sauerkrautsaft vor dem Essen helfen bei der Verdauung.
- Milchzucker (Laktose) ist ein natürliches Abführmittel. Sie bekommen es als Pulver im Reformhaus.
- Wenn es nicht ohne Abführmittel geht: Quellstoffe sind in der Schwangerschaft besser geeignet als Anthrachinon-Präparate oder Rizinusöl (siehe Seite 89).
- Innerhalb von Minuten wirkt ein Mikroklistier, das ist ein kleiner Einlauf aus der Apotheke. Den dürfen auch Schwangere unbesorgt anwenden.

Vorwehen

? Wie kann ich harmlose Vorwehen von echten vorzeitigen Wehen unterscheiden?

Vorwehen sind in der Regel schmerzlos, dauern ungefähr 25 Sekunden und werden schwächer bei Ruhe oder in einem warmen Bad. Sie sollten nicht häufiger als dreimal pro Stunde und zehnmal pro Tag kommen.
Kontraktionen, die zwischen 20 und 60 Sekunden andauern, über eine Stunde hinweg alle fünf bis sieben Minuten auftre-

ten und immer schmerzhafter werden, sind normalerweise »echte« Wehen. Jetzt sollten Sie sich umgehend mit Ihrem Frauenarzt oder Ihrer Hebamme in Verbindung setzen oder ins Krankenhaus fahren. Wenn Sie sich nicht sicher sind, können Sie den »Badewannentest« machen – aber nur im Beisein einer anderen Person: Werden die Wehen schwächer, wenn Sie baden, sind es Vorwehen. Verstärken sich die Wehen, dann sollten Sie sich auf den Weg in die Klinik machen.

? Ich bin in der 36. SSW und habe schon recht häufig einen harten Bauch. Kommt mein Baby jetzt früher?

Typisch für die letzten vier Wochen vor der Geburt sind Senkwehen, die noch etwas stärker sind als Vorwehen. Das Köpfchen Ihres Babys wird dann in Richtung auf das kleine Becken gedrückt. Sie merken das daran, dass Ihr Bauch hart wird und Sie wieder leichter Luft bekommen – aber auch häufiger zur Toilette gehen müssen. Sie können daraus aber nicht auf den Geburtstermin schließen.

Die Senkwehen sind einerseits Übungen für die richtigen Geburtswehen, andererseits können sie auch schon den Gebärmutterhals verkürzen (siehe Zervixverkürzung, Seite 215) und den Muttermund öffnen. Gehen Sie im Zweifel zu Ihrem Frauenarzt, um dies abzuklären.

? Ab wann muss ich nichts mehr gegen vorzeitige Wehen tun?

Die meisten Geburtshelfer meinen, dass nach der 34. Woche nichts mehr gegen vorzeitige Wehen getan werden muss, wenn das Baby sich bis dahin normal entwickelt hat. Allerdings sollte die von Ihnen gewählte Geburtsklinik für die Versorgung von Frühgeborenen ausgestattet sein.

Auch nach einem vorzeitigen Blasensprung (siehe Seite 133) kann es sinnvoll sein, eine Frühgeburt in Kauf zu nehmen, weil sonst die Gefahr einer Fruchtwasserinfektion besteht. Vor der 34. SSW wird versucht, mit Medikamenten die Kontraktionen zu verhindern. Manche dieser wehenhemmenden Mittel haben allerdings starke Nebenwirkungen, etwa Herzklopfen (siehe Seite 153).

Wadenkrämpfe

? Wie entstehen die nächtlichen Wadenkrämpfe und warum ausgerechnet in der Schwangerschaft?

Muskelkrämpfe in den Oberschenkeln, Waden oder Füßen gehören zu den häufigsten Schwangerschaftsbeschwerden. Sie treten mit Vorliebe nachts auf. Die schmerzhaften Verkrampfungen sind dann so stark, dass Sie davon aufwachen. Der akute Schmerz kann in einen allgemeinen, mehrere Stunden anhaltenden Dauerschmerz übergehen und an Einschlafen ist dann oft nicht mehr zu denken.

TIPP

Das hilft schnell bei Wadenkrämpfen

- Stemmen Sie die Füße kräftig gegen das Fußende Ihres Bettes.
- Strecken Sie das schmerzende Bein aus, ziehen Sie die Zehen nach oben und zum Körper hin. Drücken Sie die Ferse dabei fest nach unten.
- Stehen Sie auf und drücken Sie die Fußsohlen kräftig gegen den Boden, beugen Sie gleichzeitig die Knie. Am wirkungsvollsten ist diese Übung übrigens barfuß auf kaltem Boden!
- Legen Sie Ihre Waden auf eine Wärmflasche, ein gewärmtes Kirschkernkissen oder ein Heizkissen.
- Massieren Sie die Waden kräftig mit einem ätherischen Öl, zum Beispiel Kamille, Lavendel, Majoran oder Rosenholz.

TIPP

Das beugt Wadenkrämpfen vor

- Achten Sie auf bequeme und flache Schuhe. Die Füße sollten nicht nach vorne rutschen und Zehen dürfen nicht gekrümmt oder eingeengt werden.
- Regelmäßige Bewegung wie spazieren gehen, schwimmen, walken, Fahrrad fahren oder tanzen fördert die Durchblutung der Beine.
- Warm-kalte Wechselduschen sind sehr zu empfehlen.
- Durchblutungsfördernde Salben können vorbeugen.
- Machen Sie zwischendurch Fußgymnastik: die Fußspitzen anziehen und den Fuß kreisen lassen.
- Legen Sie so oft wie möglich die Beine hoch.
- Dehnen und massieren Sie die Wadenmuskeln kräftig vor dem Schlafengehen. Versuchen Sie eine Fußmassage mit einem Tennis- oder Massageball.
- Liegen Sie im Bett so, dass eine Spitzfußstellung vermieden wird.
- Ernähren Sie sich magnesium- und kalziumreich: Milchprodukte, Vollkorn- und Sojaprodukte, Aprikosen, Weizenkeime, Weizenkleie, Naturreis, Nüsse und Mandeln, grünes Gemüse und Hülsenfrüchte (Vorsicht, wenn Sie zu Blähungen neigen!).
- Verzichten Sie auf Abführmittel. Sie können den Mineralhaushalt durcheinanderbringen.
- Bananen und Kakao sind hervorragende Magnesiumquellen. Sie fördern allerdings Verstopfung.
- Wenn das alles nicht hilft, verschreibt Ihr Arzt Ihnen ein Mineralstoffpräparat.

Begünstigt werden Wadenkrämpfe, wenn Sie tagsüber viel auf hohen Absätzen herumgelaufen sind, aber auch durch heißes Wetter, Krampfadern (siehe Seite 166) und Blutarmut (Anämie, siehe Seite 16).

Neben einem Mangel an bestimmten Nährstoffen, wie Kalium, Kalzium oder Vitamin B, wird vor allem Magnesiummangel für die nächtlichen Wadenkrämpfe verantwortlich gemacht. Magnesium wird in der Schwangerschaft für viele Stoffwechselvorgänge in größerer Menge als sonst benötigt, aber durch stärkeres Schwitzen und mehr Harnproduktion auch vermehrt ausgeschieden. Über die Ernährung ist eine ausreichende Zufuhr praktisch kaum möglich. Manche Experten empfehlen, während der gesamten Schwangerschaft Magnesiumtabletten einzunehmen (siehe Seite 17).
Achtung: Sehr selten können einseitige Wadenkrämpfe auch ein Symptom für eine Venenentzündung sein. Achten Sie darauf, ob das Bein zusätzlich geschwollen und gerötet ist. Dann müssen Sie Ihren Arzt aufsuchen.

Zahnprobleme

? Muss denn wirklich jedes Kind »einen Zahn kosten«?

Es gibt mehrere Ursachen für Zahnprobleme in der Schwangerschaft: Die Speichelzusammensetzung ist hormonell so verändert, dass Bakterien sich besser vermehren können. Durch häufiges Erbrechen verschiebt sich der pH-Wert des Speichels in den sauren Bereich und der Zahnschmelz wird durch die Magensäure zusätzlich angegriffen. Schwangere haben – zumindest in den ersten Wochen – oft ein verändertes Essverhalten und eine Vorliebe für sehr saure und sehr süße Lebensmittel. Außerdem nehmen die meisten Schwangeren zu wenig Kalzium mit ihrer Nahrung auf. Dann bedient sich das Baby sozusagen aus den Kalziumspeichern des mütterlichen Körpers, den Knochen und Zähnen. Achten Sie deshalb auf besonders kalziumreiche Ernährung (siehe Seite 18). Geeignet sind vor allem Milch und Milchprodukte.
Essen Sie außerdem wenig Süßes, denn das fördert die Bildung von Karies in der Schwangerschaft besonders stark.

? Was muss ich in der Schwangerschaft bei der Zahnpflege beachten?

Zusätzlich zu einer zahngesunden Ernährung ist Zähneputzen nach jeder Mahlzeit jetzt besonders wichtig, mindestens dreimal täglich und mindestens zwei Minuten lang. Verwenden Sie dazu eine weiche Bürste mit abgerundeten Borsten und zusätzlich regelmäßig Zahnseide. Wenn Sie keine Gelegenheit haben, die Zähne zu putzen, sollten Sie auf das süße Dessert lieber verzichten. Als Notlösung können Sie nach dem Essen ein (zuckerfreies) Kaugummi kauen, dadurch wird die Speichelproduktion angeregt und die Zähne werden etwas gereinigt. Fluoridiertes Speisesalz und fluoridhaltige Zahnpasta, -spülung und -gelee sind eine gute Vorsorge gegen Karies in der Schwangerschaft und der Stillzeit. Sie können auch täglich eine Fluortablette (1 mg) einnehmen. Damit schützen Sie nicht nur Ihre eigenen Zähne, sondern auch die Ihres ungeborenen Kindes. Gute Fluorquellen sind außerdem fluoridreiche Mineralwässer (Seite 22).

INFO

Das empfiehlt Ihr Zahnarzt

- Zahnärzte empfehlen, gleich zu Beginn der Schwangerschaft die Zähne überprüfen und eventuell Zahnstein entfernen zu lassen.
- Die Zähne können sogar mit einem Schutzlack versiegelt werden. Sie sollten dann fünf Monate nach der Geburt zur Nachuntersuchung gehen.
- Einige Zahnärzte raten dazu, während der Schwangerschaft noch zweimal zum Zahnarzt zu gehen.
- Teilen Sie Ihrem Zahnarzt auf jeden Fall mit, dass Sie schwanger sind, da bestimmte Behandlungen während der Schwangerschaft gut überlegt werden müssen. Eine einfache Betäubungsspritze oder eine Röntgenaufnahme des Kiefers ist in der Regel kein Problem.

- Manche Zahnärzte bieten Schwangeren auch eine Hypnose zur Schmerzlinderung an.
- Größere Behandlungen sollten Sie möglichst bis nach der Geburt verschieben.

? Ich habe gehört, dass es für die Zähne schlecht ist, viele Zitrusfrüchte zu essen. Aber mein Baby braucht doch Vitamine!

Die für Schwangere empfohlene vitaminreiche Ernährung mit Fruchtsäften und Vitamin-C-haltigem Obst hat in der Tat Nachteile, wenn es um die Zähne geht.
Zitronensäure ist die aggressivste Fruchtsäure für den Zahnschmelz. Ebenfalls hohe Konzentrationen haben Orangen, Mangos, Grapefruits, Ananas, Pflaumen und Tomaten. Verstärkt wird der Effekt noch bei Früchten, die neben der Zitronensäure Apfel- und Weinsäuren enthalten, wie Äpfel. Auch reine Fruchtsäfte fördern durch ihren niedrigen pH-Wert die Kariesentstehung – ebenso wie zuckergesüßte Säfte.
Verzichten Sie deshalb aber nicht auf Obst und Fruchtsäfte, sondern achten Sie vielmehr auf eine entsprechende Mundhygiene: Nach dem Verzehr von sauren Lebensmitteln dürfen die Zähne erst nach einer halben Stunde geputzt werden. Der angegriffene Schmelz würde sonst noch mehr leiden.
Mit einer Mundspülung, einem Glas Wasser sowie Zahnpflegekaugummi wird die Wirkung der Säure deutlich abgeschwächt.
Da Kalzium die Säure neutralisiert, ist es prinzipiell sinnvoll, saure Nahrungsmittel zusammen mit Milchprodukten zu verzehren, da diese sehr kalziumreich sind. Also rühren Sie die Früchte in Joghurt oder Quark, mixen Sie sie mit Milch oder Buttermilch oder trinken Sie einfach ein Glas Milch dazu.
Zitronensäure, Apfelsäure und Weinsäure kommen übrigens auch als Zusatzstoffe in zahlreichen Lebensmitteln vor. Diese Säuren sind also kaum zu vermeiden, daher ist gute Zahnpflege das oberste Gebot.

? Mein Zahnfleisch blutet viel stärker, seit ich schwanger bin. Ist das normal?

Durch die hormonellen Veränderungen wird das Zahnfleisch besser durchblutet. Es lockert sich und schwillt an, manchmal entstehen sogar Zahnfleischwucherungen (Epulis). Bei Raucherinnen und bei einer bestehenden Zahnfleischentzündung ist diese Veränderung besonders deutlich.
Das aufgelockerte, weichere Zahnfleisch reagiert nun viel empfindlicher auf die Stoffwechselprodukte der Bakterien im Zahnbelag. So entstehen Zahnfleischentzündungen und es kommt beim Zähneputzen leichter zu Zahnfleischbluten. Das ist relativ häufig und noch kein Grund zur Beunruhigung. Aber aus Angst vor weiterem Bluten wird die Mundhygiene oft vernachlässigt, was die Zahnfleischentzündung nur noch verschlimmert.
Verwenden Sie zusätzlich zum normalen Zähneputzen eine gute Mundspülung und Zahnseide. So können Sie die Zahnbeläge entfernen und das Zahnfleisch beruhigt sich wieder.

Zervixverkürzung

? Was bedeutet es, wenn der Gebärmutterhals »verkürzt« ist?

Die Länge des Gebärmutterhalses (Zervix) kann mithilfe von Ultraschall fast millimetergenau gemessen werden. Ist die Zervix verkürzt, heißt das, dass der innere Muttermund sich schon trichterförmig geöffnet hat. Das kann ein Anzeichen dafür sein, dass bald Wehen zu erwarten sind. Je nach Schwangerschaftswoche besteht dann ein Frühgeburtsrisiko.
Allgemein gilt eine Zervixlänge von mehr als 2,5 cm als noch in Ordnung. Bei Werten von weniger als 2,5 cm sollten in kürzeren Abständen Kontrolluntersuchungen stattfinden. Dann wird eventuell körperliche Schonung angeordnet oder ein wehenhemmendes Medikament gegeben.

Ziehen im Unterleib

? Bei den Vorsorgeuntersuchungen ist immer alles in Ordnung. Warum habe ich (9. Woche) trotzdem ständig ziehende Unterleibsschmerzen?

Da bei den Vorsorgeuntersuchungen nichts Besonderes aufgefallen ist, kann es sich eigentlich nur um die typischen Dehnungsschmerzen handeln. Der gesamte Bereich um die Gebärmutter herum wird jetzt stark durchblutet und ist dadurch schwerer. Das bedeutet, auch schon so früh in der Schwangerschaft, ein ungewohntes und nicht zu unterschätzendes Gewicht für die Bänder und Sehnen, welche die Gebärmutter stützen. Solange Sie nicht gleichzeitig Blutungen haben, besteht kein Anlass zur Sorge.

? Wenn mein Baby strampelt, ist das oft richtig schmerzhaft. Kann ihm dabei etwas passieren?

Keine Angst, Ihrem Baby kann beim Strampeln nichts geschehen, denn es liegt gut gepolstert im Fruchtwasser. Aber auch Ihre inneren Organe können nicht wirklich verletzt werden, höchstens etwas gereizt durch die Tritte Ihres Kindes. Ziehende Schmerzen können von den Mutterbändern herrühren (siehe folgende Frage). Regelmäßige Schmerzen, bei denen der Bauch hart wird, sollten Sie Ihrem Frauenarzt mitteilen (Vorwehen, siehe ab Seite 208).

? Wenn ich längere Zeit gestanden habe, zieht die Gebärmutter wie ein Stein nach unten. Ist das normal in der 30. Woche?

Der Vergleich mit einem Stein ist nicht ganz falsch! Die Gebärmutter wird durch einen Halteapparat aus Bändern, Muskeln und Sehnen gestützt. Vor allem die sogenannten Mutterbänder halten die Gebärmutter. Belastungen machen sich als Ziehen oder Druckgefühl in der Leiste bemerkbar. Durch das

Wachstum und die Bewegungen Ihres Kindes, aber auch durch Ihre eigenen Bewegungen können die Mutterbänder überdehnt werden. Das fühlt sich wie eine Muskelzerrung oder Muskelkater an, manchmal sogar wie stechende, krampfartige, oft einseitige Schmerzen im Becken, die bis in den Scheidenbereich ausstrahlen. Meist ist dies erst nach der 20. SSW der Fall, wenn die Gebärmutter deutlich schwerer wird. Ausgelöst und verstärkt werden die Schmerzen oft durch einen Lagewechsel im Bett, beim Laufen oder auch durch die Bewegungen des Babys. Sie können die Beschwerden lindern mit einem entspannenden Bad, einer Wärmflasche oder einer Massage in der Leistengegend, etwa mit Fenchel- oder Lavendelöl.
Mit den Schmerzen gibt Ihr Körper Ihnen ein eindeutiges Signal: Gönnen Sie sich mehr Ruhe und achten Sie auf eine gute, aufrechte Haltung.

INFO

Die lästigen, aber harmlosen Schmerzen an den Mutterbändern sind unter Umständen schwer von ernsten Erkrankungen, wie einer Blinddarmentzündung, Nierensteinen, oder auch von vorzeitigen Wehen (siehe ab Seite 208) abzugrenzen. Wenn Sie zusätzlich Schwindel, Erbrechen, Durchfall, Fieber, Blutungen oder mit der Hand fühlbare Gebärmutterkontraktionen haben, sollten Sie Ihren Frauenarzt aufsuchen.

Zwillinge/Mehrlinge

? Ab wann ist eine Unterscheidung von eineiigen und zweieiigen Zwillingen möglich?

70 bis 80 Prozent aller Zwillinge sind zweieiig, der Rest eineiig. Wenn im Ultraschall nur eine Embryonalhülle (äußere Eihaut, Chorion) nachweisbar ist, handelt es sich um eineiige Zwillinge. Das ist der klassische vorgeburtliche Beweis für Eineiig-

keit und am besten im ersten Schwangerschaftsdrittel zu beurteilen. Nach der 16. SSW gelingt die Darstellung kaum noch, weil Chorion und Amnion (die innere Wand der Gebärmutter) dann zu eng aneinander liegen. In allen anderen Fällen (doppeltes Chorion, zwei Fruchthöhlen) handelt es sich meistens um zweieiige und nur selten um eineiige Zwillinge.
Die Feststellung, ob es sich um ein- oder zweieiige Zwillinge handelt, beeinflusst die Schwangerschaftsvorsorge.
So hat bei den meisten zweieiigen Zwillingen jedes Kind seine eigene Plazenta, wogegen sich die meisten eineiigen Zwillinge eine gemeinsame Plazenta teilen. Dies kann zu Komplikationen führen. Aus dem Grund wird eine solche Schwangerschaft intensiver überwacht.

? Einer meiner Zwillinge (18. SSW) wächst etwas langsamer als der andere. Sonst ist alles in Ordnung. Muss ich mir Sorgen machen?

Ungleichmäßiges Wachstum ist bei Zwillingen relativ häufig. Dabei gelten Unterschiede von 15 bis 25 Prozent im geschätzten Geburtsgewicht als noch nicht beunruhigend.
Die Ursache für den Wachstumsunterschied bleibt in der Regel unbekannt, nach der Geburt holt der kleinere und leichtere Zwilling normalerweise schnell auf. Trotzdem sollten nun sicherheitshalber häufiger Ultraschalluntersuchungen durchgeführt werden.
Bei deutlich ungleich großen Zwillingen kann der kleinere Embryo im ersten Schwangerschaftsdrittel absterben. Das kommt bei etwa einem Drittel aller Zwillingsanlagen vor. Der verbliebene Embryo entwickelt sich meist ungestört weiter.
Eine andere, eher theoretische Möglichkeit ist die sogenannte Nachempfängnis, das heißt, bei einem zweiten Eisprung im selben Zyklus kommt es trotz schon bestehender Schwangerschaft erneut zu einer Befruchtung.
Dann besteht sogar die äußerst seltene Möglichkeit, dass »Zwillinge« zwei verschiedene Väter haben.

ALARM – WANN SIE ÄRZTLICHE HILFE BRAUCHEN

- Grundsätzlich immer, wenn Sie sich krank fühlen; auf jeden Fall bei Fieber (über 38 °C)
- Wenn Sie öfter als dreimal am Tag erbrechen müssen und keine Nahrung mehr bei sich behalten können
- Bei allen Blutungen aus der Scheide, egal ob schwache Schmierblutungen oder starke, plötzliche Blutungen
- Bei plötzlichem und schmerzlosem Abgang von Flüssigkeit (Fruchtwasser) aus der Scheide. Hat sich das Köpfchen des Kindes dann noch nicht fest in das kleine Becken eingestellt, sollten Sie liegend in das nächste Krankenhaus gefahren werden
- Bei plötzlichen, starken, stechenden oder anhaltenden Schmerzen im gesamten Bauchbereich
- Wenn Sie Schmerzen beim Wasserlassen oder Blut im Urin haben
- Wenn Sie bei normaler Flüssigkeitsaufnahme deutlich seltener zur Toilette gehen müssen
- Wenn Sie plötzlich ungewöhnlich viel Gewicht zunehmen, das Gesicht aufgedunsen wirkt oder an den Händen oder Unterschenkeln und Füßen Wassereinlagerungen (Ödeme) auftreten
- Bei Juckreiz und Ausschlag am ganzen Körper
- Bei Schwindel, starken Kopfschmerzen oder Sehstörungen wie Augenflimmern, Doppelbildern oder verschwommenem Sehen
- Wenn das Baby sich deutlich weniger oder einen ganzen Tag lang gar nicht bewegt

Untersuchungen

Vorsorgeuntersuchungen in der Schwangerschaft sind dazu da, Ihnen und Ihrem Kind mehr Sicherheit zu geben. Die Erfahrung hat gezeigt, dass Schwangere, die gewissenhaft alle angebotenen Untersuchungen wahrnehmen, gesündere Kinder bekommen.
Ultraschall hat dabei für die meisten werdenden Eltern einen ganz besonderen Stellenwert. Der Blick in die Gebärmutter eröffnet die Möglichkeit, die Entwicklung des eigenen Babys zu verfolgen und schon ganz früh eine besondere Bindung zu dem ungeborenen Kind aufzubauen. Die ersten Ultraschallbilder sind ein unvergessliches Erlebnis für die Eltern.
Eine Ultraschalluntersuchung ist aber nicht einfach »Babyfernsehen«, sondern eine medizinische Technik, die bewusst eingesetzt werden sollte, um das Wachstum und die Entwicklung des Ungeborenen zu kontrollieren und frühzeitig eventuelle Fehlbildungen zu entdecken. Daher sollten die werdenden Eltern diese Untersuchungen in jedem Fall in Anspruch nehmen. Mögliche Probleme früh zu erkennen ist für die spätere Geburt sehr hilfreich.
Manchmal verursachen die vorgeburtlichen Untersuchungen auch Unruhe und Unsicherheit, besonders wenn Screeningtests im Bereich der Pränataldiagnostik durchgeführt werden. Aber machen Sie sich nicht verrückt – diese Tests sind immer nur ein erster Schritt in Richtung Sicherheit, nicht mehr als eine Abschätzung des Risikos. Wenn sie auffällig sind, werden weitere, genauere Untersuchungen empfohlen.
Erst diese Untersuchungen, zum Beispiel die Untersuchung der kindlichen Chromosomen in Chorionzotten oder Fruchtwasserzellen, ergeben eine zuverlässige Aussage darüber, ob bei dem Kind eine Chromosomenstörung vorliegt oder auch eine erblich bedingte Erkrankung.

Allgemeines

? Ist bei jeder Vorsorgeuntersuchung in der Schwangerschaft eine vaginale Untersuchung notwendig?

Nach den Mutterschaftsrichtlinien ist bei einer unkomplizierten Schwangerschaft eine vaginale Tastuntersuchung nur bei der ersten Vorsorgeuntersuchung vorgeschrieben. Viele Ärzte möchten anschließend dennoch nicht ganz auf die Tastuntersuchung verzichten und führen hin und wieder eine zusätzliche Untersuchung durch. Der Grund: Ein erfahrener Geburtshelfer kann mit einer Tastuntersuchung Veränderungen am Gebärmutterhals (Zervix) abschätzen, die auf eine mögliche Frühgeburt hinweisen.
Gegen eine vaginale Untersuchung spricht ein mögliches, wenn auch sehr geringes Infektionsrisiko. Außerdem kann heute mit Ultraschall die Länge des Gebärmutterhalses viel genauer untersucht werden.

? Welche Untersuchungen sind in der Schwangerschaft wirklich nötig und welche nur in besonderen Fällen?

Letztlich muss jede Frau – und ihr Partner – selbst entscheiden, welche Untersuchungen sie in der Schwangerschaft machen lassen will und auf welche sie verzichtet. Dazu ist in vielen Fällen eine frauenärztliche, manchmal auch eine pränataldiagnostische Beratung sinnvoll, insbesondere wenn bestimmte Risikofaktoren vorliegen (erbliche Vorbelastung) oder wenn die werdende Mutter über 35 Jahre alt ist.
Um Ihnen einen Überblick zu verschaffen, finden Sie auf den nächsten Seiten eine kurze Beschreibung der wichtigsten Untersuchungsmethoden. Die Routine-Ultraschalluntersuchungen werden bei jeder Schwangerschaft durchgeführt. Alle anderen Untersuchungen werden nur bei besonderer Indikation notwendig.

VORGEBURTLICHE UNTERSUCHUNGEN

Nicht-invasive Methoden

Ultraschalluntersuchungen (Sonographie)

- **Routine-Ultraschall (US):** um die 10., 20. und 30. SSW
  Wie? Über die Bauchdecke (abdominal) oder durch einen Ultraschallstab in der Scheide (vaginal)
  Was? Kontrolle des Schwangerschaftsalters, der kindlichen Entwicklung, grober körperlicher Auffälligkeiten (wie verdickte Nackenfalte), der Plazentafunktion und der Fruchtwassermenge
- **Weiter gehende Ultraschalluntersuchung (Sonder-US, Feindiagnostik, Organ-US o. Ä.):** um die 20. SSW oder jederzeit
  Wie? Ein besonders erfahrener Spezialist untersucht auf spezielle Überweisung hin vaginal oder abdominal
  Was? Körperliche Entwicklungsstörungen aller Art
- **Doppler-Ultraschalluntersuchung:** 20.–24. SSW oder bei Verdacht auf Wachstumsverzögerungen oder auf einen Herzfehler des Kindes
  Wie? Ein spezieller Schallkopf misst die Strömungsgeschwindigkeit des Blutes sowohl in den Gefäßen der Gebärmutter und der Plazenta als auch in den Gefäßen des Kindes. Bei der Methode des Farbdopplers ist auch die Flussrichtung des Blutes erkennbar
  Was? Funktionsstörungen der Plazenta, Mangeldurchblutung in den Nabelschnurgefäßen und den Blutgefäßen des Kindes, angeborene Herzfehler

Screeningtests zur Risikoabschätzung

- **Nackenfaltenmessung:** 11.–14. SSW
  Wie? Ultraschallmessung des fetalen Nackens
  Was? Erhöhtes Risiko für bestimmte Chromosomenstörungen, mit Augenmerk auf das Down-Syndrom, aber auch auf andere Anomalien, wie zum Beispiel einen angeborenen Herzfehler

- **Ersttrimester-Screening:** 11.–13. SSW
  Wie? Bestimmung von Hormon- und Eiweißwerten im mütterlichen Blut, kombiniert mit der Nackenfaltenmessung und unter Berücksichtigung des mütterlichen Alters und der Schwangerschaftswoche
  Was? Erhöhtes Risiko für bestimmte Chromosomenstörungen wie das Down-Syndrom, aber auch andere Anomalien wie einen angeborenen Herzfehler; aussagekräftiger als die Nackenfaltenmessung allein
- **AFP-Bestimmung:** 15.–18. SSW
  Wie? Bestimmung des Alpha-Fetoproteins im mütterlichen Blut
  Was? Hoher AFP-Wert: Erhöhtes Risiko für Neuralrohrdefekte (offener Rücken), Bauchwanddefekte oder andere Anomalien; niedriger AFP-Wert: Erhöhtes Risiko für ein Down-Syndrom
- **Triple-Test:** 15.–18. SSW
  Wie? Bestimmung von Hormon- und Eiweißwerten im mütterlichen Blut, u.a. auch AFP; Berücksichtigung von mütterlichem Alter, Gewicht und SSW
  Was? Erhöhtes Risiko für bestimmte Chromosomenstörungen wie das Down-Syndrom und Neuralrohrdefekte (offener Rücken) oder Bauchwanddefekte

Invasive Methoden

- **Chorion(zotten)biopsie (CVS)/Plazentapunktion:** ab der 11. SSW
  Wie? Ultraschallgesteuerte Entnahme von Gewebe am Rande des Mutterkuchens mit einem biegsamen Katheter durch die Scheide oder mit einer Hohlnadel durch die Bauchdecke
  Was? Chromosomenstörungen; bei familiärem Risiko auch Erbkrankheiten wie Muskel- und Stoffwechselstörungen
  Risiko? Fehlgeburtsrisiko von 0,5 bis 1,5 Prozent. In etwa 1 Prozent der Fälle muss wegen eines unklaren, sogenannten Mosaikbefundes die Entnahme wiederholt werden

- **Amniozentese (AC)/Fruchtwasseruntersuchung:** ab der 14. SSW
  Wie? Ultraschallgesteuerte Entnahme von Fruchtwasser mit einer Hohlnadel durch die Bauchdecke. – Der manchmal angebotene Schnelltest (FISH-Test oder PCR-Test) ergibt schon nach wenigen Tagen ein vorläufiges Ergebnis bezüglich der wichtigsten Chromosomenanomalien
  Was? Chromosomenstörungen
  Risiko? Fehlgeburtsrisiko von 0,5 bis 1 Prozent
- **Cordocentese/Nabelschnurpunktion:** ab der 18. SSW
  Wie? Ultraschallgesteuerte Entnahme einer kindlichen Blutprobe aus der Nabelschnur mit einer Hohlnadel über die Bauchdecke; Bluttransfusion etwa bei Rhesus-Unverträglichkeit
  Was? Prinzipiell dasselbe wie bei CVS und AC. Meist aber eingesetzt zur Therapie (Bluttransfusion, Gabe von Medikamenten an den Fetus), zur raschen Bestätigung einer durch CVS oder AC festgestellten Chromosomenstörung oder zum Nachweis einer vorgeburtlichen Infektion des Kindes etwa mit Röteln
  Risiko? Fehlgeburtsrisiko von 1 Prozent

? Ich hatte zweimal Zucker im Urin und soll jetzt einen Zuckerbelastungstest machen. Ist das nicht übertrieben?

Ein unbehandelter Schwangerschaftsdiabetes (siehe Seite 190) ist nicht nur für Sie, sondern vor allem für Ihr Kind gefährlich. Und weil die Behandlung einfach und erwiesenermaßen effektiv ist, ist solch ein Test zwischen der 24. und 28. SSW durchaus sinnvoll. Einige Experten fordern ihn sogar für jede Schwangere. Die meisten Ärzte führen ihn aber nur durch, wenn bestimmte Risikofaktoren vorliegen, etwa Übergewicht, ein großes Kind, viel Fruchtwasser, familiäre Belastung mit Diabetes mellitus oder eben mehrmals Zucker im Urin.

Der Zuckerbelastungstest ist völlig unproplematisch: Sie müssen lediglich Zuckerwasser auf nüchternen Magen trinken, nach einer und nach zwei Stunden wird der Blutzuckerwert erneut bestimmt. Diesen geringen Aufwand sollten Sie auf sich nehmen.

INFO

Wenn bei Ihnen Zucker im Urin nachweisbar ist, haben Sie ein erhöhtes Risiko für Harnwegsinfekte (siehe Seite 37, 128), denn Bakterien können sich unter diesen Umständen leichter vermehren. Wichtig ist dann, dass Sie Ihre Harnwege gut spülen, also besonders viel trinken!

? Kann ich einige Vorsorgeuntersuchungen auch bei meiner Hebamme machen lassen?

Wenn die Schwangerschaft normal und ohne Komplikationen verläuft, können bis auf die Ultraschalluntersuchungen alle Vorsorgeuntersuchungen auch von einer Hebamme durchgeführt und in den Mutterpass eingetragen werden.

? Was ist ein Wehenbelastungstest? Kann damit auch die Geburt ausgelöst werden?

Mit einem Wehenbelastungstest (Oxytocin-Belastungstest oder OBT) werden die Herztöne des Ungeborenen während künstlich ausgelöster Wehen gemessen. So lässt sich die Leistungsreserve der Plazenta sehr gut beurteilen und außerdem feststellen, ob die Sauerstoffversorgung Ihres Kindes noch ausreichend gewährleistet ist. Das ist wichtig, wenn der Geburtstermin überschritten wurde, aber auch wenn der Verdacht besteht, dass die Plazenta aus anderen Gründen nicht mehr optimal arbeitet (Plazentainsuffizienz, siehe Seite 178). Normalerweise reagiert das Kind mit einer kurzfristigen Puls-

beschleunigung auf Wehen. Bei Abweichungen von diesem typischen Muster, etwa wenn seine Herzfrequenz langsamer wird, kann eine Mangelversorgung bestehen.
Meist reicht es schon aus, wenige Kontraktionen zu erzeugen. Es handelt sich bei dem Wehenbelastungstest also nicht um eine Einleitung der Geburt, obwohl kurz vor der Geburt eine wehenbereite Gebärmutter damit durchaus ein wenig angestoßen werden kann.

? Warum wird der Hämoglobinwert in der Schwangerschaft gemessen?

Mit dem Hämoglobingehalt des Blutes (Hb) lässt sich am schnellsten ein Eisenmangel feststellen. Der Test wird meist am Anfang der Schwangerschaft und dann wieder regelmäßig ab dem sechsten Monat durchgeführt. Die Ergebnisse werden im Mutterpass auf Seite 7/8 eingetragen. Der Hb-Wert sollte möglichst nicht unter 10,5 g pro Deziliter Blut abfallen. Liegt der Wert darunter, muss ein Eisenpräparat eingenommen werden, um die Sauerstoffversorgung des Kindes zu verbessern (siehe ab Seite 15).

Ultraschall

? Wie genau lässt sich eigentlich der voraussichtliche Geburtstermin berechnen?

Nur etwa vier Prozent aller Kinder kommen tatsächlich am »errechneten Termin« (ET) zur Welt. Zwei Drittel werden innerhalb von drei Wochen um diesen Termin herum geboren, aber auch vierzehn Tage früher oder später gelten noch immer als »normal«. Eine durchschnittliche Schwangerschaft dauert 281 Tage vom ersten Tag der letzten Regel an gerechnet. Dabei geht man davon aus, dass die Befruchtung 14 Tage nach Beginn der Periode stattgefunden hat. Bei Frauen mit unregelmäßigem Zyklus kommt es entsprechend zu Abwei-

chungen. Manchmal kann sich die Schwangere auch nicht mehr genau an ihre letzte Periodenblutung erinnern. Außerdem ist ein kompliziertes Zusammenspiel von kindlicher Reife und Plazentahormonen Auslöser für die Geburt – und das lässt sich nicht genau vorausberechnen.
Heute ist es üblich, im ersten Schwangerschaftsdrittel (vor der 12. SSW) mittels Ultraschall die Scheitel-Steiß-Länge des Embryos zu messen und auf dieser Basis den errechneten Geburtstermin zu bestätigen oder zu korrigieren. Bis zu diesem Alter ist das Wachstum bei allen Kindern nahezu gleich und so kann das Schwangerschaftsalter auf wenige Tage genau festgelegt werden. Das erhöht die Wahrscheinlichkeit, dass Ihr Baby am vorausgesagten Termin zur Welt kommen wird, um einige Prozent – mehr ist nicht möglich!

? Ab wann muss der Herzschlag des Kindes sichtbar sein?

Die kindliche Herztätigkeit sollte ab der 8. SSW sicher nachweisbar sein. Ein früherer Nachweis (ab der 6. SSW) gelingt oft nur mit sehr guten und teuren Ultraschallgeräten, die in einer normalen Praxis selten zur Verfügung stehen.

? Im Ultraschall ist bei mir in der 6. SSW nur eine leere Fruchtblase zu sehen. Ist das normal?

Die naheliegendste Erklärung ist, dass es sich um eine intakte Schwangerschaft handelt, die einfach noch etwas jünger ist als bisher angenommen. Der Embryo ist dann noch sehr klein und nicht erkennbar. Entspricht die Größe der Fruchtblase der 6. SSW, kann es auch sein, dass der Embryo etwas »versteckt« liegt, was bei einer nach hinten abgeknickten Gebärmutter möglich ist. Als dritte Möglichkeit kann es sich um ein sogenanntes Windei oder Abortivei handeln, bei dem keine Embryonalanlage und kein Dottersack vorhanden sind. Das bedeutet, es ist eine Fruchtblase vorhanden, das befruchtete Ei hat sich aber schon sehr früh nicht weiterentwickelt. In der Folge ist die Fruchtblase dann oft zu klein für das Schwangerschaftsalter oder sie wächst zu langsam. Das gibt es bei vielen Fehlgeburten in der Frühschwangerschaft. Es ist genetisch oder durch äußere schädigende Einflüsse bedingt, wie Infektionen der Mutter oder die Einwirkung von Strahlen oder von Giften auf den Organismus.

? Nach der Ultraschalluntersuchung in der 10. Woche hat mein Arzt den Geburtstermin um eine Woche vorgezogen. Ist das jetzt endgültig oder kann sich der Termin noch einmal ändern?

Nicht selten muss der anhand der Zyklusdaten errechnete Geburtstermin nach der ersten Ultraschalluntersuchung korrigiert werden. Die Berechnung mit Ultraschall ist sehr viel zuverlässiger als die Berechnung aufgrund der letzten Regelblutung. Danach sollte der Geburtstermin allerdings nicht mehr korrigiert werden. Denn im zweiten und dritten Schwangerschaftsdrittel wachsen die Kinder unterschiedlich schnell – sonst wären bei der Geburt ja auch alle Kinder gleich groß und schwer. Deshalb lässt sich aufgrund einer späteren Messung nicht sagen, wann das Kind geboren wird, sondern nur ungefähr einschätzen, wie groß und schwer es in einer bestimmten Geburtswoche sein wird.

INFO

Wenn ein Kind nach der 20. Woche deutlich (um mehr als zwei Wochen) von den Normalmaßen abweicht, wird Ihr Arzt nach möglichen Ursachen dafür suchen: Ist es kleiner als erwartet, kann etwa eine Mangelversorgung bei einer Plazentainsuffizienz (siehe ab Seite 178) vorliegen. Ist es größer als erwartet, kann ein Schwangerschaftsdiabetes (siehe Seite 190) dahinterstecken.

? Mein Frauenarzt will nur die drei vorgeschriebenen Ultraschalluntersuchungen machen. Kann ich zusätzliche verlangen?

Nach den Mutterschaftsrichtlinien sind in Deutschland drei Ultraschalluntersuchungen in der Schwangerschaft vorgesehen. In einer komplikationslosen Schwangerschaft und nach streng medizinischen Gesichtspunkten wird dies als ausreichend angesehen. Zusätzliche Untersuchungen werden von den Krankenkassen nur bezahlt, wenn ein medizinischer Grund angegeben werden kann. Bei einer normalen Schwangerschaft ist also jede zusätzliche Ultraschalluntersuchung eine freiwillige, sogenannte individuelle Gesundheitsleistung (IGeL) Ihres Frauenarztes, die nicht vergütet wird. Sie können aber entscheiden, dass Sie die zusätzliche(n) Untersuchung(en) selbst bezahlen wollen.

? Schadet es meinem Kind, wenn mein Frauenarzt jedes Mal eine Ultraschalluntersuchung macht?

In vielen Untersuchungen konnte gezeigt werden, dass diagnostischer Ultraschall keine schädlichen Auswirkungen auf das Ungeborene hat. Im Gegenteil: Viele Auffälligkeiten oder Risikofaktoren waren früher durch Abtasten der Bauchdecke und Abhören der kindlichen Herztöne nicht erkennbar. Heute können sie oft früh genug festgestellt und behandelt werden, bevor das ungeborene Kind darunter leidet. Außerdem kann sich das geburtshilfliche Team auf besondere Gegebenheiten besser einstellen.

Für die Eltern hat Ultraschall zudem eine wichtige psychologische Funktion. Die Schwangerschaft und das ungeborene Kind werden durch die bildhafte Darstellung für die meisten Eltern realer. Vor allem die Väter können dadurch eine intensivere Bindung zum Kind aufbauen, was nach der Geburt die Anpassung an die neue Rolle erleichtert.

Was bedeutet eigentlich »Feindiagnostik«?

Damit wird ein sehr detaillierter Ultraschall (Sonographie) bezeichnet, der zusätzlich zu den drei Routineuntersuchungen durchgeführt wird (siehe Seite 222). Er wird auch Spezial-, Organ- oder Fehlbildungsultraschall genannt. Die beste Zeit für diese Untersuchung ist in der Mitte der Schwangerschaft, wenn alle Organe, vor allem das Herz, ausreichend groß für eine Beurteilung sind. Trotzdem ist das Baby zu dieser Zeit noch ganz auf dem Bildschirm zu sehen.

Diese besondere Untersuchung wird von einem Ultraschallspezialisten mit technisch aufwendigen Geräten durchgeführt, wenn die Voruntersuchung bei Ihrem Frauenarzt eine Auffälligkeit ergeben hat. In einem solchen Fall wird der Spezialultraschall auch von der Krankenkasse bezahlt.

Sollten nicht alle Schwangeren einen besonderen Fehlbildungsultraschall oder eine Doppleruntersuchung durchführen lassen?

Das wäre schon aus Kapazitäts- und Kostengründen nicht möglich. Stattdessen werden die beiden Ultraschalluntersuchungen um die 10. und die 20. SSW herum, die im Rahmen der Mutterschaftsvorsorge vorgesehen sind, zur groben Orientierung über körperliche Anomalien des Kindes eingesetzt. Wenn Ihr Frauenarzt dabei etwas Auffälliges entdeckt, wird er weiter gehende Untersuchungen bei einem Spezialisten veranlassen.

Doppleruntersuchungen (siehe Seite 222) sind in der Regel erst dann angezeigt, wenn sich bei den Voruntersuchungen Abweichungen, beispielsweise im Wachstum des Kindes, ergeben. Gab es keinen Hinweis auf Besonderheiten, sind in Ihrer Schwangerschaft keine weiteren speziellen Untersuchungen erforderlich. Außerdem werden die Untersuchungen um die 30. SSW herum hauptsächlich zum Ausschluss von Wachstumsverzögerungen durchgeführt.

? Bei der letzten Untersuchung (31. SSW) waren die Herztöne meines Kindes ziemlich unregelmäßig. Woran kann das liegen?

Jedes Kind hat seinen eigenen Herzrhythmus, meist zwischen 120 und 160 Schläge pro Minute. Abweichungen nach oben oder unten sind bei gesunden Kindern kein Grund zur Sorge. In den letzten Wochen vor der Geburt gibt es gelegentlich kurze Phasen (unter drei Minuten), in denen die Herztöne des Kindes abfallen. Das ist ganz normal und kann verstärkt werden, wenn Sie auf dem Rücken liegen und Ihre große Körpervene etwas zusammengedrückt wird (Vena-cava-Syndrom, siehe Seite 153, 194). Andererseits können die Herztöne Ihres Kindes kurzfristig schneller werden, wenn es sich bewegt oder wenn Sie aufgeregt sind.
Ist der Herzschlag des Kindes jedoch über längere Zeit zu schnell (Tachykardie), muss eine Blutarmut (Anämie), ein Herzfehler oder eine Fruchtwasserinfektion ausgeschlossen werden. Ist der Herzschlag hingegen andauernd zu langsam (Bradykardie), kann es sein, dass das Kind nicht ausreichend mit Sauerstoff versorgt wird. Auch dann ist eine Abklärung der Ursache notwendig.

? Wie werden Gewicht und Größe des Kindes im Ultraschall festgestellt?

Das Gewicht des Ungeborenen kann nicht direkt gemessen werden, sondern muss nach unterschiedlichen Methoden und Maßtabellen aus einzelnen Ultraschallmesswerten geschätzt werden. Zur Berechnung können folgende Maße berücksichtigt werden: der Kopfdurchmesser (BIP oder BPD), der mittlere Bauchumfang (AU), der Brustkorb-Querdurchmesser (THQ oder ADT) und die Länge des Oberschenkelknochens (FL oder Fe).
Die Gewichtsschätzung ist mit einer noch normalen Abweichung von bis zu 20 Prozent nach oben oder unten relativ

ungenau. Das heißt, wenn das Gewicht auf 2000 g geschätzt wird, kann das Kind zwischen 1600 und 2400 g schwer sein und liegt trotzdem immer noch im Normalbereich. Kleine Kinder werden bei der Gewichtsschätzung häufig über- und größere unterschätzt. Wegen dieser relativen Ungenauigkeit sollte die vorgeburtliche Entwicklung des Kindes besser über die einzelnen anderen Messwerte beurteilt werden.
Die Körperlänge kann nur in der Frühschwangerschaft, also bis zur 14. SSW, als sogenannte Scheitel-Steiß-Länge gemessen werden. Später ist Ihr Baby dafür zu groß. Das gleichmäßige Wachstum des Kindes wird im zweiten und dritten Schwangerschaftsdrittel hauptsächlich durch die Messung des Kopfdurchmessers kontrolliert.

? Ab wann kann ich im Ultraschall sehen, ob es ein Junge oder ein Mädchen wird?

Die Geschlechtsdiagnostik gelingt am besten im zweiten Drittel der Schwangerschaft. Sie ist aber davon abhängig, wie Ihr Baby liegt oder sich bewegt und ob es seine Genitalien bereitwillig zeigt. Wenn in dieser Zeit deutlich ein Penis zu sehen ist, kann man mit hoher Wahrscheinlichkeit davon ausgehen, dass es sich um einen Jungen handelt.

? Die Spezial-Ultraschalluntersuchung hat bei meinem Baby einen »weißen Fleck« auf dem Herzen ergeben. Was heißt das?

»White Spots« sind im Ultraschallbild weiß aussehende Flecken in der linken großen Herzkammer. Manchmal wird das auch »Golfballphänomen« genannt. Wahrscheinlich bestehen die Flecken aus verdichteten Muskelfasern, sie haben nichts mit einem angeborenen Herzfehler zu tun.
In den meisten Fällen sind sie eine harmlose Erscheinung, nehmen im Verlauf der Schwangerschaft ab und sind bei der Geburt nicht mehr nachweisbar.

In 98 Prozent der Fälle wird bei einem »White Spot« keine Chromosomenstörung beim Kind gefunden. Deshalb wird eine Untersuchung der kindlichen Chromosomen, also eine Chorionbiopsie (siehe Seite 223) oder Fruchtwasserpunktion (siehe Seite 224), meist nur durchgeführt, wenn zusätzliche Ultraschallauffälligkeiten vorliegen oder die werdenden Eltern die genaue Abklärung wünschen.

? Der Kopfdurchmesser meines Babys ist nicht so groß, wie er in der 22. Woche sein sollte. Woran liegt das?

In den meisten Fällen liegt eine harmlose Abweichung vom statistischen Durchschnitt vor. Wenn die Eltern einen eher kleinen Kopfumfang haben, kann man annehmen, dass auch der Kopf des Kindes nicht überdurchschnittlich groß sein wird. Hinzu kommt, dass bei bestimmten Kopfformen der Durchmesser eher klein ist. Wird aber der Kopfumfang gemessen, ist der Wert dann »normal«.
Nur bei einer deutlichen Abweichung von der Norm wird gezielt nach Hirnfehlbildungen gesucht, vor allem wenn zusätzlich körperliche Auffälligkeiten vorliegen.

Pränataldiagnostik

? Habe ich ein Recht auf bestimmte vorgeburtliche Untersuchungen? Was bezahlt die Krankenkasse?

Wenn Sie 35 Jahre oder älter sind oder aus einem anderen Grund ein höheres Risiko für eine genetische Erkrankung des Kindes vorliegt, muss Ihr Arzt Sie über die Möglichkeiten einer eingreifenden (invasiven) Pränataldiagnostik aufklären (siehe ab Seite 223). Diese Untersuchungen (beispielsweise Fruchtwasser- oder Chorionzottenentnahme) werden dann von der Krankenkasse bezahlt.

Bei Schwangeren unter 35 Jahren, bei denen kein erhöhtes Risiko erkennbar ist, gibt es keine rechtliche Verpflichtung für den Arzt, eine invasive Pränataldiagnostik anzubieten. Die meisten Ärzte informieren aber über die Möglichkeit einer nicht eingreifenden (nicht-invasiven) Untersuchung zur Risikoabschätzung, wie etwa die Ersttrimester-Diagnostik oder den Triple-Test (siehe Seite 223). Diese Untersuchungen sind dann eine sogenannte individuelle Gesundheitsleistung (IGeL). Die Kosten werden aus dem Grund nicht von den Krankenkassen übernommen.

? Warum gibt es dieses »magische« Alter von 35 Jahren? Ist das nicht völlig willkürlich?

Diese Altersgrenze ist tatsächlich willkürlich und rein statistisch bedingt – denn irgendwo muss es einfach eine Grenze geben. Bei einer 35-Jährigen entspricht die Wahrscheinlichkeit, mit einer invasiven Diagnostik (Chorionbiopsie oder Amniozentese, siehe ab Seite 223) eine Fehlgeburt auszulösen, in etwa der, ein Kind mit einer Chromosomenstörung zu bekommen. Ein Eingriff bei einer jüngeren Frau würde also eher eine gesunde Schwangerschaft gefährden als eine kindliche Chromosomenstörung aufdecken.

Soweit die Statistik – im Einzelfall sieht das bei gleichaltrigen Schwangeren aber oft ganz unterschiedlich aus: Eine 35-Jährige mit langjährigem Kinderwunsch macht sich wahrscheinlich viele Gedanken über das Eingriffsrisiko einer Fruchtwasseruntersuchung und hat Angst, die ersehnte Schwangerschaft zu gefährden. Eine 35-jährige vierfache Mutter mit eigentlich abgeschlossener Familienplanung möchte dagegen vermutlich eher sicherstellen, dass das fünfte, ungeplante Kind möglichst gesund ist.

Sie müssen für sich persönlich herausfinden, welches Risiko für Sie größer ist. Besprechen Sie mit Ihrem Frauenarzt Ihre individuelle Situation. Wenn Sie unsicher sind, kann Ihnen vielleicht eine humangenetische Beratung helfen.

MÜTTERLICHES ALTER – WIE HOCH IST DAS RISIKO FÜR EIN KIND MIT DOWN-SYNDROM?

Die Wahrscheinlichkeit dafür, dass ein Kind mit Down-Syndrom lebend geboren wird, beträgt

- mit 20 Jahren: 1:1500 (0,06 Prozent)
- mit 25 Jahren: 1:1350 (0,075 Prozent)
- mit 30 Jahren: 1:900 (0,11 Prozent)
- mit 32 Jahren: 1:700 (0,14 Prozent)
- mit 34 Jahren: 1:500 (0,2 Prozent)
- mit 35 Jahren: 1:360 (0,27 Prozent)
- mit 36 Jahren: 1:300 (0,33 Prozent)
- mit 38 Jahren: 1:200 (0,5 Prozent)
- mit 40 Jahren: 1:100 (1 Prozent)
- mit 42 Jahren: 1:65 (1,5 Prozent)
- mit 44 Jahren: 1:37 (2,7 Prozent)
- mit 46 Jahren: 1:21 (4,8 Prozent)

Ausschlaggebend ist das Alter der Mutter bei der Geburt des Kindes.

? Ich habe einen kleinen Neffen mit Down-Syndrom. Ist das erblich?

Fast alle Menschen mit Down-Syndrom (früher fälschlicherweise Mongolismus genannt) haben eine »freie Trisomie 21«, die rein zufällig entstanden ist. In solchen Fällen besteht kein erhöhtes Wiederholungsrisiko in der weiteren Verwandtschaft. Eine invasive Pränataldiagnostik ist allein aus diesem Grund nicht gerechtfertigt.

In höchstens fünf Prozent der Fälle liegt eine erbliche Form des Down-Syndroms, eine »Translokations-Trisomie«, vor. Der Chromosomensatz (Karyotyp) Ihres Neffen, der nach der Geburt erstellt wurde, gibt eine eindeutige Antwort auf diese Frage. Bitten Sie die Eltern darum. Handelt es sich bei Ihrem

Neffen um diese seltene Form des Down-Syndroms, sollten Sie sich humangenetisch beraten lassen. Danach können Sie gut informiert entscheiden, ob Sie eine vorgeburtliche Diagnostik durchführen lassen wollen.

MÜTTERLICHES ALTER – WIE HOCH IST DAS RISIKO, DASS DIE FRUCHTWASSER-UNTERSUCHUNG EINEN AUFFÄLLIGEN BEFUND ERGIBT?

Die Wahrscheinlichkeit, dass um die 16. SSW herum eine Chromosomenstörung (Trisomie 13, 18 und 21 und andere) beim Kind gefunden wird, beträgt

- mit 35 Jahren: 0,9 Prozent
- mit 36 Jahren: 1,1 Prozent
- mit 38 Jahren: 1,4 Prozent
- mit 40 Jahren: 2,2 Prozent
- mit 42 Jahren: 3,8 Prozent
- mit 44 Jahren: 4,3 Prozent
- mit 46 Jahren: 10,3 Prozent

Die Zahlen sind höher als in der Statistik auf Seite 235, weil auch Kinder berücksichtigt werden, die bereits im Mutterleib versterben.

? Lässt sich bei einem Kind mit Down-Syndrom schon vor der Geburt etwas über den Schweregrad der Behinderung aussagen – und ist sie heilbar?

Kinder mit Down-Syndrom können unterschiedlich stark geistig und körperlich behindert sein. Das lässt sich aber nicht aus dem Chromosomenbefund ablesen.
Durch zusätzliche gezielte Ultraschalluntersuchungen kann jedoch zumindest der Schweregrad der körperlichen Behinderung ungefähr eingeschätzt werden.

Genetisch bedingte Behinderungen lassen sich nicht heilen. Anders als bei einigen körperlichen Fehlbildungen, die zum Teil sogar vorgeburtlich behandelt werden können, lassen sich die Chromosomen und Gene bisher nicht verändern. Pauschal gesagt: Sie können nicht einfach ein zusätzliches Chromosom (wie das Chromosom 21 beim Down-Syndrom) aus jeder Körperzelle entfernen.

? Was ist eine »Nackenfalte«? Und was bedeutet das für mein Baby?

Wird bei Ihrem Kind eine Verdickung der Nackenregion festgestellt, bedeutet das noch lange nicht, dass Ihr Kind nicht gesund ist. Es heißt nur, dass ein mehr oder weniger stark erhöhtes Risiko für eine Störung besteht. Eine verdickte Nackenfalte hat zum Glück in den meisten Fällen eine harmlose Ursache und bildet sich oft spontan innerhalb kurzer Zeit zurück.

Viele Frauenärzte messen heute bei der ersten Ultraschalluntersuchung in der 10. bis 13. SSW die Dicke der Haut im Nackenbereich des Embryos (NT-Test). Eine durch Wassereinlagerungen verdickte Nackenregion (ab etwa 2,5 mm) kann einen Hinweis auf eine Chromosomen- oder eine andere Entwicklungsstörung des Kindes geben. Auch Herzfehler und andere Organfehlbildungen können zu einer verdickten Nackenfalte führen. Auf jeden Fall werden dann weitere Untersuchungen angeboten. Ob aber immer gleich eine Chromosomenuntersuchung durch Chorionbiopsie oder Amniozentese (siehe ab Seite 223) gerechtfertigt ist, hängt von der Dicke der Nackenfalte ab und sollte in einem ausführlichen Beratungsgespräch mit Ihnen erörtert werden. Wenn Sie nach Abwägung der Vor- und Nachteile auf eine solche weiter gehende Diagnostik verzichten wollen, können zwei sehr eingehende Ultraschalluntersuchungen um die 20. SSW und die 30. SSW herum, möglichst mit einer Ultraschalluntersuchung des Herzens (Echokardiographie), durchgeführt werden.

? Ich bin 33 Jahre alt, also noch nicht »alt genug« für eine Pränataldiagnostik. Welche Untersuchungen kommen für mich infrage?

Wenn in Ihren Familien bisher keine erblichen Chromosomenstörungen oder andere genetisch bedingte Erkrankungen, vermehrte Fehlgeburten oder Totgeburten vorgekommen sind, gibt es keinen Grund, warum Sie ein höheres statistisches Risiko für Chromosomenstörungen haben sollten als jede andere 33-Jährige. Und da dieses Risiko kleiner ist als das eingriffsbedingte Fehlgeburtsrisiko etwa bei einer Amniozentese, brauchen Sie allein aufgrund Ihres Alters keine invasive Pränataldiagnostik durchführen lassen.
Allerdings können Sie die nicht-invasiven Screeningtests machen lassen. Sie sind mit keinem Fehlgeburtsrisiko verbunden. Sie ergeben aber auch keine genaue Diagnose, sondern nur eine Abschätzung Ihres individuellen Risikos. Hierzu zählen die Ersttrimester-Diagnostik und der sogenannte Triple-Test (siehe Seite 223). Sollte bei diesen Tests ein Risiko herauskommen, das höher ist als das statistische Altersrisiko einer 35-Jährigen, so könnte als nächster Schritt eine Chorionbiopsie oder Amniozentese durchgeführt werden – wenn Sie das wollen.

? Ich habe gehört, dass man in der Frühschwangerschaft die Messung des Nackens mit einer Blutuntersuchung kombinieren kann. Wie zuverlässig ist das Ergebnis?

Eine verdickte Nackenfalte (siehe Seite 237) ist keine Diagnose, sondern nur ein Symptom – man kann deshalb nicht von »zuverlässig« oder »unzuverlässig« sprechen. Zusätzliche Blutwerte machen das Testergebnis aussagekräftiger. Trotzdem führen diese Untersuchungen immer nur zu einer Risikoabschätzung, die eine bessere Basis für weitere Entscheidungen, aber keine Diagnose darstellt!

Das sogenannte Ersttrimester-Screening besteht aus der Bestimmung verschiedener Blutwerte, einer Ultraschallmessung der fetalen Nackenfalte und der Berücksichtigung des mütterlichen Alters. Eine komplizierte Auswertung dieser Untersuchung zwischen der 10. und 13. Schwangerschaftswoche ergibt eine Risikoabschätzung für eine Chromosomenstörung beim Kind (beispielsweise Down Syndrom). So kann herauskommen, dass eine 25-Jährige auf einmal das etwas höhere Risiko einer 38-Jährigen hat oder auch eine 34-Jährige das relativ niedrige Risiko einer 22-Jährigen.
Im Prinzip ist also das Ersttrimester-Screening nichts anderes als der schon länger bekannte Triple-Test im zweiten Drittel der Schwangerschaft: ein erster ungefährlicher Schritt, um aus der großen Menge der Schwangeren diejenigen mit tatsächlich erhöhtem Risiko herauszufinden. Erst mit einer weiter gehenden, invasiven Untersuchung (Chorionbiopsie oder Amniozentese, siehe ab Seite 223) kann eine Diagnose gestellt werden. Und diese ist dann auch »zuverlässig«.

? Ich habe mich zu einer Amniozentese entschlossen, habe aber schreckliche Angst vor der Nadel. Ist das sehr schmerzhaft? Und kann mein Baby dabei verletzt werden?

Die Fruchtwasserentnahme wird mit einer dünnen, langen Nadel durchgeführt und der gesamte Vorgang wird mittels Ultraschall kontrolliert. Den Einstich spüren Sie zwar, aber das ist nicht schlimmer als bei einer Blutabnahme. Die meisten Untersucher verzichten sogar auf die Betäubungsspritze, weil dieser Einstich genauso schmerzhaft wäre. Das Fruchtwasser wird durch die Nadel in eine Spritze gezogen. Der Eingriff dauert nur wenige Sekunden. Sie können wahrscheinlich auf dem Ultraschallmonitor alles genau verfolgen. Der Arzt geht gezielt dorthin, wo eine Fruchtwasseransammlung sichtbar ist und keine kindlichen Körperteile in der Nähe sind. Manchmal sieht man auch im Ultraschall, dass das Kind der

Nadel ausweicht. Sie müssen keine Angst haben, dass es sich zur Nadel hin bewegt oder sogar hineinfasst. Bei vielen Hunderttausenden von Fruchtwasserpunktionen sind echte Verletzungen des Kindes bisher praktisch kaum vorgekommen.
Die Einstichstelle verschließt sich sofort. Zur Sicherheit wird noch ein Pflaster aufgeklebt. Danach sollten Sie noch ein wenig ruhen, können aber kurze Zeit später wieder nach Hause gehen. Gut ist es, wenn Sie jemanden dabeihaben, der Sie fahren kann. Körperliche Schonung innerhalb der nächsten Tage ist unbedingt empfehlenswert.
Die Gefahr bei einer Amniozentese besteht darin, dass es unter Umständen zu einer Fruchtwasserinfektion kommen kann, die dann vorzeitige Wehen auslöst und zu einer Fehlgeburt führt. Wird sie von erfahrenen Spezialisten durchgeführt, liegt dieses Risiko aber deutlich unter einem Prozent.

? Werden mit einer Fruchtwasserpunktion und mit einer Chorionbiopsie dieselben Erkrankungen entdeckt? Und wie zuverlässig ist das Ergebnis?

Grundsätzlich werden bei einer Amniozentese an den Fruchtwasserzellen (ab der 14. Woche, siehe Seite 224) Chromosomenstörungen des Kindes festgestellt, denn diese Zellen stammen vom Kind. Am häufigsten kommt es vor, dass drei statt zwei Chromosome vorhanden sind (Trisomie). Beim Down-Syndrom ist es beispielsweise das 21. Chromosom (Trisomie 21). Außerdem ist zu sehen, ob größere Chromosomenstücke fehlen, überzählig sind oder umgebaut wurden. Winzig kleine Veränderungen sind unter normalen Bedingungen nicht erkennbar. Auch Untersuchungen auf bestimmte Erbkrankheiten sind nur möglich, wenn gezielt eine spezielle Erkrankung ausgeschlossen werden soll.
Ähnliches gilt für die Chorionbiopsie (ab der 11. Woche, siehe Seite 223). Bei etwa einer von hundert Untersuchungen gibt es unklare Befunde (Mosaike), die eine weitere Untersuchung nach sich ziehen können. Zusätzlich könnten an den Chorion-

zellen noch einige Stoffwechselstörungen molekulargenetisch untersucht werden. Das ist allerdings sehr aufwendig und wird nur durchgeführt, wenn diese Störungen in der Familie bereits vorgekommen sind und wenn Sie es wünschen.
Sollte sich eine Chromosomenstörung beim Kind herausstellen, kann der Befund durch den Nachweis spezifischer Fehlbildungen im Ultraschall oder durch eine schnelle zweite Untersuchung noch einmal bestätigt werden, bevor Sie über Konsequenzen nachdenken müssen.
Körperliche Anomalien des Kindes ohne eine Veränderung der Chromosomen, etwa ein Herzfehler, können weder mit einer Amniozentese noch mit einer Chorionbiopsie erkannt werden. Solche Erkrankungen können aber oft mit einer gezielten Ultraschalluntersuchung diagnostiziert werden.

? Der FISH-Test ist doch viel schneller als die normale Amniozentese. Aber ist das Ergebnis auch so zuverlässig?

Die FISH-Technik (Fluoreszenz-in-situ-Hybridisierung) ist eine schnellere Art der Chromosomenuntersuchung als die konventionelle Analyse. Dabei werden die Fruchtwasserzellen mit einzelnen spezifischen Sonden für ganz bestimmte Chromosomen abgesucht, weshalb auch nur zahlenmäßige Veränderungen dieser Chromosomen festgestellt werden. In der Regel werden fünf Sonden eingesetzt, mit denen dann die fünf häufigsten Chromosomenstörungen (70 Prozent aller Chromosomenstörungen) erfasst werden. Alle anderen Chromosomenveränderungen, vor allem Strukturveränderungen, bleiben aber unentdeckt.
Deshalb müssen die Labors, die den FISH-Test anbieten, gleichzeitig auch noch eine konventionelle Chromosomenauszählung durchführen. Das Ergebnis des Schnelltests beruhigt in den allermeisten Fällen nach wenigen Tagen. Die Auswertung der Chromosomenkultur bringt dann nach etwa zwei bis drei Wochen den endgültigen Befund (siehe Seite 224).

? Wenn mein Kind krank ist: Bis wann ist ein Schwangerschaftsabbruch noch erlaubt?

Nach neuestem Recht ist ein Schwangerschaftsabbruch nicht strafbar, wenn durch einen Arzt eine sogenannte medizinische Indikation bestätigt wird. Diese liegt vor, wenn die Fortsetzung der Schwangerschaft das Leben oder die Gesundheit der Frau (seelisch, körperlich oder bei schwerer psychischer Notlage) bedroht. Ein schwer behindertes Kind kann demnach »unter Berücksichtigung der gegenwärtigen oder zukünftigen Lebensverhältnisse eine Lebensgefahr oder eine schwerwiegende Gefahr für die körperliche oder seelische Gesundheit der Mutter« darstellen (§ 218a Abs. 2 StGB).
Es besteht in diesem Fall weder eine Beratungspflicht noch eine zeitliche Frist, bis wann der Schwangerschaftsabbruch durchgeführt sein muss. Allerdings unterscheidet sich ein früher Abbruch natürlich sehr von einem späten: Je weiter die Schwangerschaft fortgeschritten und je größer das Kind ist, umso mehr entspricht der Schwangerschaftsabbruch einer richtigen Geburt und umso schwerwiegender sind die körperlichen und seelischen Belastungen für die Frau.

? Eine Abtreibung käme für mich nie infrage – auch nicht, wenn mein Kind mit Sicherheit einen schweren Geburtsschaden hätte. Soll ich dann überhaupt vorgeburtliche Untersuchungen durchführen lassen?

Bestimmte vorgeburtliche Untersuchungen wie Ultraschall können nicht nur angeborene Erkrankungen entdecken, die unheilbar sind, sondern auch solche, die vor der Geburt schon behandelbar sind. Das sind zwar bisher nicht sehr viele, aber Sie sollten sich gut überlegen, ob Sie Ihrem Kind diese Chance nehmen wollen. Ein Beispiel sind Verengungen der kindlichen Harnröhre: Durch den Rückstau von Urin in die Nieren wird deren Entwicklung behindert und das Kind mit einer eingeschränkten Nierenfunktion geboren. Sieht man jedoch den Harnstau im Ultraschallbild und gelingt es, durch Einlage eines Ablauf-Röhrchens den Druck auf das Nierengewebe zu vermindern, kann das Kind mit funktionstüchtigen Nieren geboren und die Verengung der Harnröhre dann nach der Geburt operiert werden.

Außerdem können vorgeburtliche Untersuchungen die richtigen Weichen stellen für eine möglichst schonende Geburt und eine sofortige Versorgung eines Kindes mit einer angeborenen Fehlbildung – also die Wahl der Entbindungsklinik beeinflussen. So kann es bei einem bekannten schweren Herzfehler lebenswichtig sein, dass das Kind per Kaiserschnitt geboren wird und Spezialisten bereitstehen, um von der ersten Minute an die richtigen Maßnahmen zu ergreifen.

All diese Möglichkeiten haben Sie bei einer Amniozentese oder Chorionbiopsie allerdings nicht, denn an den kindlichen Chromosomen ist nicht erkennbar, ob körperliche Fehlbildungen vorliegen oder wie schwer das Kind geistig behindert ist; und eine vorgeburtliche Behandlung ist nicht möglich. Deshalb lässt ein auffälliger Befund nur die Wahl zwischen Austragen oder Abbruch der Schwangerschaft.

Aus Ihrer Sicht ist es dann wahrscheinlich sinnvoll, sich gar nicht erst in diese Situation zu begeben. Es gibt allerdings auch werdende Eltern, die mit einer Einstellung wie der Ihren trotzdem eine pränataldiagnostische Untersuchung durchführen lassen.

Ihr Argument: Sollte bei ihrem Kind eine Chromosomenstörung gefunden werden, können sie sich besser darauf einstellen, das Kind von Anfang an optimal zu fördern, und auch schon Kontakte zu anderen betroffenen Eltern aufbauen.

Zum Nachschlagen

Glossar

Abdominal: Über die Bauchdecke.

Abort: Fehlgeburt; Beendigung der Schwangerschaft innerhalb der ersten sechs Monate, wenn das Kind noch nicht lebensfähig ist.

Abortivei: Windei, nicht weiter entwicklungsfähiges Schwangerschaftsprodukt. Wird bis zur 8. SSW ausgestoßen.

AFP: Alpha-Fetoprotein. Eiweiß, das normalerweise im Dottersack, in der Leber und im Magen-Darm-Trakt des Fetus gebildet wird.

Amniozentese: Fruchtwasserentnahme, Fruchtwasserpunktion.

Anämie: Blutarmut. Verminderung der Zahl und/oder des Hämoglobingehalts der roten Blutkörperchen, meist durch Eisenmangel hervorgerufen.

Anti-D-Prophylaxe: Vorbeugende Verabreichung von Rhesus-Antiserum bei Rhesus-Unverträglichkeit.

Antikörper: Eiweißkörper, sogenannte Immunglobuline (Ig), die im Organismus durch das Eindringen von Antigenen gebildet werden. Antikörper binden Antigene und machen sie unschädlich.

Bakteriurie: Nachweis von Bakterien im Harn.

Cerclage: Umschlingung. Operativer Verschluss des Muttermunds durch eine Naht.

Chloasma: »Schwangerschaftsmaske«, die sich im vierten oder fünften Monat in Form von unregelmäßigen Pigmentierungen im Gesicht zeigt.

Chorion: Zottenhaut, äußere Eihaut.

Chorion(zotten)biopsie: Entnahme von Chorionzotten zur Pränataldiagnostik.

Choriongonadotropin (HCG): Hormon, das etwa acht Tage nach der Befruchtung im Blut, später auch im Urin der Schwangeren nachgewiesen werden kann.

Chorionhöhle: Fruchthöhle.

Chromosom: Stäbchen- bzw. hakenförmiges Gebilde im Zellkern. Träger der genetischen Information. Die menschlichen Zellen enthalten in der Regel je 23 Chromosomenpaare, Ei- und Samenzelle 23 einzelne Chromosomen.

Cortison (Corticosteroide): Hormon, das von der Nebennierenrinde gebildet wird.

CTG: Cardiotokographie, elektronische Ableitung und Aufzeichnung der Herztöne und Wehentätigkeit.

CVS: »Chorionic villus sampling«, englisch für Chorion(zotten)biopsie.

Down-Syndrom: Trisomie 21. Erkrankung, bei der in den Zellen ein zusätzliches (drittes) Chromosom 21 vorliegt.

EEG: Elektro-Enzephalographie. Ableitung von Hirnströmen.

Eklampsie: Krampfanfall während der Schwangerschaft aufgrund einer nicht ausreichend behandelten Präeklampsie.

Embryo: Ungeborenes Kind in den ersten drei Monaten.

Extrauteringravidität: Schwangerschaft außerhalb der Gebärmutter durch fehlerhafte Einnistung in einem Eileiter, im Eierstock oder im Gebärmutterhals.

Fetus (Fötus): Ungeborenes Kind nach dem dritten Monat.

Folsäure: Vitamin der B-Gruppe, das für die Blutbildung und Entwicklung des Neuralrohrs sehr wichtig ist.

Gestationsdiabetes: Schwangerschaftsdiabetes, Zuckerstoffwechselstörung in der Schwangerschaft.

Gestose: Schwangerschaftsvergiftung, Präeklampsie. Kennzeichen: starke Wassereinlagerung, hoher Blutdruck und Eiweiß im Urin.

Glukosurie: Nachweis von Zucker im Harn.

Gravidität: Schwangerschaft.

Hämatom: Bluterguss.

Hämoglobin (Hb): Roter Blutfarbstoff, wichtig für den Sauerstofftransport im Blut.

HCG, humanes Choriongonadotropin: Siehe Choriongonadotropin.

Hydramnion: Vermehrte Fruchtwassermenge (auch Polyhydramnion).

Hypertonie: Hoher (Blut-) Druck.

Hypotonie: Niedriger (Blut-) Druck.

Indikation: Notwendigkeit einer bestimmten medizinischen Handlung.

Insuffizienz: Schwäche, ungenügende Leistungsfähigkeit eines Organs.

Invasiv: Eindringend. Ein medizinisches Verfahren ist invasiv, wenn dabei die körperliche Integrität verletzt wird.

Karpaltunnel-Syndrom: Taube und schmerzende Finger durch Wassereinlagerung im Bereich des Handgelenks und durch Zusammenpressen eines Nervs.

Kontraktion: Zusammenziehen eines Muskels; Wehe.

Missed Abortion: Verhaltener Abort. Der Embryo stirbt ab, es tritt jedoch keine Fehlgeburt ein.

Molekulargenetische Diagnostik: Indirekter oder direkter Nachweis eines krank machenden Gens durch DNA-Diagnostik.

Mutterbänder: Haltevorrichtung für die Gebärmutter im Becken.

Myom: Gutartige Geschwulst des Muskelgewebes, zum Beispiel der Gebärmutter.

Neuralrohrdefekt: Entwicklungsstörung des zentralen Nervensystems, das heißt des Rückenmarks (vor allem Spaltbildungen wie »offener Rücken«) oder des Gehirns.

OBT: Oxytozin-Belastungstest. Test zur Beurteilung des kindlichen Zustands und der Plazentafunktion in der Gebärmutter. Durch Gabe von Oxytozin werden Kontraktionen verursacht und die Reaktion des Fetus bzw. seine Herztöne aufgezeichnet.

Oxytocin: Hormon, das die Wehentätigkeit und die Milchbildung anregt.

Periduralanästhesie: Betäubung der unteren Körperhälfte.

Perinatal: Die Zeit von der 28. SSW bis zum Ende der 1. Woche nach der Geburt.

pH-Wert: Säuregehalt einer Flüssigkeit.

Placenta praevia: Tief liegende oder vorliegende Plazenta. Der Mutterkuchen sitzt im unteren Teil der Gebärmutter am Rande oder über dem inneren Muttermund, was zu Blutungen in der Spätschwangerschaft und während der Geburt führen kann.

Plazenta: Mutterkuchen.

Präeklampsie: Siehe Gestose.

Pränatal: Vorgeburtlich.

Pränataldiagnostik: Feststellung einer Fehlbildung oder einer Krankheit bei einem Embryo oder Fetus durch Ultraschall, Chromosomen-, DNA- oder Stoffwechseluntersuchung an Chorionzotten, Fruchtwasserzellen oder kindlichen Zellen oder Flüssigkeiten.

Progesteron: Gelbkörperhormon, wird im Eierstock und im Mutterkuchen gebildet.

Prophylaxe: Verhütung von Krankheiten durch vorbeugende Maßnahmen.

Provitamin: Vitaminvorstufe.

Punktion: Einstich in ein Organ, um Flüssigkeit zu entnehmen; meist zu Diagnosezwecken.

Screeningtest: Auf bestimmte Kriterien bzw. Krankheiten ausgerichteter Suchtest.

Sonographie: Ultraschalldiagnostik.

SSW: Abkürzung für »Schwangerschaftswoche«.

Symptom: Zeichen einer Krankheit.

Teratogen: Fruchtschädigend; Fehlbildungen erzeugend.

Thrombose: Bildung eines Blutpfropfens in der Blutbahn.

Titer: Einheit zur Bestimmung des Impfschutzes oder der Antikörperaktivität.

Trimenon, Trimester: Schwangerschaftsdrittel.

Triple-Test: Bestimmung von AFP, HCG und unkonjugiertem Östriol aus dem mütterlichen Blut mit dem Ziel, das Risiko für das Vorliegen einer Trisomie 21 des Fetus abschätzen zu können.

Trisomie: Vorhandensein von überzähligen Chromosomen, das heißt dreifache statt zweifache Anlage eines bestimmten Chromosoms.

Uterus: Gebärmutter.

Vagina: Scheide.

Vaginalsekret: Scheidenflüssigkeit.

Varizen: Krampfadern.

Vena cava: Große Hohlvene.

Vulva: Äußere weibliche Geschlechtsteile.

Windei: Abortprodukt mit verkümmerter oder nicht feststellbarer Fruchtanlage.

Zervix: Muttermund, Eingang zur Gebärmutter.

Bücher, die weiterhelfen

Husslein, Univ-Prof. Dr. Peter; Schuster, Ulrike; Haber, Barbara: 300 Fragen zur Geburt. Gräfe und Unzer, München

Hüther, Gerald; Krens, Inge: Das Geheimnis der ersten neun Monate. Unsere frühesten Prägungen. Beltz, Weinheim

Kainer, Prof. Dr. med. Franz; Nolden, Annette: Das große Buch zur Schwangerschaft. Gräfe und Unzer, München

Schmid-Altringer, Dr. med. Stefanie: Schwanger ab 35. Gräfe und Unzer, München

Schutt, Karin: Mein Begleiter durch die Schwangerschaft. Gräfe und Unzer, München

Szaz, Nora; Höfer, Silvia: Hebammen-Gesundheitswissen: Für Schwangerschaft, Geburt und die Zeit danach. Gräfe und Unzer, München

Thielemann-Kapell, Patricia: Yoga in der Schwangerschaft. Gräfe und Unzer, München

Adressen, die weiterhelfen

Deutschland

Berufsverband der Frauenärzte e. V.
Postfach 20 03 63
80003 München
www.bvf.de

Berufsverband Deutscher Humangenetiker e. V.
Linienstr. 127
10115 Berlin
Liste aller Humangenetischen Beratungsstellen unter www.bvdh.de

Deutscher Hebammen-Verband e. V.
Gartenstraße 26
76133 Karlsruhe
www.bdh.de

Bundesamt für Verbraucherschutz und Lebensmittelsicherheit
Bundesallee 50
Gebäude 247
38116 Braunschweig
www.bvl.bund.de

Bundesinstitut für Arzneimittel und Medizinprodukte
Kurt-Georg-Kiesinger-Allee 3
53175 Bonn
www.bfarm.de

Bundesministerium für Familie, Senioren, Frauen und Jugend
Glinkastr. 24
10117 Berlin
www.bmfsfj.de

Bundesministerium für Gesundheit
Friedrichstr. 108
10117 Berlin
und:
Rochusstr. 1
53123 Bonn
www.bmg.bund.de

Bundeszentrale für gesundheitliche Aufklärung
Ostmerheimerstr. 220
51109 Köln
www.bzga.de

Deutsche Gesellschaft für Ernährung e. V.
Godesberger Allee 18
53175 Bonn
www.dge.de

Pro Familia-Bundesverband
Stresemannallee 3
60596 Frankfurt/Main
www.profamilia.de

Robert-Koch-Institut
Bundesinstitut für Infektionskrankheiten und nicht übertragbare Krankheiten
Nordufer 20
13353 Berlin
www.rki.de

Österreich

Österreichische Gesellschaft für Ernährung
c/o AGES Bürotrakt WH
Spargelfeldstr. 191
1220 Wien
www.oege.at

Österreichische Gesellschaft für Gynäkologie und Geburtshilfe
Sekretariat: KH der Barmherzigen Schwestern
Seilerstätte 4
4010 Linz
www.oeggg.at

Österreichisches Hebammen-Gremium
Landstraßer Hauptstr. 71/2
1030 Wien
www.hebammen.at

Schweiz

Schweizerische Gesellschaft für Gynäkologie und Geburtshilfe
Postgasse 17, Postfach 686
3000 Bern
www.sggg.ch

Schweizerischer Hebammenverband
Rosenweg 25c
3000 Bern 23
www.hebamme.ch

Schweiz. Gesellschaft für Ernährung
Schwarztorstr. 87,
Postfach 8333
3001 Bern
www.sge-ssn.ch

Register

A

B

C

D

Impressum

Erweiterte und aktualisierte Neuausgabe von »300 Fragen zur Schwangerschaft«, GRÄFE UND UNZER 2003,
ISBN 978-3-7742-6051-1

Projektleitung: Sarah Schocke
Lektorat: Annette Gillich-Beltz
Fotos: Cover: Plainpicture, U4: Getty
Gestaltung und Layout: independent Medien-Design, Horst Moser, München
Herstellung: Markus Plötz
Satz: Filmsatz Schröter, München
Druck und Bindung: Druckerei Auer, Donauwörth

ISBN 978-3-8338-1457-0

2. Auflage 2011

Ein Unternehmen der
GANSKE VERLAGSGRUPPE

Die **GU Homepage** finden Sie im Internet unter
www.gu.de

Umwelthinweis:
Dieses Buch wurde auf chlorfrei gebleichtem Papier gedruckt. Um Rohstoffe zu sparen, haben wir auf Folienverpackung verzichtet.